GUIDE (AIDE-MEMOIRE) DU PASSIONNÉ DE MUSIQUE CLASSIQUE

MOZART, BEETHOVEN

et autres compositeurs de leur époque

Sur la couverture (photos par A.Kouyoumdjian, mai 2007) :
- Statue monumentale de Mozart, au centre de Vienne
- Statue de Beethoven à Heiligenstadt, au nord de Vienne

GUIDE (AIDE-MEMOIRE) DU PASSIONNÉ DE MUSIQUE CLASSIQUE

MOZART, BEETHOVEN

et autres compositeurs de leur époque

par *Ara* *KOUYOUMDJIAN*

(BoD"02/20")

Merci mon Dieu pour Mozart et Beethoven !

Au dix-huitième siècle naissaient, à quatorze ans d'intervalle, probablement les deux plus grands génies de la musique, Mozart et Beethoven.

Ce livre est destiné à ceux qui aiment la musique classique, et particulièrement de ces deux compositeurs.

Il arrive souvent que le mélomane passionné, en écoutant une œuvre, ait soudain l'envie d'en savoir plus : par exemple, à quelle période se situe cette œuvre par rapport à d'autres, ou encore, quelle était la vie du compositeur en cette période, etc... Le lecteur y trouvera les réponses, et aussi des renseignements intéressants sur d'autres compositeurs de musique classique de cette époque.

Pour ce qui est des autres compositeurs de l'époque, et afin de conserver l'aspect pratique de ce livre, nous nous limiterons ici à donner un bref aperçu de la vie et de quelques œuvres, d'un peu plus de 200 compositeurs, adultes et actifs en Europe entre l'année 1756 (naissance de Mozart) et l'année 1827 (mort de Beethoven).

Par conséquent, le but de ce livre est d'avoir sous la main un ouvrage facile à consulter, permettant au mélomane de retrouver un détail sur la vie ou sur les principales oeuvres, ou retrouver le thème principal d'une de ces oeuvres de Mozart et de Beethoven, mais aussi d'y trouver des renseignements sur les nombreux autres compositeurs de cette époque. Plusieurs pages sont consacrées aux contemporains les plus célèbres, comme Haydn et Schubert.

Pour une étude encore plus complète de la vie et des œuvres de Mozart et Beethoven, il existe, bien entendu, de grandes biographies spécifiques, et plus particulièrement les magnifiques ouvrages de Jean et Brigitte Massin parus aux Editions Fayard, consacrant environ mille pages à chacun de ces deux grands compositeurs.

Je remercie Aline Etmekdjian, Ludwig Kouyoumdjian, Jérôme Legrain et Lory Salby pour leurs précieuses remarques et suggestions lors de la préparation de ce livre.

Ara KOUYOUMDJIAN
(né en 1940,
habitant la région parisienne)

Recherche d'un compositeur

Dans cette édition, qui se limite aux contemporains nés avant 1810 (pour les raisons expliquées dans la préface), tous les compositeurs sont classés par ordre alphabétique. On peut aussi utiliser l'index en page 9, ou celui, sur trois pages, à la fin du livre, où l'on trouvera également une liste à part de compositeurs qui précèdent ou se rapprochent de cette époque.

Les thèmes musicaux

Dans cet ouvrage, de nombreux thèmes musicaux permettent de distinguer ou de reconnaître telle ou telle œuvre musicale, notamment de Beethoven et de Mozart, à condition, bien entendu, de pouvoir lire, ou même déchiffrer un peu la musique.

Le thème indiqué est choisi de manière la plus significative. Souvent quelques mesures du début de l'œuvre (ou du mouvement) permettent de rappeler un thème principal. Mais parfois le thème principal n'arrive qu'après une longue partie d'introduction. Dans ce cas, cela sera précisé, sinon indiqué par des points .... devant le thème.

Lorsque l'exemple donné n'est pas une reproduction complète de l'extrait de la partition, il sera précédé du mot "thème".

Pour reconnaître un thème, il est souvent utile de tenir compte du tempo indiqué. Rappelons que le tempo (c'est à dire la vitesse), est désigné par les expressions habituelles, en italien, qui sont, du plus lent au plus rapide :

Largo ; Larghetto ; Lento ; Adagio ; Andante ; Andantino ; Allegretto ; Allegro ; Presto

avec parfois des précisions supplémentaires ajoutées, comme :

Un poco : un peu
Ma non tropo : pas trop

De plus, le compositeur indique parfois une certaine nuance, utilisant notamment les expressions italiennes suivantes :

Con moto : d'une manière animée
Con brio : avec vivacité
Maestoso : majestueux
Moderato : modéré
Mosso : animé
Scherzo : comme une plaisanterie
Sostenuto : soutenu
Vivace : vif

Composition du livre

Index alphabétique des compositeurs inclus dans ce livre

Compositeur : **Carl Friedrich ABEL**

Date et lieu de naissance / mort :

Décembre 1723 (Koethern, Allemagne) / Juin 1787 (Londres)

Vie et œuvres :

Ce musicien et compositeur allemand est issu d'une grande famille de musiciens. Après avoir vécu à Dresde, où il fut très apprécié comme musicien, y compris de J.-S. Bach, il s'installa à Londres à partir de 1759, où il devint un grand ami de Jean-Chrétien BACH et avec lequel il organisa, à partir de 1765, les fameux concerts BACH-ABEL, jusqu'à la mort de J.C.Bach en 1782.

Puis il fit de longs séjours à Paris et à Potsdam, pour enfin revenir à Londres juste avant d'être atteint par une maladie et son décès.

Il écrivit de la musique de chambre et de nombreuses symphonies dont Mozart s'inspirera à six ans pour écrire sa première symphonie.

Compositeur : **Adolphe ADAM**

Date et lieu de naissance / mort :

24 juillet 1803 (Paris) / 3 mai 1856 (Paris)

Vie et œuvres :

Son père était le très grand pianiste Jean-Louis Adam (1758-1848), originaire d'Alsace, qui s'était établi à Paris, et que l'on considère comme à l'origine de l'école française du piano. Il composa de nombreuses sonates pour piano, qui semblent intéressantes, mais actuellement les occasions d'écouter ses œuvres sont extrêmement rares.

Adolphe Adam a donc grandi dans un milieu où la musique tenait une place importante. Cependant, il semblerait que son père se soit opposé, du moins au début, à ce qu'il s'oriente, comme lui, vers une carrière musicale. Mais l'adolescent entra, malgré tout, au Conservatoire de Paris, où il eut Boïeldieu comme professeur, et reçut la formation nécessaire pour pouvoir accomplir son souhait de composer des opéras.

Son premier opéra fut *Le mal du pays ou La Batelière de Brientz* (1827) ; puis il en écrira une quarantaine d'autres, jusqu'en 1856, l'année de sa mort. Ses opéras les plus connus, et sans doute les meilleurs, sont *Le Postillon de Longjumeau* (1836) et *Le Toréador* (1849).

Mais si tous les mélomanes (ou presque) connaissent Adolphe Adam, c'est plutôt pour avoir entendu ses ballets, notamment *Giselle* (1841).

C'était l'époque des grands ballets romantiques, commencée par le très célèbre ballet "*La Sylphide*" (1833), du compositeur français **Jean Schneitzhoeffer** (1785 - 1852), à la demande du chorégraphe Taglioni.

Le premier ballet d'Adam, *La Chatte blanche,* est de 1830. Il sera suivi de *Faust*

(1833), *La fille du Danube* (1836), et il en écrira 14 en tout jusqu'à la fin de sa vie.

Adolphe Adam est également le compositeur du fameux chant de Noël "*Minuit, Chrétiens*".

Adam avait du succès dans plusieurs pays d'Europe, notamment en Allemagne. En 1832, il créa aussi deux opéras à Londres : *His First Campaign* et *The Dark Diamond*.

En 1839, il fut invité par le tsar de Russie, et à cette occasion il fit un long séjour à Saint-Petersbourg.

Après la mort de son père, c'est lui qui prit la suite de l'enseignement du piano (et de composition) au Conservatoire de Paris. Parmi ses élèves, il y eut **Leo Delibes (1836-1891)**, que l'ont connaît bien pour avoir continué la composition de ballets dans le même style, comme *Coppelia*, ainsi que comme compositeur de l'opéra *Lakmé* (1883).

C'est en 1856, pendant une année de grande activité et de création qu'Adolphe Adam mourut subitement, dans la nuit du 2 au 3 mai.

Compositeur : **Johan Joachim AGRELL**

Date et lieu de naissance / mort :

Février 1701 (Löth - Suède) / 19 janvier 1765 (Nuremberg)

Vie et œuvres :

Agrell, fils de prêtre, était un compositeur suédois, à la fois violoniste et claveciniste. Après des études en Suède, il voyagea à travers l'Europe puis s'établit définitivement à Nuremberg en 1746 où il occupa la fonction de directeur musical. Il composa de nombreuses symphonies, des concertos et des sonates.

Compositeur : **Johann ANDRE**

Date et lieu de naissance / mort :

28 mars 1741 (Offenbach, près de Fkfrt/Main) / 18 juin 1799 (Offenbach)

Vie et œuvres :

Johann André était un compositeur et éditeur allemand. Son grand père, paysan huguenot, du Languedoc, avait fui son pays durant la persécution et s'était installé à Francfort (Frankfurt am Main) en 1688, créant une industrie de la soie. Johann était encore enfant lorsque son père décéda. Avec sa mère, il eut alors la charge de diriger l'affaire familiale. C'est lorsqu'il se rendit à Mannheim afin d'étudier et se perfectionner dans les affaires qu'il commença à se passionner pour la musique et à fréquenter les salles de concert et l'opéra.

Ses origines et sa bonne connaissance de la langue française lui donnèrent l'occasion de traduire en allemand des opéras français, notamment de Philidor. Puis, apprenant lui-même la composition, il se lança à composer sa première œuvre, *Der Töpfer*, une œuvre lyrique qui fut interprétée, avec succès, en 1773. Dès lors, il abandonna l'affaire familiale pour se consacrer entièrement à l'édition musicale et à la composition, essentiellement de l'opéra et de la musique sacrée.

On le connaît surtout pour avoir composé des opéras tels que l'*Enlèvement au Sérail* (1781). En fait le titre exact, en allemand, était : "*Belmont und Constanze oder die Entführung aus dem Serail*"

Compositeur : **Johann Anton ANDRE**

Date et lieu de naissance / mort :

6 octobre 1775 (Offenbach) / 6 avril 1842 (Offenbach)

Vie et œuvres :

Fils de Johann André. Dès l'âge de six ans, il montra des talents de musicien et même de compositeur. A l'âge de 22 ans, il reprit la maison d'édition musicale lorsque son père tomba malade et mourut.

En 1799, il se rendit à Vienne et acheta à la veuve de Mozart, Constanze, les droits de publication des œuvres de Mozart et entreprit avec Nissen, le nouveau mari de Constanze, d'établir une classification des œuvres de Mozart. Cela sera très utile pour le travail de classification fait ultérieurement par Köchel.

Parmi les nombreuses œuvres lyriques de Johann Anton André on notera plus particulièrement les opéras *Die Weiber von Weisberg* (1800) et *Rinaldo und Alcina* (1801).

Il composa aussi huit symphonies (entre 1795 et 1820) et des concertos pour flûte, pour hautbois, pour trompette et pour violon. Notons également des sonates et trios, ainsi que plusieurs danses et ouvertures.

Compositeur : **Pasquale ANFOSSI**

Date et lieu de naissance / mort :
5 avril 1727 (Taggia - Italie) / février 1797 (Rome)

Vie et œuvres :

Enfant doué pour la musique, Pasquale Anfossi apprit le violon et adopta directement une carrière musicale, jouant dans les orchestres de Naples.

Ce n'est que vers l'âge de 30 ans qu'il s'intéressa à la composition et prit des leçons, notamment avec Piccinni, avant de composer en 1763, à Rome, son premier opéra, *La Serva Spiritosa*.

Après un séjour à Paris, il vécut quelques années à Londres où il composa et dirigea de nombreux opéras.

Malgré son début tardif comme compositeur, Anfossi aura composé durant sa vie plus de 60 opéras! Il composa également beaucoup de musique sacrée, de la musique de chambre et une dizaine de symphonies.

Compositeur : **Thomas Augustine ARNE**

Date et lieu de naissance / mort : 1710 (Londres) / 5 mars 1778 (Londres)

Vie et œuvres :

Né dans une famille anglaise catholique, Thomas Arne fit de bonnes études générales et son père souhaitait qu'il devint avocat. Mais le jeune Thomas était passionné par la musique, voulant jouer le clavecin, le violon et s'intéressant beaucoup à l'opéra. Il commença aussi à composer et ses œuvres eurent du succès.

A part une trentaine d'opéras, il composa quelques symphonies, concertos, sonates, mais il est plus particulièrement connu comme étant le compositeur de "Rule Britannia", air qui devint presqu'aussi célèbre que l'hymne national britannique, et qui fut connu dans toute l'Europe. Un demi siècle plus tard, en 1803, Beethoven en composa même une adaptation, avec variations, "en hommage au peuple britannique qui sait apprécier et encourager la bonne musique".

Compositeur : **Juan Crisostomo ARRIAGA**

Date et lieu de naissance / mort :

27 janvier 1806 (Bilbao) / 17 janvier 1826 (Paris)

Vie et œuvres :

Enfant doué pour la musique, il composa à 15 ans son seul et unique opéra *Los Esclavos felices*.

Quelques mois plus tard il entra au Conservatoire de Paris pour se perfectionner au violon et à la composition. Il composera ensuite une symphonie, un stabat mater et une messe, ainsi que de la musique de chambre. Malheureusement sa création musicale, très intéressante, s'arrêta prématurément par sa mort quelques jours avant d'avoir eu vingt ans!

Compositeur : **Daniel-François-Esprit AUBER**

Date et lieu de naissance / mort :

29 janvier 1782 (Caen) / 12 mai 1871 (Paris)

Vie et œuvres :

Commença à composer de la musique instrumentale dès sa jeunesse, tout en aidant son père dans son commerce.

Ce n'est qu'à 22 ans qu'il se rendit à Paris pour étudier la musique auprès de Cherubini. Il était attiré par la composition d'opéras et en écrivit une douzaine avant de connaître enfin le succès, en 1821, avec *Le Maçon*, puis *La Muette de Portici* en 1828.

Deux ans plus tard, son opéra *Fra Diavola* remporta un immense succès et sera joué régulièrement jusqu'au début du siècle suivant. Par la suite, il écrira encore d'autres opéras, comme *Le Domino noir, La Part du Diable*, *Haydée*, *Manon Lescaut*, et il succédera, en 1842, à Cherubini à la direction du Conservatoire de Paris.

Durant les dernières années de sa vie, il écrira aussi de la musique de chambre.

Compositeur : **Louis AUBERT**

Date et lieu de naissance / mort :
15 mai 1720 (Paris) / probablement 1783 à Paris

Vie et œuvres :

Violoniste et compositeur, fils de Jacques Aubert qui était également violoniste et compositeur.

Dès l'âge de 11 ans, Louis Aubert fut engagé dans un orchestre.

Plus tard, il sera engagé à la cour du roi Louis XV puis dirigera l'opéra à partir de 1756 jusqu'à sa retraite en 1774.

Louis Aubert a publié six simphonies (compositions instrumentales qui sont peut-être à l'origine de la symphonie dans le sens qui sera utilisé par la suite), six trios pour violons, violoncelle, et six sonates.

Compositeur : **Olivier AUBERT**

Date et lieu de naissance / mort : 1763 (Amiens) / 1830 (Paris)

Vie et œuvres :

Violoncelliste et guitariste, enseignait ces deux instruments à Paris où il avait rejoint l'orchestre de l'opéra comique.

Il composa des quatuors à cordes et des duos pour deux violoncelles, mais aussi de nombreuses pièces populaires pour guitare.

Compositeur : **Prudent-Louis AUBERY DE BOULAY**

Date et lieu de naissance / mort :
9 décembre 1796 (Verneuil) / 28 janvier 1870 (Verneuil)

Vie et œuvres :

Compositeur précoce, commence à composer des marches pour la fanfare de sa ville dès l'âge de 11 ans. Puis, il étudie la composition avec Méhul et Cherubini au Conservatoire de Paris.

Il composa un opéra *Les Amants querelleurs* (1824), une symphonie (1847), de la musique de chambre et de nombreuses marches et pièces de musique populaire.

Compositeur : **Charles AVISON**

Date et lieu de naissance / mort : 1709 (Newcastle upon Tyne, Angleterre) / 10 mai 1770 (Newcastle upon Tyne)

Vie et œuvres :

Ses parents, Richard et Anne étaient tous deux musiciens, eurent au moins cinq enfants.

Charles Avison perdit son père à l'âge de douze ans. Vers 20 ans, il se consacra à l'étude de la musique, à Londres, avec Francesco Geminiani. Ses premières compositions datent probablement de 1734.

Il se marie en 1737. A partir de 1753, il devient l'organiste de l'Eglise Saint-Nicolas de Newcastle, tout en enseignant le clavecin, le violon et la flûte.

Il fut très apprécié pour les concerts qu'il organisait, incluant ses oeuvres, mais aussi d'autres compositeurs européens de l'époque, y compris Scarlatti, Rameau, Corelli, Sammartini et Haendel.

Avison composa de nombreux concertos, souvent très appréciés, ainsi que de la musique de chambre.

Il écrivait également des articles sur la musique, et publia en 1752 un important ouvrage intitulé *Essay on Musical Expression.*

Compositeur : **Carl Philipp Emanuel BACH**

Date et lieu de naissance / mort :

8 mars 1714 (Weimar) / 14 décembre 1788 (Hambourg)

Enfance et éducation :

Fils de Johann Sebastian (autrement dit, Jean-Sébastien) BACH, et de sa première femme Maria Barbara. Mais Carl Philipp perdit sa mère très tôt, et il avait 7 ans lorsque son père se remaria avec Anna Magdalena. Son éducation musicale fut assurée directement par son père, complétée aussi par l'influence des nombreux musiciens rendant visite à son père. Dès son très jeune âge, il avait acquis déjà une excellente maîtrise du clavier. Ses premières compositions datent probablement de 1731. Durant sa jeunesse, il donnait lui-même des leçons de clavier, ainsi que des récitals et concerts, lui permettant de subvenir notamment aux frais de ses études de droit qu'il poursuivit avec succès durant 7 ans. Car Johann Sebastian Bach insistait à ce que ses fils reçoivent également une bonne éducation universitaire. Etudier le droit était considéré alors comme une excellente formation de base.

Vie :

Marié en 1744 à Johanna Maria Danneman, ils eurent trois enfants; aucun d'eux ne devint musicien et aucun n'eut de descendant.

Après ses études, terminées en 1738, Carl Philipp Emanuel entra au service de Frederick II de Prusse, composant de nombreuses œuvres et souvent accompagnant au clavecin Frederick II, qui était également un bon flûtiste. La collaboration dura environ 30 ans, prenant fin après la guerre de 7 ans lorsque l'intérêt du Souverain pour la musique sembla s'estomper considérablement. Il occupa ensuite, de 1768 jusqu'à sa mort, le poste de directeur de musique à Hambourg.

Ses talents de grand compositeur furent généralement reconnus durant les dernières années de sa vie. Il fut très apprécié de Haydn et Mozart. Il écrivit également un traité sur le «véritable art de jouer les instruments à clavier», considéré comme l'ouvrage le plus important de l'époque sur ce sujet. Ses symphonies et concertos comportent souvent des phrases originales et très intéressantes. Son style annonce l'importante évolution musicale de la fin du 18ème siècle.

Ces œuvres furent classées par son ami musicien J. Westphal, classement repris en 1905 par A. Wotquenne. Mais il existe maintenant un classement récent par E. Helm. Ce dernier est plus chronologique, mais une chronologie relative dans chaque catégorie, commençant par les œuvres pour clavier seul, ensuite les concertos et sonates, puis la musique de chambre, les symphonies et se terminant par les œuvres vocales et religieuses. En fin de liste (nos 867 à 875) figurent également les différents écrits théoriques sur la musique.

Oeuvres importantes de CPE Bach :

■ Symphonies : 18 lui sont généralement attribuées. On notera notamment,

- Symphonie en sol (H648, W173, 1741),
- Symph. en ut (H649, W174, 1755),
- Symph. en fa (H650, W175, 1755),
- Symph. en ré (H651, W176, 1755),
- Symph. en mi mineur (H652, W177, 1759),
- Symph. en mi (H653, W178, 1756),
- Symph. en mi bémol (H654, W179, 1757),
- Symph. en sol (H655, W180, 1758),
- Symph. en fa (H656, W181, 1762),
- Symph. en sol (H657, W182, 1773),
- Symph. en si bémol (H658, W182, 1773),
- Symph. en ut (H659, W182, 1773),
- Symph. en la (H660, W182, 1773),

- Symph. en si mineur (H661, W182, 1773),
- Symph. en mi (H662, W182, 1773),
- 4 symphonies avec 12 voix (H663 à 666, W183, 1775 à 1780)

■ Concertos :

Concertos et sonatines pour clavecin et orchestre, CPE Bach en a composés environ 60, ainsi qu'une quarantaine de transcriptions de ceux-ci pour d'autres instruments, notamment pour orgue ou flûte.

Compositeur : **Johann Christian BACH**

Date et lieu de naissance / mort :

5 septembre 1735 (Leipzig, Allemagne) / 1er janvier 1782 (Londres)

Enfance et éducation :

Jean-Chrétien Bach était le sixième et dernier fils de Johann Sebastian Bach (autrement dit, Jean-Sébastien Bach). Son père mourut lorsqu'il avait quinze ans. Il poursuivit alors ses études musicales auprès de son demi-frère Carl Philip Emanuel, à Berlin.

Vie :

En 1754, JC Bach se rendit en Italie où il continua ses études musicales, se convertit au catholicisme et devint organiste à la cathédrale de Milan. Il s'intéressa également à la musique lyrique et fut le seul de la famille Bach à composer des opéras. A partir de 1763 il s'installa définitivement à Londres où il fut adopté comme musicien très apprécié, y compris par la famille royale. Ce compositeur fut également apprécié de Mozart, qu'il rencontra plusieurs fois ; une première fois à Londres, Mozart avait 8 ans et JC Bach en avait 27. On sait qu'à cette occasion ils s'amusèrent beaucoup ensemble à jouer des improvisations.

En 1773, il épousa la soprano Cecilia Grassi qu'il connaissait déjà depuis plusieurs années. Ils vécurent à Londres jusqu'à la mort de JC Bach en 1782, puis son épouse retourna vivre en Italie. En apprenant la mort de ce compositeur qu'il estimait beaucoup, Mozart déclara qu'il s'agissait d'une perte pour le monde de la musique.

Le catalogue de ses ouvres fut établi par C. Terry et révisé par H.C. Landon, à Londres. Le classement est échelonné plus ou moins par catégorie et la numérotation va de 199 à 358 (mais, certains numéros sont subdivisés, d'autres supprimés ou inexistants).

Oeuvres :

■ Musique sacrée : nombreuses œuvres, numérotés 199 à 210, dont 3 magnificats (207/ 1, 2 et 3, 1758-1760), un Requiem (208/5, 1757). Les 2 Messes (204/6 et 204/7 lui ont été, semble-t-il, attribuées à tort).

- Opéras : 12 opéras numérotés 215 à 238, notamment, Ataserse (217, 1760), Catone in Utica (222, 1761), Alessandro nell'Indie (212, 1762), Orione (237, 1763), Zanaida (241, 1763), Adriani in Siria (221, 1765), Carrataco (221, 1767), Gioas (226, 1770), Temistocle (238, 1772), Lucio Silla (238, 1774), La clemenza di Scipione (229, 1778), Amadis de Gaulle (215, 1779).
- Cantates, sérénades et autres œuvres vocales : numérotées 244 à 253.
- Oeuvres symphoniques : 51 symphonies, une quinzaine de symphonies concertantes et de nombreuses ouvertures, composées entre 1763 et 1781. Numérotation de 277 à 290.
- Concertos : une trentaine, numérotés 292 à 301.
- Marches militaires et pièces diverses pour instruments à vent : numérotés 285 à 361.
- Musique de chambre et sonates : Environ 170 œuvres sont référencées, portant les numéros 302 à 358 (certains numéros incluant une série d'œuvres). Cependant l'attribution paraît douteuse pour environ 50 de ces œuvres.

Compositeur : **Wilhelm Friedmann BACH**

Date et lieu de naissance / mort :

22 novembre 1710 (Weimar) / 1er juillet 1784 (Berlin)

Enfance et éducation :

Fils aîné de Johann Sebastian BACH, de sa première femme Maria Barbara (décédée à l'âge de 36 ans). A 10 ans déjà, il composait et jouait remarquablement les instruments à clavier. Ses progrès rapides en musique faisaient l'admiration de son père.

Vie : Il se maria à 41 ans. Outre ses talents de compositeur, il fut également très apprécié en tant qu'organiste. Cependant, de nombreuses maladresses le conduisirent à la ruine, laissant à sa mort sa femme et sa fille dans la pauvreté.

Oeuvres :

- Sonates, polonaises, fugues et pièces diverses pour le clavecin
- Concertos pour clavecin et orchestre
- Musique de chambre (duos, trios)
- Symphonies (6 plus généralement connues, sur 9 ou 10)
- Nombreuses cantates et autres œuvres sacrées

Compositeur : **Heinrich Joseph BAERMANN**

Date et lieu de naissance / mort :
14 février 1784 / 11 juin 1847 (Munich)

Vie et œuvres : Grand clarinettiste, très apprécié à cette époque dans toutes les capitales européennes, a composé des quatuors, quintettes et diverses œuvres généralement dominées par la clarinette.

Compositeur : **Carlos BAGUER**

Date et lieu de naissance / mort :
1768 (Barcelone)/1808 (Barcelone)

Vie et œuvres : Baguer n'a vécu que quarante ans et a laissé peu d'œuvres, mais celles-ci sont intéressantes, agréables et mériteraient d'être plus fréquemment écoutées. Il s'agit notamment d'un opéra, *La Princesa filosofa* (1797), sept oratorios (composés durant les quatre dernières années de sa vie), quelques messes et autres musiques religieuses, un concerto pour deux bassons, des sonates, des contredanses et menuets.

Compositeur : **Michael William BALFE**

Date et lieu de naissance / mort :
15 mai 1808 (Dublin) / 20 octobre 1870 (Angleterre)

Vie et œuvres : Fils d'un violoniste et maître de danse, le jeune Michael montra un talent exceptionnel et précoce pour le violon. A huit ans il faisait déjà danser les élèves de son père sur des airs qu'il composait parfois lui-même. Il avait 15 ans lorsque son père décéda. Il se rendit à Londres et fut engagé comme violoniste à l'opéra de Drury Lane. Deux ans plus tard, il essaya de devenir chanteur d'opéra ! Un mécène l'envoya à Rome pour apprendre la maîtrise de la voix. Il fit la connaissance de Rossini qui l'engagea pour chanter Figaro lors de la représentation à Paris du Barbier de Séville. De retour en Italie, il composa un premier opéra *I rivali di se stessi.*

Dès lors, il mènera une carrière de compositeur d'opéras, une trentaine, créés à Londres, mais aussi en Italie et en France. Son opéra *The Bohemian Girl,* créé à Londres en 1843, connut un immense succès et fut rapidement représenté également dans toute l'Europe et aux Etats-Unis. En France on présenta aussi, quelques années plus tard, une version légèrement modifiée appelée *La Bohémienne.*

Balfe mourut à 62 ans, à la campagne où il envisageait de prendre sa retraite, non loin de Londres.

Compositeur : **Franz BECK**

Date et lieu de naissance / mort :
20 février 1734 (Mannheim)/ 31 décembre 1809 (Bordeaux)

Vie et œuvres : Franz Ignaz Beck apprit le violon, guidé par son père, musicien et directeur d'une école à Mannheim. Le jeune Franz apprenait facilement et s'initiait également à d'autres instruments, y compris l'orgue. Son père étant mort jeune, Franz Beck, dont les talents étaient manifestes, fut pris en charge par la cour, où il devint un musicien virtuose.

Cependant, à l'âge de 21 ans, il fut contraint de quitter Mannheim, paraît-il à la suite d'une vague histoire de duel.

On le retrouve à Venise, où il donne des concerts et profite également de leçons de composition de Galuppi, très célèbre à l'époque, notamment comme compositeur d'opéras. Il épouse une Italienne, de Naples, et le couple aura par la suite six filles et un garçon.

Ses premières compositions sont des symphonies (ou sinfonias), toujours en 3 mouvements. Ces oeuvres sont immédiatement appréciées, et sont même publiées à Paris dès 1758. Cela explique probablement la proposition qu'il reçoit de Marseille pour la direction de l'orchestre du théâtre local.

Après ce séjour à Marseille, Beck est engagé à Bordeaux en 1761, dans d'excellentes conditions. Il y restera jusqu'à la fin de sa vie, en 1809.

Durant la Révolution, il composa également des chants patriotiques, comme beaucoup de compositeurs vivant en France à l'époque. Mais cela ne l'empêcha pas de formuler quelques critiques, qui lui valurent d'importants soucis avec le tribunal révolutionnaire...

L'essentiel des oeuvres de Franz Beck est constitué par ses symphonies :

- opus 1 : 6 symphonies publiées en 1758
- opus 2 : 6 symphonies publiées en 1760
- opus 3 : 6 symphonies publiées en 1762
- opus 4 : 6 symphonies publiées en 1766

et aussi, quelques ouvertures, un Stabat Mater (1782), 3 opéras, dont *La Belle Jardinière* (1767), et *Pandora* (1789)

Il existe des enregistrements de certaines de ces oeuvres. D'autres compositions auraient été égarées, ou peut-être détruites par le compositeur.

Compositeur : **Ludwig van BEETHOVEN**

Date et lieu de naissance / mort :

(17) Déc. 1770 (Bonn, Allemagne) / 26 mars 1827 (Vienne, Autriche)

Enfance et éducation :

Le 17 décembre est la date du baptême de Beethoven. On ignore s'il est né ce même jour ou la veille.

Le nom «van Beethoven» laisse supposer une origine flamande. En effet, le grand père, Louis van Beethoven, né à Anvers, quitta cette ville à l'âge de 20 ans (en 1732) et vint s'installer à Bonn où il retrouva un parent déjà installé dans cette petite ville allemande. Il trouva rapidement un engagement à la Cour comme musicien et épousa une jeune Allemande, Maria-Josepha Poll, de Bonn. Il finit par être nommé maître de chapelle du Prince Electeur en 1761. Ce poste flatteur n'était probablement pas bien rémunéré puisque parallèlement à cela, il négociait du vin. Est-ce que cela explique l'excès de vin que consommait sa femme, jusqu'à la nécessité de l'interner à la fin de sa vie ? Elle mourut en 1775; Louis van Beethoven décéda en 1773.

Leur fils, Johann (1740 - 1792), père de Ludwig, fut ténor à la chapelle de Bonn et s'occupa avec sévérité de l'éducation musicale de son fils dont il avait remarqué les dons exceptionnels et la passion pour la musique. Il essaya d'ailleurs de lancer le petit Beethoven comme un enfant précoce. Il voulait organiser des voyages de présentation à l'exemple de ce qu'avait fait le père de Mozart, espérant ainsi en tirer gloire et profit immédiat, mais ce fut en vain. Les circonstances étaient différentes, d'autant plus qu'il semble évident que l'enfant Beethoven n'était pas aussi exceptionnellement précoce que l'enfant Mozart qui intéressait et étonner déjà les princes et les rois. De plus, Johann Beethoven n'avait pas, non plus, les talents d'organisateur de Leopold Mozart. Ludwig eut donc une enfance plus réaliste, plus difficile et moins mouvementée, moins admirée que celle du jeune Wolfgang Mozart.

Ludwig n'appréciait pas beaucoup son père, personne peu fiable et abusant de l'alcool, surtout vers la fin de sa vie. Par contre il aimait beaucoup sa mère, Maria-Magdalena Keveri (1746-1787), une femme aimable et de bon sens, mais fragile de santé.

Après les leçons de son père, Ludwig eut ensuite d'autres professeurs de musique, son père se rendant compte que l'élève dépassait très vite le niveau du maître et en demandait davantage. A 10 ans, il maîtrisait bien le clavecin, l'orgue et il jouait aussi le violon.

La situation financière de la famille était très précaire et, à 11 ans déjà, la priorité pour Ludwig fut non pas d'aller à l'école, mais d'essayer de gagner de l'argent pour la famille en jouant de la musique. Un jeune voisin, de 5 ans plus âgé que lui, Franz-Gerhard Wegeler, futur médecin, s'intéressa à ce garçon étrange, exceptionnellement doué, mais dont l'état faisait pitié. Ce jeune homme le prit sous sa protection, le présenta à sa famille et lui témoigna une grande amitié, et cette amitié durera jusqu'à la fin de vie du compositeur.

A partir de 12 ans, Beethoven passait beaucoup de temps auprès de la famille Wegeler, ainsi que de la famille von Breuning (proche de la famille Wegeler et dont la fille Eléonore, dite «Lorchen», devait épouser Franz-Gerhard Wegeler, beaucoup plus tard, en 1802). Ces familles, auprès desquelles il se plaisait bien, comptèrent beaucoup pour le jeune Beethoven et contribuèrent au développement de l'adolescent. Ces deux familles lui resteront très proches et fidèles tout au long de sa vie.

En 1782, son professeur de musique Neefe, organiste attitré de Bonn, fait publier les premières compositions de Beethoven : 9 variations pour clavier sur une marche de Dressler.

A 14 ans, Beethoven est déjà engagé comme organiste adjoint, par l'archiduc Maximilien-Franz, récemment arrivé à Bonne, et il reçoit un traitement pour cela. Il joue également dans l'orchestre et donne aussi des leçons de musique, ce qui lui permet d'améliorer sa contribution d'aide à sa famille, car le traitement de son père ne pouvait suffire aux besoins de celle-ci.

Dans l'entourage de l'archiduc, il est important de mentionner la présence du comte von Waldstein, lui-même bon musicien (pianiste), venant de Vienne et qui connaissait bien Haydn et Mozart. Il apporta tout son soutien au jeune Beethoven. En reconnaissance, Beethoven lui dédiera des années plus tard, en 1804, sa sonate n°21, œuvre importante grâce à laquelle le nom de Waldstein nous est bien familier.

Au printemps 1787, le comte Waldstein obtint que Beethoven fasse un séjour à Vienne, grande capitale de la musique à cette époque, afin d'y rencontrer notamment Mozart et suivre ses leçons et conseils. Ainsi, le jeune Beethoven fit la connaissance de Mozart, qui était alors en pleine gloire. Mais Mozart avait aussi beaucoup de soucis, et il semblerait qu'il ne prêtât pas beaucoup d'attention à ce jeune homme de 16 ans. De cette rencontre on ne possède pratiquement pas de détails fiables. On sait, cependant, que comme beaucoup de génies, Mozart n'aimait pas enseigner. On dit qu'il aurait remarqué que cet adolescent avait des dons musicaux particulièrement développés; mais des élèves doués, Mozart en connaissait plusieurs et il est peu probable qu'il ait pu deviner que cet élève deviendrait le compositeur de génie quelques années plus tard. Rappelons que Beethoven n'était pas un compositeur précoce.

D'ailleurs, après une ou quelques brèves rencontres, qui semblent avoir été inutiles, Beethoven retourna à Bonn où sa mère, gravement malade, décédait en juillet 1787, à l'âge de 41 ans. A la suite de ce choc, son père tomba dans un profond désespoir qui le conduisit irrémédiablement dans l'alcoolisme. Ludwig dut donc entamer très tôt les responsabilités de la vie d'adulte et se préoccuper encore plus des moyens de subsistance de la famille. Il avait alors deux petits frères et une toute petite sœur qui allait, elle aussi, décéder à la fin de cette même année.

Vie adulte :

En 1792 Mozart était mort, et Haydn était alors considéré à Vienne et dans toute l'Europe comme le plus grand compositeur vivant, jouissant d'une estime considérable. De passage à Bonn, on lui présenta un talentueux jeune homme, appelé

Beethoven. Haydn fut impressionné par les possibilités de Beethoven, excellent pianiste mais dont il jugea les connaissances musicales de base très insuffisantes et donc mal structurées. Le compte von Waldstein intervint à nouveau auprès du Prince Electeur et obtint son accord pour financer un séjour à Vienne pour Beethoven afin que celui-ci complète son éducation musicale en prenant des leçons de Haydn.

Parallèlement à cela, il est intéressant de souligner la rencontre de Beethoven, à Bonn, avec un ami du poète Schiller ; Beethoven lui confie son souhait de composer une musique sur le poème «Ode à la joie» écrit par Schiller en 1785. Ce poème est sur le thème de la liberté, l'égalité et la fraternité entre les hommes, idées qui se propageaient à travers l'Europe (malgré les censures et répressions de l'époque) et qui plaisaient particulièrement à Beethoven. Ainsi est né, déjà, l'origine d'un texte et d'une musique qui devaient progressivement évoluer dans l'imagination de Beethoven pour aboutir 34 ans plus tard à sa forme définitive avec le célèbre «hymne à la joie» de la 9e symphonie !

Mais, pour l'heure, Beethoven acceptait avec enthousiasme la proposition d'aller à Vienne, d'autant plus que ses deux jeunes frères étaient maintenant en âge de subvenir à leur propres besoins. Notons aussi que ses liens avec la famille von Breuning marquait une pause, peut-être pour s'éloigner un peu de Lorchen, son élève avec laquelle les relations étaient devenues plus qu'amicales et souvent compliquées. Beethoven avait lui-même un caractère bien compliqué ; les sentiments amoureux entre lui et Lorchen ne pouvaient donc pas être simples ni paisibles. Beethoven lui conservera cependant une tendre amitié, comme le témoigne la correspondance régulière qu'ils continuèrent à échanger durant une trentaine d'années.

Beethoven s'installe à Vienne :

Beethoven quitta donc Bonn pour Vienne en novembre 1792. Départ qui sera définitif, contrairement à ce qui était prévu à l'origine. L'attrait de Vienne, l'accueil favorable de cette ville et les événements et troubles politiques qui allaient suivre dans la région de Bonn contribuèrent à ce que ce voyage devienne un changement définitif et très important dans la vie de Beethoven.

Peu de temps après son arrivée à Vienne, il reçut la nouvelle de la mort de son père.

Le jeune Beethoven avait le souci permanent de se perfectionner. Il était conscient qu'à 22 ans, il avait encore beaucoup à apprendre en musique, et commença donc rapidement ses leçons avec Haydn, mais il insista également à avoir des leçons avec d'autres musiciens, notamment Krumpholz (violoniste qui devint son ami), Schenk (qui devint également un fidèle ami) et aussi le célèbre Salieri. Pour ce qui concerne Haydn, qui avait alors déjà 60 ans, on sait qu'entre lui et Beethoven les sujets de discorde ne manquaient pas. Haydn, homme paisible et très raisonnable, pouvait difficilement accepter le caractère aussi complexe, variable, voire tumultueux et apparemment toujours insatisfait de Beethoven. Cependant, il avait bien compris qu'il était en présence d'un élève de génie dont les compositions, disait-il, allaient certainement étonner le monde. Haydn lui enseigna surtout l'art de la composition, lui faisant faire de nombreux exercices (dont certains furent retrouvés après la mort de Beethoven, mais seules des copies ont été conservées depuis).

Après un an, lorsque Haydn partit pour un deuxième long voyage à Londres, il confia son élève exceptionnel à Johann Albrechtsberger, organiste, compositeur et enseignant, de la même génération que Haydn.

Tout en poursuivant ses études de perfectionnement, Beethoven se lançait lui-même dans la vie musicale de Vienne, ville considérée alors comme la capitale de la musique. Mozart, récemment disparu, y avait laissé de nombreux amis et admirateurs qui trouvèrent alors en Beethoven un autre génie pour succéder à Mozart et ils lui apportèrent donc leur soutien et admiration. Il fut ainsi rapidement très apprécié et on l'engagea même à donner des leçons de musique à l'archiduc Rodolphe.

Dans la haute société viennoise, en cette fin du 18e siècle où Haydn et Salieri avaient alors une place dominante en musique, il est étonnant de voir le succès du jeune Beethoven dont les manières, l'aspect physique et sa tenue vestimentaire, n'avaient, dit-on, rien d'attrayant, étaient même repoussants selon certains. Mais lorsqu'il voulait bien accepter de se mettre au piano, on était alors émerveillé de l'écouter jouant ses propres œuvres et improvisations, parfois surprenantes et brutales, ou celles de Mozart qu'il admirait et interprétait remarquablement bien.

Il est également paradoxal de constater le succès qu'il avait aussi auprès de ses élèves féminines. Il tomba amoureux de plusieurs d'entre elles, comme cela s'était passé avec Lorchen lors de sa première jeunesse à Bonn. On ne connaît pas en fait jusqu'à quel point ses relations amoureuses étaient poursuivies. Selon ses écrits, il paraît évident que le célibat, qu'il connut jusqu'à la fin de sa vie, ne correspondait pas à ses souhaits, et vraisemblablement il finit par l'accepter comme une fatalité.

Parmi les personnes ayant eu une importance dans la vie musicale de Beethoven, il faut mentionner également le violoniste de grand talent, Ignaz Schuppanzigh (1776 - 1830), qui joua un rôle important pour l'exécution des œuvres de Beethoven lors de leur création. Car il fallait du talent et du courage pour exécuter pour la première fois des œuvres souvent très innovantes de Beethoven. Schuppanzigh dirigeait aussi un quatuor qu'il mit pratiquement au service du compositeur.

Beethoven pouvait compter également sur un autre excellent violoniste, Karl Amenda, qu'il rencontra en 1798 et qui devint rapidement l'un de ses amis les plus intimes.

A 25 ans, étant déjà bien connu à Vienne, notamment comme pianiste, il commença à effectuer quelques petits voyages dans d'autres capitales, dont évidemment Prague, considérée alors comme la deuxième ville la plus importante pour la musique. Partout où il donnait des concerts, ses capacités d'intéresser et de toucher le public était rapidement reconnues. On parlait beaucoup des brutalités extrêmes dans son jeu, mais on reconnaissait qu'il avait aussi des capacités incomparables à émouvoir ses auditeurs.

Sa célébrité croissante lui rendait désormais possible d'être de plus en plus exigeant sur la qualité des instruments de musique. Ainsi, la fabrication des pianos se perfectionnera beaucoup grâce à ses exigences.

Malgré les succès, les problèmes ne manquaient pas. Sa santé était délicate dès sa jeunesse. De parents fragiles, enfant élevé dans des conditions plutôt misérables, le jeune Beethoven était lui-même fragile et attrapait froid facilement mais n'y prêtait pas attention et donc ne faisait rien pour l'éviter, souvent trop profondément plongé dans ses compositions, oubliant tout autre chose, même de se nourrir correctement. D'où des périodes de maladies, de complications, d'une entérite, voire même selon certains médecins (dont son ami Wegeler) le début de la cause de sa surdité future. De plus, il avait la vue faible ; il souffrait de myopie.

Un autre problème pour Beethoven était dû à la présence de ses deux jeunes frères Kaspar-Karl (1774 - 1815) et Nikolas-Johann (1776 - 1848), venus le rejoindre à Vienne. Il les avait acceptés auprès de lui et leur avait demandé de s'occuper pour lui des démarches avec les éditeurs, taches administratives que Beethoven détestait. Mais en fait la présence des frères semble avoir été finalement très néfaste, lui entraînant dans des difficultés et brouilles avec plusieurs éditeurs et même avec ses amis.

1797 - Amitiés avec Bernadotte, Kreutzer, ... et la famille Brunsvik :

L'invasion de l'Autriche par les armées de Napoléon en 1797 avait été suivie d'un traité de paix. Deux ans plus tard arrivait à Vienne le général Bernadotte comme ambassadeur de la République française. Bernadotte était lui même amateur de musique et avait amené dans son entourage le grand violoniste français Rodolphe Kreutzer. Ces deux personnages se lièrent rapidement d'une grande amitié avec Beethoven. Cependant, la célèbre sonate que Beethoven dédiera à Kreutzer quelques années plus tard ne fut jamais interprétée en public par ce virtuose, jugeant cette sonate «incompatible avec son style»!

En 1799, Beethoven fit également connaissance de la famille Brunsvik, de Hongrie, venue à Vienne pour préparer le mariage de leur fille aînée, Thérèse, alors âgée de 25 ans. Cette famille, très musicienne demanda à rencontrer Beethoven, et durant ce séjour de quelques semaines, Thérèse, son frère Franz (23 ans) et ses deux sœurs, Joséphine (20 ans) et Charlotte (17 ans), suivirent assidûment des leçons de Beethoven. Il se lia très vite d'une grande amitié avec ces nouveaux élèves, en particulier les trois aînés, auxquels il dédiera plusieurs œuvres. Il semblerait que ses rapports avec Thérèse et Joséphine aient été très intimes. On ne sait pas exactement si les sentiments amoureux de Beethoven étaient réellement partagés, mais il est certain qu'elles l'admiraient et, par la suite, lui témoignèrent leur amitié sincère durant de longues années.

L'année suivante des rapports semblables s'établirent avec la cousine Giulietta des élèves ci-dessus, venue également à Vienne. Elle avait 17 ans, Beethoven en avait 31, mais il savait plaire aux femmes mêmes bien plus jeunes que lui. Elle lui montra de l'affection et il crut rapidement que son amour était partagé. Il en était éperdument amoureux et lui dédia en 1802 une très célèbre sonate que l'on nommera plus tard «clair de lune». Sa déception fut évidemment immense lorsque Giulietta épousa l'année suivante le comte von Gallenberg.

1800 - Beethoven commence à être connu comme grand compositeur :

Revenons à son œuvre musicale. Beethoven n'est pas réellement un compositeur précoce. Jusqu'en 1800, donc avant d'avoir 30 ans, il était surtout connu comme un pianiste virtuose exceptionnel, d'un style très particulier et réussissant des improvisations remarquables. On connaissait de lui quelques sonates et de la musique de chambre. Depuis 1795 il avait également composé et joué ses deux premiers concertos, mais qui ne furent publiés qu'en 1801. Sa première symphonie ne fut achevée et interprétée qu'en 1800.

Ses œuvres sont donc plus rares que celles d'autres grands compositeurs, mais elles sont mûrement réfléchies et toutes d'une grande valeur. Souvent une inspiration musicale lui venait et il l'inscrivait rapidement sur un bout de papier à musique trouvée dans sa poche. Puis l'idée était reprise pour constituer une œuvre sans cesse retravaillée et corrigée, souvent durant des années, avant d'être terminée juste avant l'exécution!

A l'écoute de sa première symphonie, les avis furent évidemment très partagés. Pour beaucoup d'auditeurs, cette symphonie était une véritable agression pour les oreilles!

Mais, fort heureusement, les admirateurs étaient nombreux, dont le prince Lichnowsky qui apporta toute son amitié et, de plus, lui attribua une rente annuelle appréciable à ce moment de sa vie.

En 1800 arriva à Vienne Ferdinand Ries, fils de Franz Ries qui avait connu et soutenu Beethoven durant sa première jeunesse à Bonn. A 16 ans, Ferdinand était déjà un jeune virtuose du clavier. Il devint aussitôt l'élève de Beethoven et restera très proche de lui durant dix ans. Ses récits nous donnent donc la possibilité de connaître certains détails de la vie de Beethoven durant cette période.

On sait ainsi que Beethoven était extrêmement désordonné et très maladroit, aussi bien en gestes qu'en paroles. Il s'énervait très facilement, prononçant alors des paroles très blessantes, mais souvent suivies de profonds remords, car il était tout à fait conscient de ses défauts, y compris de son incapacité à se maîtriser. Il s'énervait aussi lorsqu'une musique était mal interprétée, mais non pas à cause de quelques petites fausses notes, d'autant plus qu'il en faisaient lui-même de temps à autres.

Ries nous confirme aussi que Beethoven aimait beaucoup la présence des femmes, mais que ses amours étaient de courte durée. D'ailleurs, il était souvent très attiré par les jolies jeunes femmes qu'ils croisait dans la rue; il mettait alors ses lorgnons pour mieux les admirer.

Malgré la faiblesse de sa vue, il avait, paraît-il, un regard très expressif qui impressionnait et fascinait la plupart des personnes ayant pu avoir une conversation avec lui.

A 30 ans Beethoven connaît la gloire mais aussi le début de la surdité :

A partir de 1800, l'archiduc Rodolphe décida d'attribuer à Beethoven une rente annuelle régulière qui durera ainsi de nombreuses années, sans condition préalable d'une quelconque obligation d'allégeance ou de rattachement à la cour, ce qui était nouveau par rapport aux usages jusqu'alors pratiqués. Cette évolution est en partie due au caractère même de Beethoven, très indépendant, et profondément influencé par les idées de liberté et d'égalité qui, rappelons le, se propageaient alors en Europe depuis la France.

Mais en cette année 1800, c'est aussi pour Beethoven le début de ses troubles auditifs. Ceux-ci étaient d'abord passagers, mais s'aggravaient progressivement, provoquant chez lui l'inquiétude que l'ont peut imaginer. La conversation avec lui devenait difficile, mais ses amis croyaient qu'il devenait de plus en plus distrait et n'écoutait pas ce qu'on lui disait! Deux ans plus tard, il fut obligé d'avouer le mal, ne pouvant plus le dissimuler. Le problème influa certainement sur son caractère et il devint de plus en plus insupportable pour son entourage. Cependant, les véritables amis et admirateurs de son génie continuaient à le tolérer et de l'entourer (dans la mesure du possible). D'autant plus qu'après les premières grandes inquiétudes, on se rendait compte que sa surdité ne l'empêchait pas de continuer sa créativité musicale.

L'évolution de sa surdité se poursuivit sur une longue période, et ce n'est qu'à partir de 1819 que la surdité deviendra totale et dès lors la communication avec lui n'était plus possible que par écrit.

Parmi les rares élèves masculins de Beethoven, il faut mentionner aussi Karl Czerny. En 1801, ce dernier n'avait que 10 ans et montrait déjà des dons exceptionnels pour la musique. Son père était également un grand admirateur de Beethoven et encouragea son fils à suivre les conseils de Beethoven. Le jeune Czerny fut très impressionné par les quelques leçons du maître. Puis, des années plus tard, il devint un fidèle ami et disciple, comme l'avait été Ries, aidant le maître dans diverses taches, car rappelons que Beethoven était lui-même maladroit et très désordonné!

La vie de Beethoven est assez bien connue grâce aux écrits de ses disciples et amis, mais aussi par ses nombreuses lettres, notamment à ses amis. Bien qu'il prétendait être très peu doué pour la correspondance, ses lettres sont, en fait, très intéressantes, écrites avec beaucoup de sentiments. On y trouve aussi de la passion, des souffrances, et souvent de l'humour.

A 32 ans, Beethoven traversa une période délicate. Bien sûr sa réputation n'était plus à faire, sa renommée était grande et sa situation financière correcte, d'autant plus que les éditeurs ne discutaient pratiquement plus le prix qu'il leur réclamait pour qu'ils puissent éditer ses œuvres.

Mais ses préoccupations de santé étaient de plus en plus présentes, notamment la surdité et les maux de ventre. Il consulta désespérément les médecins. Un nouveau médecin, consulté l'année précédente, lui avait conseillé une cure à Heiligenstadt. Cette banlieue de Vienne (à ne pas confondre avec Heiligenstadt en

Allemagne) était à l'époque un petit village possédant des thermes pouvant soulager certaines maladies. Le médecin croyait aussi que le silence de ce village pourrait soulager les oreilles malades de son patient. Beethoven s'y rendit donc et adopta ce village comme résidence d'été.

En cette année 1802, il restera ainsi plusieurs mois dans ce village et complétera sa deuxième symphonie.

Mais le mal persistait. De plus, il se rendit enfin compte que son amour pour Giulietta n'était pas partagé; tout cela le désespéra et il pensa alors, sérieusement, à mettre fin à ses jours. Ainsi, le 8 octobre 1802, il rédigea une lettre d'adieu à ses deux frères, leur décrivant sa maladie, sa détresse devant une surdité totalement inadmissible pour lui; il terminait la lettre avec sa volonté de leur léguer ses quelques biens. C'est alors qu'il composa aussi le deuxième mouvement (en forme de marche funèbre) de sa troisième symphonie.

Fort heureusement pour nous, la vie de Beethoven ne s'arrêta pas en 1802, autrement il nous aurait privé de plus de la moitié de ses œuvres, c'est-à-dire, pratiquement tous ses chefs-d'œuvre! La lettre d'adieu ne fut jamais envoyée à ses frères. Lorsqu'elle fut trouvée après sa mort, on l'appela le «Testament d'Heiligenstadt».

Se ressaisissant, et conscient qu'il avait encore beaucoup de musique à écrire et à transmettre, il retourna à Vienne et termina l'année 1802 à travailler avec acharnement sur la troisième symphonie, qui ne sera achevée que deux années plus tard. Il fallait aussi étudier une idée d'opéra que lui proposa Schikaneder, librettiste de la Flûte Enchantée de Mozart. Ce librettiste, qui était aussi directeur d'un théâtre à Vienne, disposait dans son théâtre d'un appartement qu'il mit à la disposition de Beethoven. Il n'occupa cet appartement que peu de temps; et l'idée d'opéra fut temporairement mise de coté.

Au printemps 1803, l'idée d'opéra ressurgit. Le baron von Braun, directeur des théâtres de la Cour lui commanda un opéra. On s'entendit sur le livret «Léonore ou l'amour conjugal» du français Bouilly, que Gaveaux venait d'utiliser pour un opéra à Paris, œuvre très rapidement oubliée. Beethoven y travaillera longuement durant toute l'année, sans réussir à terminer cette œuvre en un an comme il avait espéré.

Bonaparte ; fascination puis déception :

En 1804, il acheva la troisième symphonie, qu'il intitula Symphonie Bonaparte, ayant eu une grande admiration pour le général Bonaparte, homme qui avait pu maîtriser les excès et désordres de la révolution française et redonner à cette révolution le sens et les valeurs les plus respectables. Mais à la fin de l'année, lorsque Napoléon se fit couronner empereur, la déception de Beethoven fut immense. Car il était convaincu que celui qui se nomme lui-même empereur devait inévitablement commettre désormais des injustices et des tyrannies. Ainsi, en apprenant la nouvelle, Beethoven, furieux, déchira la première page de son manuscrit, l'a réécrivit et inscrivit pour titre «symphonie héroïque (pour le souvenir d'un grand homme)».

A Vienne, Joséphine (surnommée Pépi), née de Brunsvik, qui avait été une élève de Beethoven en 1799, perdait son mari prématurément, en 1804. Durant les quelques années qui suivirent, ses relations avec Beethoven devinrent très intimes. L'amour et la tendresse entre eux fut réellement réciproque (ce qui n'empêcha pas Joséphine de se remarier avec un baron, en 1810, sans doute à regret, mais croyant probablement offrir de meilleures perspectives pour l'éducation de ses trois enfants).

L'opéra Leonore (*Fidelio*) fut achevé fin 1805. Son exécution en novembre fut une désolation. La période était très mal choisie. La guerre récente et rapide entre la France et l'Autriche avait donné la victoire aux armées de Napoléon. Une partie des habitants de Vienne avait quitté la ville.

Cependant, quelques musiciens et fidèles amis de Beethoven qui étaient présents lui conseillèrent des modifications et simplifications afin que l'œuvre soit plus présentable et acceptable par le public. Il commença évidemment par refuser toute discussion. Pas question de modifier une seule note! Mais il céda finalement suite aux supplications pathétiques de la princesse Lichnowski lui implorant de sauver ce chef-d'ouvre afin d'éviter que celle-ci ne tombe dans un injuste oubli.

Après d'importantes modifications, l'opéra fut rejoué en public le 29 mars 1806, à la grande satisfaction des connaisseurs. Cependant, le public général ne s'y intéressa pas et, faute de recettes suffisantes, on fut contraint d'arrêter à la suite de trois représentations. Beethoven, déçu, irrité et vexé par le fait de n'avoir pas atteint la réussite de Mozart dans le domaine de l'opéra, rangea sa partition et l'abandonna durant quelques années. Mais, cela ne diminua en rien son élan de créativité, bien au contraire! Ce fut une grande année de création, avec par exemple, les quatuors Razumovski, la quatrième symphonie, le concerto pour violon, etc..

L'œuvre importante de 1807 est une messe, la première messe écrite par Beethoven, la *Messe en UT*. Elle fut commandée par le prince Esterhazy. Lors de la première exécution de cette messe, le prince, encore très imprégné par les œuvres de Haydn, semble avoir émis quelques réserves. Cela ne fut pas clairement dit, mais Beethoven en fut fortement irrité et fâché. Il est vrai que cette messe ne comporte pas des airs lyriques émouvants comme on a l'habitude d'entendre lors d'une grande messe chantée, mais on y trouve, en fait, les signes de toute la force et la splendeur des œuvres chorales de Beethoven.

Fin 1807, le roi de Prusse provoqua Napoléon lui demandant de retirer toutes ses troupes se trouvant encore en Allemagne. La réponse de Napoléon fut alors très brutale, envoyant une armée importante qui envahit rapidement la totalité de la Prusse, y compris Berlin. Cela provoqua en Prusse et aussi en Autriche une grande colère ou haine à l'égard des Français.

A cette période, Beethoven se trouvait au château de son ami et protecteur le prince Lichnowski. Mais il devint très contrarié lorsque le prince se montra aimable à l'égard des envahisseurs français, faisant les honneurs aux officiers français qu'il recevait souvent chez lui. Beethoven, irrité, refusait de jouer devant cette assistance malgré les supplications de son hôte, le prince. Alors le prince, agacé, essaya enfin d'user de son autorité pour imposer pour la première fois sa volonté à Beethoven comme il le faisait habituellement avec ses musiciens, domestiques et autres personnes à son service. Il s'en suivit une violente dispute et le départ immédiat de Beethoven. Celui-ci envoya au prince, vraisemblablement le jour même, le message mémorable suivant : Prince, ce que vous êtes, vous l'êtes par le hasard de la naissance. Ce que je suis, je le suis par moi-même. Des princes, il y en a et il y en aura encore des milliers. Il n'y a qu'un seul Beethoven!

Ces quelques phrases démontrent l'esprit indépendant de Beethoven. Pourtant, il était impensable, à l'époque, qu'un compositeur repousse aussi nettement tout soutien d'un bienfaiteur qui exigeait en contrepartie une certaine obéissance. Mais, par ailleurs, c'était aussi une époque où la révolte et l'égalité étaient d'actualité en Europe. De plus, Beethoven était probablement le premier compositeur ayant la possibilité de vivre correctement des revenus de son travail, sans être serviteur d'un prince. Cependant, la rupture avec le prince Lichnovski allait évidemment entraîner quelques difficultés et nécessiter des efforts supplémentaires pour compenser l'interruption de la rente qu'il recevait de ce prince.

Quant à la dernière phrase du message au prince, elle confirme que Beethoven était bien conscient de sa valeur : il était unique!

Oui, c'est vrai, mais on peut s'amuser à imaginer si Beethoven aurait pu dire cela si Mozart, au lieu de mourir prématurément, avait vécu aussi longtemps que Beethoven. Et que Mozart aurait eu alors 51 ans! On peut rêver de la compétition, les chefs-d'œuvre, le rapprochement des styles, etc..! Mais le destin en a décidé autrement; inutile de rêver plus longuement sur ce qui aurait pu se passer si...

Avec son caractère rebelle, ne ménageant pas les susceptibilités, et exprimant ses sympathies à l'égard des idées révolutionnaires, Beethoven avait beaucoup d'adversaires, aussi bien dans la haute société que chez bon nombre de musiciens, à Vienne, mais également dans toute l'Europe. Beethoven le savait bien et s'en désolait souvent. Mais ceux qui pouvaient l'approcher et mieux le connaître découvraient en lui un homme bon, sensible et ne voulant réellement du mal à personne. Il avait donc aussi ses admirateurs et amis fidèles qui le soutenaient aux moments difficiles. A cette période, il y avait, par exemple, la comtesse Marie Erdödy, d'origine Hongroise, établie à Vienne, excellente pianiste et adorant la musique de Beethoven. Par suite d'un problème de santé à la naissance de son premier enfant, elle était pratiquement paralysée des jambes. La présence de Beethoven était pour elle une source de joie et elle proposa de mettre à sa disposition une partie de sa maison. Beethoven s'y installa avec plaisir, et il est évident qu'entre eux s'y installa également une grande amitié et des sentiments très intimes.

Beethoven travaillait beaucoup sur ses *cinquième et sixième symphonies*, deux symphonies très différentes, pourtant écrites presque simultanément. Les deux furent exécutées en public lors d'un même concert en décembre 1808. Il est amusant de noter qu'au programme de ce concert ces deux œuvres portaient une numérotation inversée. Elles furent publiées quelques mois plus tard sous la numérotation définitive que nous connaissons.

En dernière partie de ce concert extraordinaire figurait aussi une autre création : la fantaisie pour piano et orchestre, avec chœur (œuvre reprise plus tard pour le final de la neuvième symphonie). Beethoven était lui-même au piano. Le public fut ravi, certains par la découverte de ces œuvres magnifiques, d'autres par le jeu de Beethoven au piano, et d'autres, enfin, par la colère du compositeur lorsqu'il fit recommencer la dernière œuvre à la suite d'une grossière erreur du clarinettiste!

1809 - nouvelle invasion française :

En 1809, grâce aux efforts de Marie Erdödy, Beethoven obtint de trois amis et admirateurs une rente afin de lui permettre de se consacrer entièrement à la composition sans être tenté de quitter Vienne même si ses adversaires lui rendaient la vie difficile. Ainsi, l'archiduc Rodolphe, le prince Lobkowitz et le prince Ferdinand Kinsky signèrent un document commun précisant l'engagement de chacun, à moins qu'une somme équivalente lui soit versée pour une fonction officielle. Mais peu de temps après, Beethoven regrettait déjà d'avoir accepté cet engagement qui, en quelque sorte, limiterait sa liberté totale. (Regrets bien inutiles puisque cette rente devint bientôt très irrégulièrement versée, puis réduite, voire même pratiquement interrompue suite aux mauvaises fortunes des deux princes mécènes). D'autre part, ne s'entendant plus avec Marie d'Erdödy, il retourna à son ancien logement.

En mai de cette même année 1809, Vienne fut envahie de nouveau par l'armée de Napoléon suite à une nouvelle provocation autrichienne. Cette fois la bataille fut longue. Le bruit des canons étaient insupportables pour les oreilles malades de Beethoven.

De plus, il était sans ressources puisque ses derniers mécènes avaient quitté la ville, fuyant les combats.

En cette période aussi, Joseph Haydn décédait. Et Beethoven fut sincèrement peiné de cette disparition.

L'atmosphère et les combats l'empêchaient de composer; il consacra donc du temps à examiner de près les partitions des dernières œuvres de Haydn et aussi de Mozart et d'autres grands compositeurs. Comme on l'a constaté tout au long de sa vie, Beethoven profitait de toutes les occasions pour parfaire ses connaissances non seulement en musique mais aussi en culture générale. Parmi les éléments de sa culture générale, notons également une assez bonne maîtrise de la langue française. D'ailleurs, depuis plusieurs années déjà, il écrivait en français à son éditeur britannique! On dit aussi qu'il s'exprimait assez bien en italien.

La paix revient, Beethoven travaille sur le 5ème concerto, amitié avec Bettina, rencontre avec Goethe (1812) :

En novembre 1809, l'armée française se retire de Vienne, un traité de paix étant enfin signé. Beethoven se remet à la composition et achève le 5e concerto pour piano. Ce concerto ne sera exécuté en concert qu'en 1812. On ne sait ni quand, ni pourquoi on lui attribua le nom de concerto de l'Empereur, et il n'y a aucune raison de penser que Beethoven l'ait lui-même nommé ainsi.

A Vienne, Beethoven fréquentait et connaissait bien depuis plusieurs années la famille von Birkenstock. En 1810 arriva à Vienne une nièce de cette famille, Bettina Brentano. Elle avait 25 ans, très cultivée, aimant la musique et connaissant bien Goethe (par sa mère qui était une grande amie du poète). Or Beethoven admirait Goethe dont il avait déjà utilisé plusieurs poèmes pour composer des lied. Ce fait contribua à établir entre Beethoven et Bettina des relations très étroites. A 39 ans, il envisagea donc sérieusement, une fois de plus, le mariage. Bettina l'adorait et éprouvait en sa présence un plaisir pur et intense tel que l'art à son sommet peut en procurer aux âmes sensibles à ce plaisir. Mais, Bettina n'était pas venue à Vienne pour y rester toute sa vie. Et pour Beethoven l'histoire se répéta; l'année suivante elle épousera un autre (probablement un mariage de raison); Beethoven en sera très affecté, tout en lui conservant, cependant, une amitié à vie.

Bettina, comme d'autres amies et admiratrices, avait su reconnaître le génie de Beethoven et avait lutté en toute sincérité et avec acharnement contre les attaques du moment à l'encontre du génie, y compris celles de Goethe qui était resté exclusivement attaché au style de Mozart, rejetant la musique de Beethoven.

De l'année 1811 on connaît peu sur la vie de Beethoven à part le travail sur deux commandes de musique de circonstance : *Les Ruines d'Athènes* (œuvre dont il n'était pas très satisfait), puis *Le Roi Etienne*, qui fut très apprécié lors de l'exécution à Vienne.

On sait également que durant l'été de cette année il fit un premier séjour à Tœplitz, ville Thermale de Bohème, près de Prague, fréquentée en été par de nombreuses personnalités autrichiennes et allemandes. On sait également qu'une certaine Amalie Sebald (24 ans) s'y trouvait aussi et dont la correspondance avec Beethoven prouve qu'elle s'attacha profondément au compositeur. Les réponses (bien que brèves) de celui-ci semblent indiquer une certaine intimité entre eux. Beethoven fut probablement charmé par cette jolie jeune fille, mais il semblerait qu'il n'ait pas eu de sentiments vraiment passionnels à son égard.

L'été suivant, Beethoven retourna dans cette ville thermale. A peine arrivé, il écrivit sa célèbre lettre d'amour à une certaine «immortelle bien-aimée». C'est une lettre d'amour très intense, un chef-d'œuvre du genre, montrant combien il aimait et estimait cette personne qui manifestement partageait cet amour. L'identité de cette immortelle bien-aimée reste un mystère. Exista-t-elle réellement? Sans doute, car pourquoi Beethoven aurait-il inventé une telle lettre le jour même de son arrivée, après un voyage très fatigant. Tout semble indiquer que l'immortelle bien aimée a donc bien existé. Un autre mystère est le fait qu'on ait retrouvé la lettre dans les papiers de Beethoven après sa mort. Aurait-il renoncé à envoyer la lettre? En aurait-il fait une copie? Ou bien, la lettre lui serait-elle revenue après la mort du destinataire? Dans leur excellente biographie sur Beethoven, Jean et Brigitte Massin ont mené une enquête détaillée sur l'identité de cette immortelle bien aimée. Ils procèdent par élimination en passant en revue toutes les femmes que l'on sait que Beethoven a aimées jusqu'alors. Durant ces années 1811 et 1812, la seule qui se trouvait à Vienne était son amie de longue date Joséphine (dite Pépi) de Brunsvik dont Beethoven fit la connaissance en 1799, puis se lièrent intimement après la mort de son premier mari en 1804. Pendant deux ans Joséphine vivait à Vienne avec ses enfants, séparée de son deuxième mari qui l'avait laissée dans une situation difficile. Or on connaît l'admiration immense de cette femme pour Beethoven. Les circonstances permettent donc de penser qu'ils vécurent très proches durant cette période.

D'autre part, en mars 1813, environ 9 mois après la lettre à l'immortelle bien-aimée elle donnera naissance à une fille qui sera nommée Minona. Jean et Brigitte Massin pensent qu'elle pourrait bien être la fille de Beethoven. Quelques années plus tard, le deuxième mari de Joséphine réapparut et emmena de force tous les enfants, loin de leur mère, peut-être profitant d'une période de maladie de celle-ci. Joséphine restera alors très malheureuse et mourra à 41 ans, en 1821.

La rencontre avec Goethe à Tœplitz durant cet été 1812 eut d'abord un effet favorable permettant à ce dernier d'apprécier enfin la musique de Beethoven. Goethe avait alors 63 ans (soit 21 ans de plus que Beethoven) et connaissait la gloire dès l'âge de 25 ans lorsque son ouvrage «Les souffrances du jeune Werther» avait obtenu un immense succès, provoquant l'admiration et constituant une référence dans la littérature allemande. De ce fait, Beethoven l'admirait également.

Lors d'une promenade ensemble, la foule se pressait pour voir et approcher ces deux personnalités. Goethe se retourna et dit alors à Beethoven que tant d'empressement à son égard le gênait et même l'exaspérait. Beethoven lui répliqua, avec humour, que si cela pouvait le réconforter et le soulager, qu'il sache qu'en réalité au moins la moitié de l'empressement de la foule autour d'eux était probablement aussi pour lui, Beethoven!

Mais Goethe n'avait pas le sens de l'humour de Beethoven. De plus, un jour, Beethoven, avec son franc-parler habituel, reprocha au grand poète et écrivain de manquer de simplicité et de montrer beaucoup trop d'égards et d'empressement vis-à-vis de la noblesse et des membres de la Cour qui étaient également présents dans cette station. Mais Goethe, prit très mal cette remarque, s'en offusqua profondément, rompant aussitôt toute relation avec Beethoven et adoptera dès lors une indifférence totale, voire même un profond mépris, qui durera jusqu'à la mort du compositeur.

Vers l'été 1813 la fortune de Napoléon basculait quasi définitivement et la victoire était maintenant dans le camp de la coalition européenne. Les Viennois retrouvèrent rapidement leur enthousiasme et leur goût pour la musique. En décembre furent organisés deux concerts où le public put découvrir les septième et huitième symphonies, ainsi qu'une musique de circonstance, *La Bataille de Vittoria*, œuvre dont Beethoven n'était pas très satisfait, mais le public en fut enchanté.

Ce succès redonna à Beethoven le dynamisme presqu'entièrement perdu depuis au moins un an. Au cours d'un nouveau concert en février 1814, Beethoven présenta à nouveau ces deux symphonies, mais la huitième fut un peu écrasée par le triomphe de la grandiose 7e (bien que la 8e soit aussi un chef-d'œuvre, avec, en outre, la particularité du deuxième mouvement inspiré par la nouvelle invention de l'époque qu'était le métronome..).

1814 - Fidelio entièrement revu trouve enfin le succès :

En début 1814, on proposa à Beethoven une reprise de son opéra Fidelio, ce qu'il accepta avec joie mais à condition d'y apporter des modifications majeures. Les modifications du livret, proposées par le poète Treitschke, furent très bien accueillies par Beethoven. Pendant plusieurs mois il recomposa certains fragments de l'opéra, discutant même de détails techniques avec certains musiciens, et il envisagea aussi une version très modifiée de l'ouverture.

Enfin arriva le jour de la première représentation de cette nouvelle version de *Fidelio*, le 23 mai 1814. Cette fois, ce fut un grand succès. Le premier soir on joua, parait-il, une autre ouverture de Beethoven car le manuscrit de celle qu'il venait de terminer le matin même de la représentation était trop illisible pour être exploité à temps!

Durant cette année et l'année suivante, la gloire de Beethoven atteint ses sommets. Il est reconnu et acclamé partout en Autriche et en Allemagne. Beethoven en est heureux et fier, mais il conserve toute sa simplicité et sa lucidité sur les réalités de la vie, comme le témoignent ses nombreuses lettres magnifiques incluant des citations de plusieurs philosophes et auteurs.

1815 - mort de son frère et début des années difficiles avec son neveu Karl :

Après une année agréable arriva une inquiétude, la santé préoccupante de son frère Karl. Celui-ci mourra le 15 novembre 1815. Johanna, la femme qu'il avait épousée dix années plus tôt, était du genre infidèle et de mœurs légères. Ils avaient eu un an après leur mariage un fils prénommé également Karl!

A la mort de son frère, Beethoven se fit nommer tuteur du petit Karl, âgé alors de 9 ans et continuant à vivre chez sa mère. Mais Beethoven, qui n'appréciait pas sa belle-soeur, voulait éloigner le petit Karl de l'influence de sa mère car il n'avait ni confiance ni de sympathie pour Johanna dont la légèreté et les fréquentations extraconjugales étaient déjà bien connues. Mais celle-ci tenait à garder son fils tout en continuant à vivre à sa façon. Ce n'est qu'après une série de longs procès qu'en 1820 Beethoven obtiendra enfin une décision finale entièrement en sa faveur.

Ses meilleurs amis l'avaient pourtant fortement supplié de renoncer à cette idée de prendre en charge son neveu, car ils étaient persuadés que le compositeur n'aurait aucun talent pour accomplir le rôle d'un père, d'autant plus qu'il était lui-même d'une santé fragile. Mais les grands hommes finissent toujours par faire de grosses bêtises (comme il l'avait annoncé lui-même à propos de Napoléon). Cependant, Beethoven croyait fermement qu'il ne faisait que son devoir. Cette obstination et ses violentes querelles avec sa belle-sœur ont sans doute aussi profondément marqué et perturbé le jeune Karl.

Dès 1816, la grande préoccupation de Beethoven semble avoir été l'éducation de Karl. Et pour cela, il était prêt à mettre les moyens nécessaires. Il l'inscrivit donc dans une école réputée dirigée par un Espagnol, M. del Rio. A cette occasion il fit la connaissance de toute la famille del Rio, dont les deux filles adorèrent Beethoven, notamment Fanny (25 ans) qui en tomba réellement amoureuse. Beethoven se plaisait beaucoup auprès de cette famille qui l'accueillait toujours chaleureusement et malgré les humeurs très changeantes, voire extrêmes, de leur nouvel ami si étrange mais fascinant. C'est grâce aux écrits de Fanny que nous connaissons ces détails. Elle inscrivait ses impressions dans son journal intime que l'on découvrit après sa mort en 1876. Elle aimait Beethoven profondément, mais il semble qu'elle ne lui ait jamais déclaré ouvertement son amour, car elle ne percevait aucun signe d'un amour partagé. De plus, elle l'entendit évoquer désespérément son attachement à une autre, une bien aimée, un amour impossible mais toujours présent. Et Fanny ne s'est jamais mariée.

Beethoven n'avait alors plus qu'un seul frère, Johann, marié, sans enfant, et réussissant assez bien dans son métier d'apothicaire. Mais ce frère, Johann, ne lui était d'aucun secours pour discuter d'affaires de famille; ils ne s'entendaient pas bien et, là encore, Beethoven n'aimait pas cette belle-sœur non plus.

Au printemps 1817, après un hiver difficile où Beethoven fut très malade, il retrouva son énergie et adhéra même à un mouvement fantaisiste et heureusement passager, préconisant la suppression des mots en italien utilisés en musique! Il était alors question de remplacer par exemple le mot piano-forte par hammerklavier dans toutes les nouvelles publications en allemand. De même, on voulait supprimer les termes allegro, adagio, etc.. et utiliser éventuellement, pour indiquer la vitesse, la fréquence du métronome, appareil récemment inventé par un ami de Beethoven et dont la première présentation semble avoir provoqué chez lui un très grand intérêt.

Plus sérieusement, la maladie et la surdité empêchaient désormais Beethoven de jouer en public, d'autant plus que la tendance du public était alors de se reporter sur une musique beaucoup plus facile, comme celle de Rossini qui devint très rapidement le compositeur à la mode.

C'est encore une période difficile. Quelques-uns des meilleurs amis de Beethoven décèdent en cette année, au moment où son public semble le délaisser et l'aurait probablement oublié (du moins pendant quelques années, par l'effet cruel et injuste de la mode), sans la présence de Czerny et de la baronne Dorothea von Ertmann, qui tenaient à organiser des concerts jouant exclusivement des œuvres de Beethoven.

Début 1818, Beethoven, pensant avoir trouvé le personnel de maison adéquat, décida de retirer Karl de sa pension pour l'installer chez lui. Il est fort probable que Karl avait lui aussi souhaité ce changement qui devait lui permettre d'aller voir sa mère plus fréquemment, à l'insu de son oncle.

Les mois d'été sont passés à Mödling, à la campagne, près de Vienne. Il consacre beaucoup de temps à écrire la sonate pour piano n°29. Il l'a nomme la grande sonate, et déclare que maintenant il sait enfin composer!

En automne, Beethoven rentre à Vienne, sa santé s'est améliorée. Mais il découvre les visites de Karl à sa mère, il se fâche et obtient de Karl des promesses qui ne seront pas tenues, puisqu'en décembre, le garçon de 12 ans fait une fugue; la police le retrouve chez sa mère et le ramène de force. Cette fois, c'est la mère qui intente un procès pour reprendre son fils. Le procès se poursuit durant toute l'année 1819. La mère est fortement soutenue par le curé de Mödling qui n'aimait pas Beethoven. Il considérait et faisait savoir que Beethoven était indigne d'être tuteur, d'autant plus qu'avec ses idées très libérales, c'était un mauvais chrétien. Sur ce dernier point, le curé avait tort car les lettres et autres écrits de Beethoven indiquent clairement que malgré toutes ses épreuves et souffrances, sa foi en Dieu est restée forte et inébranlable.

Pendant ce temps, Beethoven trouve une autre pension pour Karl, l'Institution Blöchlinger. Là aussi, le directeur, M. Blöchlinger deviendra un excellent ami de Beethoven.

La surdité de Beethoven atteint un tel niveau que rares sont alors les personnes dont la voix arrive à être perçue par ses oreilles. Il tend donc à ses interlocuteurs un papier ou un cahier, que l'on nommera «cahier de conversation», permettant à son interlocuteur de lui "parler" par écrit. Beaucoup de ces écrits sont restés et furent très utiles aux biographes par la suite. Et on regrette de ne pas avoir l'enregistrement des réponses et des commentaires, sans doute très intéressantes, de Beethoven car, évidemment, Beethoven n'avait lui-même pas la nécessité de s'adresser par écrit à ses interlocuteurs.

Durant l'été 1819 Beethoven retourne à Mödling et travaille sur une messe, sa deuxième, en Ré (la *Missa Solemnis*), promise à l'archiduc Rodolphe à l'occasion de la nomination de celui-ci comme archevêque d'Olmütz. Il s'investit totalement dans cette œuvre, travaillant parfois même la nuit, à la grande désolation de ses voisins importunés par de soudains accords au piano interrompant leur sommeil... Et pourquoi ces accords, alors que lui même n'entendait sans doute plus rien ! Finalement la composition prendra plus de temps que prévu et ne sera achevée qu'en 1823.

Avec ses nouvelles fonctions, l'archiduc ne pouvait plus continuer ses leçons qu'il prenait depuis des années auprès de Beethoven. Profitant de cette occasion, c'est Anton Schindler, un admirateur et fidèle disciple de Beethoven, qui insista pour avoir enfin droit aux leçons du maître.

Début 1820, les cahiers de conversation de Beethoven indiquent que ses visiteurs lui parlaient surtout de politique. Metternich était au pouvoir et mettait en place une police sévère pour une reprise en main de l'autorité, avec la volonté d'effacer les idées de liberté et autres tendances issues de la révolution française. Beethoven ne cachait évidemment pas sa désapprobation, ce qui lui valut d'être étroitement surveillé par la police. Les amis lui conseillaient la plus grande prudence, et cela peut expliquer certains passages rayés et rendus illisibles dans ces cahiers, vraisemblablement par son entourage ou par ses interlocuteurs immédiatement après la «conversation».

Pour la troisième fois, il passa les mois d'été à Mödling. Il continuait à travailler sur la messe et commençait à avoir les idées pour ses deux dernières sonates pour piano.

1821 est une année qui commence pour Beethoven par plusieurs mois de maladie. D'abord les poumons, puis la jaunisse. En été il retourne à Mödling, puis va à Baden en septembre dans l'espoir de mettre fin à cette succession de maladies. En décembre il termine l'*opus 110* (son avant-dernière sonate pour piano) et il est clair que le dernier mouvement reflète une santé retrouvée.

Après ces longs mois de maladie, les ressources financières de Beethoven sont au plus bas. Il doit constamment écrire à ses éditeurs pour leur rappeler certaines obligations ou leur faire des suggestions pour avoir des recettes assurant ses moyens de subsistance.

Et c'est l'époque où Rossini triomphe avec sa musique qui plaît au public. Lors de son passage à Vienne, en été 1822, il tient à rendre hommage à Beethoven en lui rendant visite. Celui-ci le reçoit cordialement, et Rossini déclarera plus tard, avec regrets, qu'en raison de la surdité de Beethoven, la conversation étant très difficile, cette brève rencontre ne permit pas d'établir les relations d'amitié qu'il aurait souhaitées.

En réalité, Beethoven n'appréciait pas beaucoup la musique de Rossini. Il déclara plus tard qu'il méprisait de plus en plus ces viennois qui montraient un tel enthousiasme pour un compositeur de musique aussi facile, banale et sans génie.

Lorsqu'on lui demandait qu'il écrive lui-même un nouvel opéra, il s'empressait de répondre qu'il ne disposait pas d'un livret adéquat et qu'il refusait de travailler sur des livrets inintéressants. De plus, il ajoutait que d'après lui les livrets utilisés même par Mozart étaient trop invraisemblables et que lui-même ne s'aventurerait pas à mettre de tels sujets en musique.

La dernière sonate pour piano, l'*opus 111*, fut achevée début 1822, mais ne fut publiée qu'un an plus tard. Bizarrement, cette sonate n'a que deux mouvements.

A coté de ses grandes œuvres, Beethoven s'amuse parfois à composer des morceaux plus faciles, comme les onze bagatelles pour piano datant de cette période.

D'autres jeunes compositeurs, comme Weber et Schubert, commençaient à être connus à Vienne, et Beethoven suivait avec intérêt cette nouvelle génération, examinant même certaines de leurs œuvres. Mais il était persuadé que les références en musique resteraient, d'après lui, Haendel, Bach, Mozart et lui-même. Etonnante lucidité!

Son opéra Fidelio fut programmé à nouveau et remporta aussi un grand succès. Cependant, la générale fut un moment extrêmement pénible pour lui et pour son entourage. Il voulait diriger lui-même l'opéra et personne n'avait voulu le contredire, mais par précaution, il avait été convenu qu'il serait secondé d'un chef d'orchestre adjoint au cas où sa surdité poserait trop de problème. Dans une œuvre aussi complexe, le rôle du chef d'orchestre est primordial. Il se produisit donc l'inévitable lorsque le chef d'orchestre n'entend ni l'orchestre ni les chanteurs : un décalage entre les chanteurs et l'orchestre. Apparemment, l'écart était tel que le chef d'orchestre adjoint dut intervenir et se trouva dans l'obligation d'interrompre l'exécution, au grand étonnement du compositeur. Schindler réussit alors à persuader Beethoven de ne pas poursuivre la direction et l'accompagna chez lui pour lui donner les explications que le compositeur demandait désespérément sur ce qui s'était passé.

Durant l'année 1823, il consacra beaucoup de temps à la composition de sa neuvième symphonie, refusant même plusieurs propositions, y compris celle d'un nouvel opéra qu'on lui demanda suite au grand succès remporté par la dernière reprise de Fidelio. Pourtant, quelques commandes auraient pu soulager ses difficultés financières! Ses amis s'inquiétèrent beaucoup et essayèrent de le convaincre, évidemment en vain. Cela ne les étonnaient plus; ils savaient combien il était têtu.

Par contre, la *Missa Solemnis* était enfin prête et il était opportun de procéder à son édition. Comme cela se faisait souvent à l'époque, il décida de lancer une souscription auprès des souverains européens dans l'espoir de récupérer des subsides pour cette grande œuvre à laquelle il avait consacré beaucoup de temps. Il pensait que les souverains seraient heureux de subventionner cette grande Messe, qui pourrait être célébrée en priorité dans les grandes cours européennes. Cela serait pour lui une satisfaction personnelle et aussi un moyen d'améliorer sa situation financière. Il écrivit donc personnellement à plusieurs souverains, ainsi qu'à des amis influents. Mais cette démarche resta pratiquement sans résultat et Beethoven dut se contenter, l'année suivante, d'une concession normale et modeste à un de ses éditeurs (qui ne le publiera qu'en 1827).

Liszt, jeune prodige et élève de Czerny, avait onze ans lorsque ce dernier demanda à Beethoven de bien vouloir accepter de recevoir son élève. Sur cette rencontre, Liszt écrira plus tard que le début de la visite ne fut pas aisé, avec ses craintes devant ce grand homme si célèbre et si peu accueillant; puis après avoir joué un premier morceau, il exécuta sans difficulté d'autres œuvres plus difficiles que Beethoven lui demanda de jouer. A la fin, il reçut de Beethoven des encouragements très chaleureux qui le marquèrent très profondément.

Au printemps 1823, un admirateur mit à la disposition de Beethoven sa maison à Hetzendorf pour que celui-ci puisse travailler dans de bonnes conditions et terminer ainsi sa *neuvième symphonie*. Il projetait cette symphonie depuis une dizaine d'années déjà, mais l'idée de terminer cette symphonie par l'Hymne à la Joie lui est venue plus récemment, après avoir composé cet hymne en 1822 (poursuivant une idée qu'il avait eue trente ans auparavant).

Parallèlement à cela il se permit quelques moments de distraction en composant les variations pour piano sur un thème de Diabelli. Deux ans plus tôt, ce compositeur et éditeur avait proposé à tous les compositeurs vivant à l'époque à Vienne de faire des variations sur une valse de sa composition. Beethoven s'était lancé dans ce jeu. Il en écrivit 33 et les envoya à Diabelli qui en fut ravi et les publia aussitôt.

1824 - la neuvième symphonie est terminée :

1824 est l'année de la neuvième symphonie. Dès le début de l'année, cette symphonie, un des plus grands chefs-d'œuvre de la musique, voire même le plus grand selon certains, est prêt. Beethoven sollicite les organisateurs de concerts à Vienne, mais ceux-ci ne veulent pas s'engager, prétextant les coûts relativement élevés que cette symphonie implique. En plus du grand orchestre, il fallait, pour la fin de l'œuvre seulement, une chorale et des solistes! Beethoven décidait alors de faire exécuter le concert à Berlin où on lui promettait un bon accueil. Mais cette décision provoqua une soudaine indignation dans la haute société viennoise et quelques personnalités adressèrent à Beethoven une longue lettre très élogieuse le suppliant de réserver la première de sa dernière œuvre au public viennois.

Beethoven, très touché par cette lettre, accepta finalement et le concert put s'organiser à Vienne. Il eut lieu le 7 mai 1824 au Théâtre de la Cour, après une préparation très difficile de cette œuvre, souvent en rupture totale avec les habitudes musicales que l'on connaissait jusque là. Le concert commençait par l'ouverture «*Consécration de la maison*», suivie de trois hymnes extraits de la *Missa Solemnis*. Et enfin, la deuxième partie était consacrée à la *neuvième symphonie*. Tout le public viennois habitué des concerts était là. A coté de Beethoven, la direction était assurée en fait par Schuppanzigh et par le maître des chœurs Umlauf, qui firent un réel exploit sachant qu'ils n'avaient pu disposer de l'orchestre que pour deux répétitions seulement.

De toute évidence, le public était maintenant habitué à l'évolution musicale apportée par Beethoven. Cette fois, l'enthousiasme du public fut tel qu'il explosa de joie avant même la fin de la symphonie, obligeant une interruption imprévue avant de poursuivre l'œuvre jusqu'à la fin. Et à la fin, la salle était en délire! On est venu féliciter Beethoven qui, ayant le dos tourné au public, n'entendait pas les ovations!

Malheureusement, le lendemain, certains critiques qui n'avaient rien compris à l'œuvre, donnèrent une description lamentable de cette nouvelle symphonie, et de ce fait le public fut peu nombreux lors d'un deuxième concert. Après déduction de tous les frais du concert, le résultat financier fut ridiculement faible pour Beethoven. De plus, un dîner organisé avec tous ceux ayant contribué au succès de la première se termina finalement par un fiasco et une brouille entre Beethoven et son fidèle disciple Schindler.

Depuis longtemps déjà Schindler agaçait Beethoven qui le trouvait souvent maladroit, égoïste et indélicat. Il semblerait que Schindler avait tendance à modifier ou à dissimuler les choses en sa faveur, ou peut-être seulement en croyant bien faire. Après lui avoir dit des mots extrêmement sévères au cours de ce dîner, Beethoven lui écrivit le lendemain, confirmant ses critiques et lui demandant de ne plus venir le voir, du moins pendant très longtemps!

Deux ans plus tard, la neuvième symphonie fut exécutée à Berlin et remporta dès lors un très grand succès qui ne cessera plus.

Beethoven passa l'été 1824 à Penzing, puis à Gutenbrunn. Tout comme Mödling et Baden, ces localités, aujourd'hui accessibles de Vienne en quelques minutes, étaient à l'époque en pleine campagne et le trajet nécessitait plusieurs heures, voire même la journée.

Beethoven travaillait beaucoup sur ses derniers quatuors, œuvres qui lui avaient été commandées notamment par le prince Galitzine, sachant que ce grand admirateur lui avait déjà versé une avance pour avoir de nouvelles œuvres.

A Vienne, en l'absence de Schindler, son neveu Karl, qui avait maintenant 18 ans, l'aidait de temps en temps pour diverses démarches. Il était aussi assisté par un jeune violoniste, Karl Holz, personne agréable et qui s'est beaucoup dévoué au maître pendant deux ans jusqu'à son mariage. Dans ses écrits, Schindler porte une haine envers Holz, car il fut manifestement jaloux qu'un autre que lui-même puisse s'occuper des affaires de Beethoven et avoir sa confiance!

1825 fut une année difficile. Sa santé se dégrada sensiblement, et ses relations avec son neveu se détériorent à nouveau. Karl n'était brillant ni en études ni en musique; de plus, il revoyait souvent sa mère. De Baden, où Beethoven passa l'été, il écrivit plusieurs lettres de reproches à son neveu (qu'il appelait son fils). Certaines de ces lettres sont très sévères et pleines d'amertume, d'autres sont moins virulentes et sur un ton plus résigné.

Malgré une santé très déficiente, Beethoven acheva son *15e quatuor (opus 132)*; sa première exécution en septembre 1825 fut chaleureusement accueillie, une partie du public déclarant avoir éprouvé beaucoup d'émotion et de plaisir à l'écoute de cette œuvre. A la fin du concert, on pria Beethoven de jouer quelques improvisations au piano, ce qu'il accepta de faire pendant une vingtaine de minutes. On l'apprécia beaucoup, alors que lui-même n'entendait absolument rien du piano qu'il jouait! Ce fut la dernière fois qu'on entendit Beethoven jouer en public.

A Vienne, il changea de nouveau de domicile. Il habitait maintenant tout près de ses amis von Breuning (famille qu'il connaissait depuis sa jeunesse à Bonn). Le jeune fils Gerhard von Breuning, 12 ans, fut intrigué et passionné par ce nouveau voisin, célèbre compositeur, un personnage dont tous les autres jeunes du quartier se moquaient, le prenant pour un fou, ce personnage étrange, qui parle très fort, souvent même quant il est seul, et qui gesticule inconsidérément; de plus, il est mal habillé et parfois très grossier. Même son neveu Karl en avait honte et n'osait plus se promener dans la rue avec son oncle. Gerhard écrira plus tard que lui-même, contrairement aux autres jeunes du quartier, acceptait tout cela et le trouvait fascinant.

On voyait souvent Beethoven aller au café, prendre une bière ou un café, tout en lisant un journal et fumant sa pipe. Là les personnes le connaissaient bien et le respectaient. On y voyait aussi, Schubert, autre compositeur de génie, encore très jeune, qui était souvent là à observer discrètement Beethoven, l'admirer respectueusement, sans jamais oser lui adresser la parole.

Les *13e et 14e quatuors*, dont la composition avait été interrompue, furent finalement achevés et présentés au public viennois en 1826, dans une quasi-totale incompréhension. Beethoven ne s'en étonna pas et dit à ses amis que de telles œuvres sont effectivement un peu surprenantes et seront comprises plus tard.

D'ailleurs, tout cela ne troublait pas sa créativité et il commença à composer un 16e quatuor. Parallèlement à cela, il voulait écrire un Requiem et une dixième symphonie. Cette symphonie, il l'avait déjà bien structurée, mais seulement dans sa tête. Parfois, il en jouait un extrait au piano, mais n'en a pratiquement rien noté!

1826 - grandes difficultés avec Karl; et l'état de santé de Beethoven se détériore :

Durant cet été 1826, Beethoven resta à Vienne afin d'être près de son neveu Karl qui préparait ses examens de fin d'étude. Karl avait presque vingt ans et les relations avec son oncle étaient très tendues. Sa surveillance (paternelle) exaspérait Karl. Soudain un jour, en plein été, au lieu de se rendre à l'examen, Karl se rendit à Baden où il fit une tentative de suicide, se tirant deux balles dans la tête! Une seule des balles le toucha, il se blessa, s'évanouit, mais la blessure n'était pas très grave. On le transporta chez sa mère, conformément à sa demande. Beethoven s'y précipita pour le voir et se rassurer, mais le neveu le rejeta sans aucune pitié ni reconnaissance.

Il faut dire que Karl menait une vie de jeune homme qui ne plaisait absolument pas à son oncle. Ses dettes et ses mauvaises fréquentations l'avaient mené dans une situation difficile, ce qui expliquerait son geste de désespoir plus que les reproches de son oncle et la haine qu'il avait développée envers celui-ci.

Certains reprochaient à Beethoven d'avoir insisté à tenir le rôle de père alors qu'il n'en était pas capable. Or, pendant une dizaine d'années, Beethoven s'est bien occupé de l'éducation de son neveu, faisant passer cette tâche avant toute autre préoccupation. Il a agit comme l'aurait fait un père soucieux de l'avenir de son enfant. Bien sûr, Beethoven avait un caractère très spécial, mais combien de vrais pères n'ont-ils pas eux aussi leur caractère spécial ! Et de pareils drames peuvent également se produire dans des familles les plus «normales» du monde !

Les autorités autrichiennes, alors très influencées par l'église catholique, considéraient la tentative de suicide comme un crime! De ce fait, la police poursuivait Karl. Là encore, malgré toute la haine portée et déclarée par son neveu à son égard, Beethoven lutta de toutes ses forces pour trouver un moyen de faire cesser l'acharnement de la police contre ce jeune ayant raté son suicide. La solution que l'on trouva fut celle de l'engager dans l'armée. Il s'en suivit un certain apaisement dans les sentiments de Karl envers son oncle. A la sortie de l'hôpital, il passa même quelques jours chez son oncle.

Puis, n'ayant pas quitté Vienne durant l'été, Beethoven accepta, fin septembre, une invitation de son frère, Johann, d'aller passer quelque temps dans sa propriété à Gneixendorf, au bord du Danube, avec Karl, encore en convalescence de sa blessure. Au début, sa belle-sœur fut d'une amabilité étonnante et Beethoven se sentit heureux. Il acheva son *16e Quatuor*.

Mais après un mois, Beethoven tomba malade, son caractère difficile ressurgit ainsi que ses vielles querelles avec sa belle-sœur, qui se répercutèrent évidemment sur ses rapports avec son frère. De plus, Karl se comportait d'une manière qui finit par agacer Johann et sa femme. Après deux mois de séjour, Beethoven décida donc de les quitter précipitamment le 1er décembre 1826, sans même attendre que son frère puisse organiser le retour dans des conditions correctes.

De plus, il faisait très froid. Beethoven arriva à Vienne, le lendemain, avec une grave pneumonie. Le jour suivant Beethoven écrivit à son ami Holz de venir et demanda à Karl d'appeler un des médecins qu'il connaissait. Or le médecin ne vint pas (probablement parce qu'on ne lui avait pas indiqué que Beethoven avait changé d'adresse quelques mois auparavant!). Holz arriva deux jours plus tard et alla chercher lui-même un médecin.

Après quelques jours de répit, le mal revint et empira. Son état était grave. Il avait mal au foie, aux intestins; la jaunisse était visible et ses pieds enflaient ; le médecin, bien que de renommée, n'y pouvait plus rien.

Le 14 décembre, à l'occasion de son 56e anniversaire, Beethoven reçut d'un ami à Londres un cadeau qui lui fit un immense plaisir : c'était une édition complète des œuvres de Haendel.

Malgré l'état très malade de Beethoven, le jeune Gerhard von Breuning ne perdait rien de son admiration pour cet homme et insistait pour venir souvent le voir et lui tenir compagnie, d'autant plus que Holz était alors occupé par les préparatifs de son mariage et ne pouvait rester longtemps auprès du malade.

En l'absence de Holz, Schindler trouva la voie plus libre pour s'approcher à nouveau de Beethoven et reprendre sa place de l'ami indispensable.

1827 - les derniers mois de Beethoven, gravement malade :

Karl se préparait à rejoindre l'armée à partir du 2 janvier 1827. Il partait avec l'insouciance qui le caractérisait et sans reconnaissance ni aucun mot tendre envers son oncle. Malgré cela, le lendemain de son départ, Beethoven écrivit à un avocat pour léguer à son neveu Karl le peu de biens qu'il possédait.

Après quelques jours paisibles, le mal s'aggrava; Beethoven exigea qu'on appelle un deuxième médecin. Celui-ci lui conseilla des boissons alcoolisées! Effectivement, cela sembla apaiser les douleurs durant quelques jours, mais l'amélioration ne dura pas longtemps. Alors le patient fut tenté d'augmenter fortement la dose du dernier «remède», mais sans effet bénéfique.

Le remède de ce médecin ne pouvait pas être bon, d'autant plus que l'on sait que Beethoven appréciait bien l'alcool et en aurait facilement abuser si, de plus, on lui présentait cela comme un remède!

Il convient de préciser que Beethoven a toujours aimé bien boire et bien manger, mais aucun récit de sa vie ne nous permet de penser qu'il ait poussé cela jusqu'au vice (comme ses parents). Et il serait très injuste de croire, comme l'ont prétendu certains de ses contemporains qui le connaissaient mal, que c'est l'abus d'alcool qui aurait soi-disant entraîné ses maladies et sa mort.

Fin février, les médecins l'opérèrent pour la quatrième fois, mais il ne se produisit toujours pas d'amélioration. Depuis quelques temps il n'était plus capable de composer et sa situation financière devenait aussi préoccupante que son état de santé. A Londres, Moscheles organisa rapidement un concert de soutien au grand compositeur malade. Ce soutien venant de Londres étonna et agaça alors les Viennois, vexés, alors qu'ils ne s'étaient même pas inquiétés de la santé ni de la situation de Beethoven.

Ce n'est qu'alors que les Viennois commencèrent à croire à la gravité de sa maladie. De nombreuses personnes venaient dès lors lui rendre visite. Il y avait souvent les fidèles amis, ainsi que son frère Johann.

Il semblerait que Hummel, ainsi que Schubert, lui rendirent visite plusieurs fois. Beethoven recevait ses visiteurs chaleureusement, mais ces visites ne pouvaient être que très brèves en raison de son état de fatigue.

Le 23 mars 1827, le médecin annonça à Beethoven que tout espoir était fini et qu'il allait très prochainement quitter la vie. Le lendemain, Beethoven demanda la visite d'un prêtre. La bénédiction eut lieu entre midi et une heure, puis peu de temps après commença une terrible agonie et le 25 mars le coma. Ce coma, qui continua le 26, était entrecoupé de moments d'agitations inconscientes et de terribles cris que l'on entendait même de l'extérieur de la maison et qui se mêlaient de temps à autres au bruit du tonnerre, car c'était une journée très orageuse.

Vers 17 heures de ce lundi 26 mars 1827, l'agonie cessa brusquement. Beethoven était mort.

****

La nouvelle de la mort de Beethoven se répandit rapidement ; car il était devenu une personnalité très connue et respectée, à Vienne et dans toute l'Europe.

L'inhumation eut lieu le 29 mars en présence de nombreux musiciens et compositeurs, dont Schubert, et une foule immense, estimée à environ dix-mille personnes.

Ensuite, pendant quatre mois, les amis et proches se désintéressèrent totalement de la maison où avait habité Beethoven. Les papiers, les documents et manuscrits et autres objets personnels du défunt restèrent là, sans aucune protection!

Le voisin le plus proche, Steffen von Breuning, père de Gerhard, qui connaissait Beethoven depuis leur jeunesse commune à Bonn, s'était proposé alors de rassembler les documents, avec l'aide des autres amis du compositeur, afin d'écrire une biographie. Mais il tomba gravement malade peu de temps après la mort de Beethoven et allait lui-même décéder le 4 juin.

Au mois d'août on se décida enfin à vider et nettoyer les lieux pour l'arrivée d'un nouveau locataire. C'est seulement alors que l'on dressa un inventaire des objets et documents trouvés. Ceux-ci furent vendus aux enchères.

Quant au neveu Karl, qui était venu assister aux obsèques de Beethoven, il continua son engagement dans l'armée jusqu'en 1832. Puis il se maria et eut cinq enfants, dont un fils, qu'il nomma Ludwig. Ce dernier immigra aux Etats-Unis, se maria et eut un enfant qui ne laissa pas de descendance. Ainsi s'est terminée la lignée des van Beethoven.

Parmi tous les proches de Beethoven dans la dernière partie de sa vie, c'est finalement Anton Schindler qui écrira une biographie du célèbre compositeur.

Aujourd'hui, il existe de très nombreux écrits et autres biographies sur Beethoven. Citons quelques ouvrages en français les plus significatifs, par :

- Guillaume de Lenz, en 1852
- Victor Wilder, en 1883
- Edmond Vermeil, en 1929
- Romain Rolland, avec ses nombreux écrits sur Beethoven, notamment une étude détaillée et commentée, mais malheureusement inachevée, en 7 parties, publiées entre 1930 et 1949.
- Jean et Brigitte Massin, en 1967

******

Oeuvres de Beethoven:

Les œuvres de Beethoven portent généralement un numéro d'opus (opus signifiant ouvrage en latin). Ces numéros étaient en général fixés par ordre d'arrivée chez l'éditeur, sans doute en accord avec Beethoven. Cependant, certaines de ses œuvres ne portaient pas de numéro opus et ont été classées ultérieurement par numéro WoO (Werke ohne Opuszahl).

Ce classement est relativement récent (depuis 1955). Il succède à un classement fait par Sir George Grove (1820-1900), utilisant une numérotation G... qui est maintenant abandonnée.

Les numéros en Opus vont de 1 à 138. Ils couvrent toutes les œuvres essentielles et caractéristiques du compositeur. Mais on compte aussi environ 200 autres œuvres de Beethoven en numérotation WoO.

Voici une liste des œuvres importantes ou significatives, classées dans les catégories suivantes :

- Premières œuvres,
- Messes, cantates et autres œuvres spirituelles
- Symphonies
- Diverses compositions avec orchestre
- Concertos
- Opéras, ouvertures, ballets et autres musiques pour spectacles
- Piano seul
- Musique de chambre

■ Les premières œuvres (de 12 ans à 15 ans)

- Variations pour clavier, en Ut mineur (WoO.63), 1782, Bonn. Ces neuf variations de Beethoven ont été publiées la même années par un éditeur de Mannheim, sous l'impulsion de son professeur Neefe.

- Trois sonatines pour clavier, en Mi bémol majeur, fa mineur et Ré majeur; (WoO. 47), 1782-1783, Bonn.

- Concerto pour piano en Mi bémol majeur (WoO.4), 1784, Bonn. La partition initiale de ce premier concerto composé par Beethoven a été malheureusement égarée; il ne reste qu'une version réduite pour piano, publiée par Breitokpf et Härtel.

■ Messes, cantates et autres œuvres pour l'église

- Cantate pour chœurs et orchestre (WoO.87), 1790, Bonn. Composée suite à une commande à l'occasion de la mort de Joseph II, cette œuvre semble avoir été refusée, probablement parce qu'elle ne correspondait pas aux habitudes musicales de l'époque. Elle fut retrouvée et exécutée bien après la mort de Beethoven. Le même sort sera réservé à une autre Cantate (WoO.88) commandée la même année pour célébrer l'avènement de Léopold II.

- Le Christ au Mont des Oliviers (Christus am Oelberg), oratorio (Op.85), 1801, Hetzendorf. Première exécution en 1803.

- Messe n°1, en Ut majeur (Op.86), 1807, Vienne et Baden. Commande du prince Esterhazy.

- Chant des moines, pour trois voix d'hommes, a capella (WoO.104), 1817. Paroles de Schiller.

- Messe n°2 "Missa solemnis", en Ré majeur (Op.123), œuvre commencée en 1818 et terminée en 1823, année où Beethoven travaillait sur sa neuvième symphonie. D'ailleurs, cette messe grandiose s'impose davantage à l'auditeur comme une grande symphonie, préparant ou annonçant l'arrivée de la neuvième symphonie, et ne laissant pas à l'auditeur assez de répit pour la méditation lors d'une messe.

■ Symphonies

- **1ère symphonie**, en Ut majeur (Op.21), 1800, Vienne. Ainsi, Beethoven aura presque trente ans lorsqu'il achève sa première symphonie. La nouveauté du style surprit, voire dérangea profondément la plupart des auditeurs lors de la première audition. Les trois premiers mouvements nous paraissent pourtant très classiques; on pourrait même penser à une 42ème symphonie de Mozart... Mais il est vrai que le dernier mouvement a de quoi surprendre profondément les auditeurs de l'époque; c'est un style nouveau, agité, tumultueux; c'est du Beethoven.

Sy1 - 1er mouvement : Adagio molto, puis allegro con brio

Sy1 - 2ème mouvement : Andante cantabile con moto

Sy1 - 3ème mouvement : Allegro molt e vivace

Sy1 - 4ème mouvement : après 5 mesures lentes arrive le thème principal allegro molto e vivace que voici

- **2e symphonie**, en Ré majeur (Op.36), 1802. Première exécution l'année suivante, avec encore une plus grande incompréhension de la majorité des auditeurs. On se plaisait à dire que le dernier mouvement faisait penser à une bête féroce enragée, se débattant en vain...

Sy2 - 1er mouvement : Début (Adagio molto)

suivi, après la longue introduction lente, d'un premier thème (Allegro con brio)

Sy2 - 2ème mouvement : Larghetto

Sy2 - 3ème mouvement : (très court) Allegro - Scherzo

Sy2 - 4ème mouvement : Allegro molto

• **3e symphonie**, dite Héroïque (ou Eroïca), en Mi bémol majeur (Op.55), 1804. Commencée en 1802, cette symphonie était d'abord dédiée à Napoléon Bonaparte. Mais lors de l'achèvement, Beethoven, déçu par les ambitions de Napoléon (qui venait de se proclamer empereur) dédia finalement cette symphonie au prince Lobkowitz.
Dans cette symphonie, plus longue que les précédentes, Beethoven continue à apporter des innovations qui, évidemment, déroutèrent les premiers auditeurs. Les critiques furent très nombreuses, lui reprochant, en plus, la longueur de l'œuvre. Mais Beethoven savait qu'avec cette œuvre il avait composé l'une des plus belles symphonies de tous les temps. Le deuxième mouvement est une marche funèbre que Beethoven composa peut-être en envisageant sa mort, ou suite à la mort d'un ami amiral anglais, ou encore en pensant déjà à la mort de Napoléon (comme il l'aurait dit en apprenant la mort de l'Empereur en 1821). Notons que le dernier mouvement reprend le thème du ballet "Les Créatures de Prométhée" composé par Beethoven en 1800.

Sy3 - 1er mouvement : Allegro con brio

Sy3 - 2ème mouvement : (marche funèbre)

Sy3 - 3ème mouvement : Allegro vivace (Scherzo)

Sy3 - 4ème mouvement : Allegro molto.
Après une courte introduction arrive le premier thème

puis, plus loin, le thème (déjà utilisé plusieurs fois par Beethoven)

• **4e symphonie**, en Si bémol majeur (Op.60), 1806. Malgré les critiques précédentes, Beethoven recevait des commandes de symphonies. La quatrième symphonie est destinée à une commande du comte Oppersdorff.

Sy4 - 1er mouvement : après une introduction (Adagio) suit le thème suivant (Allegro vivace)

Sy4 - 2ème mouvement : (1er et 2e violons), Adagio

Sy4 - 3ème mouvement : Allegro vivace

Sy4 - 4ème mouvement : Allegro ma non troppo

- **5e symphonie**, en Ut mineur (Op.67), 1808. Il a fallu trois ans pour que Beethoven écrive et achève ce monument de la musique symphonique. Malgré certaines critiques, l'œuvre produisit une très forte émotion et les appréciations furent très nombreuses dès la première audition. Le célèbre thème initial, dont le sens, selon Beethoven, est "ainsi le destin frappe à la porte", est un thème qu'il avait déjà esquissé dans plusieurs œuvres précédentes, par exemple dans le premier mouvement du 4e concerto pour piano.

Sy5 - 1er mouvement : Allegro con brio

Sy5 - 2ème mouvement : Andante con moto

Sy5 - 3ème mouvement : Allegro

Sy5 - 4ème mouvement : Allegro

• **6e symphonie**, "la pastorale", en Fa majeur (Op.68), 1808. Composée à la même période que la cinquième, ces deux symphonies furent données en première audition lors d'un concert du 22 décembre 1808.

Curieusement, ces deux symphonies avaient à l'origine et lors de ce concert une numérotation inversée! La numérotation actuelle date de l'année suivante lors de la publication de ces deux symphonies.

C'est Beethoven qui donna le titre de "Pastorale" à cette grande symphonie dédiée à la nature; et on sait que Beethoven était extrêmement sensible à la nature. Il nomma les cinq mouvements : 1) Eveil d'impressions joyeuses en arrivant à la campagne; 2) Scène au bord du ruisseau; 3) Rassemblement joyeux des paysans; 4) Orage, tempête; 5) Chant des pâtres et sentiments de joie et de reconnaissance après la tempête.

Sy6 - 1er mouvement : Allegro ma non troppo

Sy6 - 2ème mouvement : Andante molto moto

Sy6 - 3ème mouvement : Allegro

Sy6 - 4ème mouvement : Allegro (difficile de dégager un thème de ce mouvement inspiré de l'orage et de la tempête)

Sy6 - 5ème mouvement : Allegretto

• **7e symphonie**, en La majeur (Op.92), 1812. Beethoven mit cinq ou six ans pour écrire et terminer cette grande symphonie. Le public, déjà plus habitué aux particularités de la musique de Beethoven fut cette fois plus réceptif, malgré les idées toujours plus surprenantes du compositeur. Ceux qui le traitaient de fou furent cette fois une minorité. Plus tard, Wagner nommera cette symphonie "l'apothéose de la danse".

Sy7 - 1er mouvement : Poco sostenuto

après une très longue introduction avec le thème lent ci-dessus arrive le thème principal de ce mouvement : Vivace

......

Sy7 - 2ème mouvement : Allegretto

Sy7 - 3ème mouvement : Presto

Sy7 - 4ème mouvement : Allegro con brio

• **8e symphonie**, en Fa majeur (Op.93), 1812. Composée en même temps que la septième, elle est moins grandiose, mais agréablement surprenante, d'autant plus que le premier mouvement commence sans introduction. On a l'impression d'être lancé directement dans un agréable voyage symphonique, pratiquement sans préparation... Le deuxième mouvement est influencé par une imitation du métronome, appareil récemment inventé et que Beethoven trouvait amusant.

Sy8 - 1er mouvement : Allegro vivace e con brio

Sy8 - 2ème mouvement : Allegretto scherzando

Sy8 - 3ème mouvement : Tempo di menuetto

Sy8 - 4ème mouvement : Allegro vivace

• **9e symphonie**, en Ré mineur (Op.125), 1824. Il a fallu plus de six ans à Beethoven pour composer ce chef-d'œuvre et grand monument de la musique. A 54 ans, Beethoven utilisa certaines de ses idées musicales développées depuis des années, en particulier l'Hymne à la Joie, au quatrième mouvement, qui termine la symphonie, une adaptation par Beethoven d'un texte de Schiller publié en 1786 et que Beethoven projetait de mettre en musique dès 1792!

A sa première audition, en mai 1824, malgré les ovations, certains critiques lancèrent une campagne défavorable empêchant le succès d'un deuxième concert. Il a fallu attendre deux ans avant que l'œuvre retrouve un succès qui sera définitif.

Sy9 - 1er mouvement : Allegro ma non troppo

Sy9 - 2ème mouvement : Molto vivace

Sy9 - 3ème mouvement : Adagio molto y cantabile

Sy9 - 4ème mouvement (avec chœurs) : Presto

Thème de l'introduction

- Beethoven voulait écrire une dixième symphonie, mais il y avait probablement d'autres priorités; puis la maladie et la mort mirent fin à l'espoir de voir ce projet se réaliser. On sait qu'il avait imaginé cette dixième symphonie avant même d'achever la neuvième. Karl Holz et Anton Schindler, deux jeunes musiciens disciples et collaborateurs de Beethoven en cette période, avaient affirmé avoir entendu Beethoven jouer au piano des idées pour cette dixième symphonie. Mais après sa mort, les quelques esquissent que l'on trouva, et seulement du premier mouvement, furent dispersées. Ce n'est qu'une centaine d'années plus tard que des musicologues essayèrent de rassembler les esquissent pour voir si on pouvait en dégager une idée de cette symphonie, du moins pour ce qui est de son premier mouvement.

C'est en 1983 que le musicologue anglais Barry Cooper rassembla, notamment de diverses bibliothèques, les esquisses laissées par Beethoven. Cooper avait une formation de pianiste et de compositeur, s'intéressant particulièrement, en cette période, à la musique de Beethoven. Il a donc imaginé et orchestré ce que pouvait être ce premier mouvement, sans aucune prétention d'autheticité. D'ailleurs, à l'écoute d'un enregistrement de cet arrangement, on voit bien les limites de cette tentative.

■ Diverses compositions avec orchestre

- "Die Schöne Schusterin" (La Belle Cordonnière), deux airs accompagnés d'orchestre (WoO.91), 1795.

- "Ah perfido" pour soprano et orchestre (Op.65), 1796.

- Menuets pour orchestre (WoO.12), 1799. Ces 12 menuets, sans doute trouvés peu conformes aux habitudes, ne furent pas exécutés.

- Romance pour violon, n°1 (Op.40), vers 1802

- Romance pour violon, n°2 (Op.50), vers 1802

- Fantaisie pour piano, orchestre et chœurs (Op.80), 1808. Cette œuvre inspirera Beethoven une dizaine d'années plus tard pour la dernière partie de sa neuvième symphonie.

- La Victoire de Wellington, ou La Bataille de Vittoria, œuvre assimilée à une petite symphonie, courte, en deux mouvements (Op.91), 1813. On demanda à Beethoven d'écrire une œuvre pour marquer la libération de l'Espagne par Wellington chassant l'armée de Napoléon par une victoire à Vittoria. L'œuvre souleva l'enthousiasme du public. Mais Beethoven n'était pas très satisfait de sa composition.

- "Germania's wiedergeburt" (La Renaissance de l'Allemagne), cantate pour quatre voix et orchestre (WoO.94), 1814.

- "Der Glorreiche Augenblick" (Le Glorieux Moment), cantate pour quatre voix et orchestre (Op.136), 1814.

- "Meeresstille; Glûcklichefahrt" (Le calme de la mer; Voyage heureux), deux lieder pour chœurs et orchestre (Op.112), 1815.

■ Concertos

- **Concerto pour piano n°1** en Ut majeur (0p.15), 1798. La composition est probablement de 1796, mais l'écriture fut complétée deux années plus tard. En fait Beethoven avait déjà composé un concerto pour piano vers l'âge de quatorze ans mais il n'en reste qu'une version réduite pour piano seul (WoO.4).

Conc.P1 - 1er mouvement : Allegro con brio

Conc.P1 - 2è mouvement : Largo. Le piano commence par :

et l'orchestre répond :

Conc.P1 - 3è mouvement : Allegro

- **Concerto pour piano n°2** en Si bémol majeur (Op.19), 1795? Il semble donc que ce concerto ait été composé avant le n°1. Comme cela était souvent le cas, la partition du soliste n'était pas encore écrite lors de la première exécution par le compositeur. Ce n'est qu'en 1801 que Beethoven dut compléter l'écriture avant de remettre l'œuvre à l'éditeur Breitkopf & Härtel. Notons que Beethoven n'était pas très satisfait des ces deux concertos. En effet, malgré leurs grande qualité, on peut dire qu'il restent dans le style établi par Mozart et ne traduisent pas encore pleinement les expressions caractéristiques de Beethoven.

Conc.P2 - 1er mouvement : Allegro con brio

Conc.P2 - 2ème mouvement : Adagio

Conc.P2 - 3ème mouvement : Molto allegro

- **Concerto pour piano n°3** en Ut mineur (Op.37), 1803. Commencé trois ans plus tôt, ce concerto fut interprété pour la première fois avec la deuxième symphonie, lors d'un concert en 1803.

Conc.P3 - 1er mouvement : Allegro con brio

Conc.P3 - 2ème mouvement : Largo

Conc.P3 - 3ème mouvement : Allegro (Rondo)

• **Triple concerto pour piano, violon, violoncelle** en ut majeur (Op.56), composé en 1803-1804 mais présenté en 1807. Trois mouvements : Allegro, Largo, Rondo alla Polacca. Le thème du premier mouvement est introduit par le violoncelle :

• **Concerto pour piano n°4** en Sol majeur (Op.58), 1806. Les notes et manuscrits indiquent qu'il a fallu trois ou quatre ans depuis les premières inspirations pour cette œuvre.

Conc.P4 - 1er mouvement : Allegro moderato

Conc.P4 - 2ème mouvement : Andante con moto

Conc.P4 - 3ème mouvement : Vivace

• **Concerto pour violon** en Ré majeure (Op..61), 1806. Contrairement à son habitude, Beethoven composa cette œuvre en peu de temps, mais cette rapidité ne l'empêcha pas de créer un grand chef-d'œuvre. L'année suivante, il en écrivit lui-même une adaptation pour piano et orchestre. Mal compris au début, ce concerto pour violon trouva quelques années plus tard une place de faveur dans le répertoire des grands interprètes et sera un modèle pour les concertos de violon de Mendelssohn, Brahms et Tchaïkowsky. On peut rappeler une interprétation tout à fait extraordinaire et historique de cette œuvre au milieu du vingtième siècle par le jeune Menhuin sous la direction de Furtwängler.

Rappelons le thème du début (Allegro ma non troppo), arrivant après 4 coups de timbale :

Et le début du 3ème et dernier mouvement, Rondo Allegro :

• **Fantaisie pour piano et orchestre** (voir chapitre précédent : diverses compositions avec orchestre).

• **Concerto pour piano n°5** en Mi bémol majeur (Op.73), 1809. Appelé plus tard "concerto de l'**empereur**", on ne sait pas exactement par qui. Ce concerto écrit durant l'occupation de Vienne par les troupes napoléoniennes et achevé à la signature de la paix, est certainement l'un des plus grands chefs-d'œuvre de la musique. La première fut donnée en 1811 à Leipzig, et ce fut un immense succès malgré le fait que Beethoven, devenu complètement sourd, fut obligé, et cela pour la première fois de sa vie, de laisser sa place à un autre pianiste que lui, le pianiste virtuose Friedrich Schneider. Trois mois plus tard, les viennois ont pu écouter la même œuvre, sans vraiment la comprendre à sa juste valeur.

Conc.P5 - 1er mouvement : Allegro (le piano intervient après un accord de l'orchestre)

Puis, plus loin, le thème principal :

Conc.P5 - 2ème mouvement : Adagio un poco mosso

Conc.P5 - 3ème mouvement : Allegro (thème enchaîné sur la fin du 2è mouvement)

■ Opéras, ouvertures, ballets et autres musiques pour scène

• **Ritterballet** (WoO.1), 1791, Bonn. A 20 ans, Beethoven reçut cette commande du comte de Waldstein.

• **Les Créatures de Promethée** (Op.43), 1801. C'est le chorégraphe Salvatore Vigano, à Vienne, qui demanda à Beethoven, en 1800, de composer la musique d'un ballet sur ce thème, comprenant une ouverture et 3 actes. Ce ballet obtint un grand succès et le spectacle fut longtemps représenté à Vienne. Beethoven publia aussi une version pour piano, mais on la connaît sous la dénomination (Op.35) "Eroica-Variationen". Le thème final de cette œuvre a été réutilisé par Beethoven pour le quatrième mouvement de sa troisième symphonie dite "Eroica".

• **Léonore** (Op.72), 1805 / (Fidelio, 1814). Opéra en trois actes qui, dans sa première représentation en 1805 fut donnée avec l'ouverture Léonore II. Le livret est tiré de "Léonore ou l'amour conjugal" de l'auteur français Jean-Nicolas Bouilly, et déjà utilisé récemment par les compositeurs Gaveau, puis Paer. La pièce décrit une scène qui se déroule durant la révolution française. Elle fut traduite en allemand par Sonnleithener. Beethoven trouva l'œuvre à son goût et reçut la commande pour en faire un opéra.

Lors d'une représentation l'année suivante, Beethoven ramena l'opéra à deux actes et écrivit une nouvelle ouverture, Léonore III. Comme la première, cette deuxième version n'obtint pas beaucoup de succès. Beaucoup plus tard, en 1814, dans une troisième version, ce même opéra sera révisé et nommé **Fidelio** (mais on lui conservera le même numéro d'opus). La version sera en deux actes, avec une nouvelle ouverture que l'on connaît sous le nom de "l'ouverture de Fidelio".

Cette dernière version donnera enfin satisfaction au public (et à Beethoven).

On notera que, la première version de l'ouverture, c'est à dire Léonore I, n'a pas été utilisée. Beethoven n'en était pas satisfait et l'avait remplacée avant la première audition. Cette ouverture Léonore I a quand même été publiée après sa mort, sous le numéro Op.138.

Voici le thème du début de l'ouverture "Fidelio"

- **Coriolan**, ouverture (Op.62), 1807, écrite pour une pièce de Henri-Joseph von Collin.

- **Egmont**, ouverture et musique de scène (Op.84), 1810, sur le drame écrit par Goethe en 1788. Goethe avait conçu ce drame en précisant à quel moment devait intervenir la musique, à savoir : une ouverture, une introduction musicale entre les cinq actes, quelques chants et enfin une symphonie finale. L'ouverture commence par ce début très lent et grave.

Ouverture Egmont :

suivi beaucoup plus loin par le thème principal (Allegro):

- **Les Ruines d'Athènes**, (Op.113-114), 1811; œuvre commandée en même temps que la suivante (Le Roi Etienne), par l'empereur (d'Autriche et de Hongrie), pour une inauguration d'un grand théâtre en Hongrie en début 1812. Il s'agissait pour Beethoven de mettre en musique deux textes relatifs à l'histoire de la Hongrie. Beethoven en a fait deux opéras miniatures, chantés en allemand. Les Ruines d'Athènes comprend 9 parties, dont une ouverture et en cinquième partie une marche turque. Il semblerait que Beethoven était en cette période plus soucieux de construire ses septième et huitième symphonies. Cependant cette petite œuvre, sans être riche en mélodies, est agréable et mériterait d'être d'avantage connue. Même l'ouverture est rarement jouée dans les concerts. Par contre la cinquième partie, marche turque, est bien connue:

- **Le Roi Etienne** (Op.117), 1811. Composée après Les Ruines d'Athènes, pour une exécution début 1812, cette œuvre, en dix parties, à également une ouverture, une marche et se termine par des chœurs. Selon le compositeur, cette œuvre obtint un grand succès. Là aussi, il s'agit d'une œuvre agréable, mais que l'on entend pratiquement jamais en concert.

- **La Bataille de Vittoria, ou La Victoire de Wellington** (Op.91), 1813. Oeuvre que l'on demanda à Beethoven d'écrire suite à la défaite des armées de Napoléon, terminant ainsi la période d'occupation d'une partie de l'Allemagne par l'armée française. Pour Beethoven, il s'agissait d'une œuvre mineure, sans intérêt, mais le public de Vienne en fit un très grand succès, sans doute en raison des circonstances. L'œuvre est sous forme d'une symphonie en deux parties.

- **Namensfeier**, ouverture (Op.115), 1815. Composé à l'occasion de la fête de l'empereur.

- **Marche funèbre** (WoO.96), 1815. Musique de scène pour le drame "Eléonore Prohaska".

- **La Consécration de la Maison** (Die Weihe des Hauses), ouverture (Op.124), 1822. Oeuvre commandée pour l'inauguration d'un théâtre.

■ Oeuvres pour piano seul

- Sonates n°1, n°2, n°3, pour piano, en Fa mineur, La majeur et Ut mineur (Op.2), 1794-1795, Vienne. Beethoven aura attendu ses vingt-quatre ans avant d'écrire sa première sonate pour piano. Aussi, les trois premières sonates de Beethoven sont déjà des œuvres importantes, bien que les deux premières soient encore marquées par le style Mozart. Rappelons le début de la sonate n°1:

La troisième sonate nous met déjà dans le romantisme des années à venir, dès son premier mouvement que voici (Allegro con brio):

• Variations sur des airs de Paesiello (WoO.69 et WoO.70), 1795. Beethoven écrivit ces deux séries de variations faciles, après avoir assisté à "La Molinara", opéra de Paesiello.

• 12 Variations en La majeur sur le ballet "Das Waldmädchen" de Wranitzky (WoO.71), 1796.

• Sonate pour piano à quatre mains, en Ré majeur, en deux mouvements (Op.6), 1796.

• Sonate pour piano (ou clavecin) n°4, en Mi bémol majeur (Op.7), 1796 ou 1797.

• Variations en Ut majeur pour piano (WoO.72), 1797. Huit variations composées après avoir assisté à une représentation de "Richard Cœur de Lion" de Gretry.

• Sonates n° 5, 6 et 7 pour piano ou clavecin (Op.10), 1798.

• Sonate n°8, nommée "pathétique" par Beethoven, pour piano ou clavecin, en Ut mineur (Op.13), 1798.

Sonate 8 (pathétique) - 1er mouvement :

Sonate 8 - 2ème mouvement :

Sonate 8 - 3ème mouvement :

• Sonates n°9 en Mi majeur et n°10 en Sol majeur (Op.14), 1798. Beethoven disait de ces deux sonates qu'elles traduisent un dialogue difficile entre deux personnes. (Il évoquait probablement le dialogue à sens unique d'un amour non partagé).

• Dix variations, en Si bémol majeur, sur un air du Falstaff de Salieri (WoO.73), 1799.

• Six variations pour piano à quatre mains, en Ré majeur (WoO.74), 1799.

• Sonate n°11, en Si bémol majeur (Op.22), 1800.

• Rondos n°1, en Ut majeur, 1797, et n°2, en Sol majeur, 1801. Publiés ensemble en 1802 sous le numéro Op.51.

- Sonate n°12, en La bémol majeur (Op.26), 1801. Le troisième mouvement est une marche funèbre. Beethoven l'utilisera plus tard, en 1815, dans une version pour orchestre, pour la musique du drame Eléonore Prohaska. Enfin, cette marche funèbre accompagna aussi les obsèques de Beethoven.

- Sonate n°13, en Mi bémol majeur (Op.27,n°1), 1801.

- Sonate n°14, en Ut dièse mineur, dite "Clair de Lune" (Op.27,n°2), 1801. A noter que le titre Clair de Lune n'est pas du compositeur, mais d'un poète contemporain de Beethoven pour qui cette sonate évoquait une barque au clair de lune ... Ainsi est né un titre, sans doute plus facile et plus agréable à retenir qu'un simple numéro.

- Sonate n°15, en Ré majeur (Op.28), 1801. Cette sonate est parfois appelée "pastorale", un titre inventé par l'éditeur. La sonate précédente, en trois mouvements, comportait un premier mouvement particulièrement remarquable. Ici, c'est le deuxième des 4 mouvements qui retient particulièrement l'attention.

Sonate 15 - deuxième mouvement (andante):

- Sonates n°16, en Sol majeur (Op.31,n°1), 1801-1802.

- Sonates n°17, en Ré mineur (Op.31,n°2), 1802. On l'appelle souvent "La Tempête" car elle aurait été inspirée au compositeur après la lecture de La Tempête, de Shakespeare. En voici les thèmes principaux, deux mouvements à thème difficile à dégager, puis le célèbre troisième mouvement.

Sonate 17 - 1er mouvement :

Sonate 17 - 2ème mouvement :

Sonate 17 - 3ème mouvement :

- Sonates n°18, en Mi bémol majeur (Op.31,n°3), 1802.
- 6 variations en Fa majeur (Op.34), 1802.
- 15 variations en Mi bémol majeur (Op.35) sur une thème du ballet Prométhée, appelées également Variations Eroïca, 1802.
- 7 bagatelles (Op.33), 1802 (les premières ont probablement été écrites quelques années plus tôt).
- 3 marches (Op.45), 1802
- Sonates n°19, en Sol mineur (Op.49, n°1), 1798; n°20, en Sol majeur (Op.49, n°2), 1796. Ces deux sonates ne furent publiées qu'en 1805, ce qui explique leur numérotation déroutante. Car il semblerait que ces 2 sonates, courtes et faciles, apparemment écrites pour des élèves, de nombreuses années plus tôt, aient été publiées probablement sans demander l'avis du compositeur.

Voici le début de cette sonate facile n° 19 :

Pour ce qui est de la sonate n° 20, en voici le début du 1er mouvement :

Et du deuxième et dernier mouvement de cette sonate n° 20 :

• Sonate n°21, en Ut majeur (Op.53), 1803. Sonate dite "Waldstein" ou "Aurore". Cette sonate marque une évolution sensible où Beethoven exploite toutes les possibilités du piano, instrument dont les perfectionnements évoluaient à cette époque pour atteindre sa forme définitive. Voici les thèmes des trois mouvements.

Sonate 21 - 1er mouvement : Allegro con brio

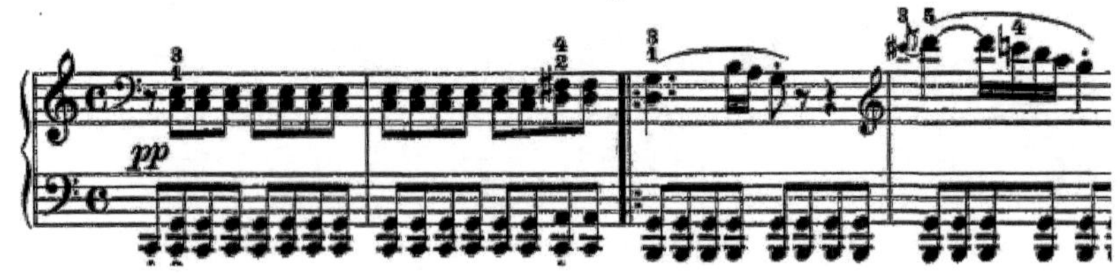

Sonate 21 - 2è mouvement : Molto Adagio

Sonate 21 - 3è mouvement : Allegretto moderato

• Andante en Fa majeur (WoO.57), 1803. A l'origine, cette andante devait faire partie de la sonate n°21, opus 53. On fit la remarque que cette sonate était trop longue, ce qui mit Beethoven en colère, mais il décida finalement d'en supprimer l'andante lors de la publication en 1805. Par la suite, Beethoven aimait jouer l'andante séparément.

• Sonate n°22, en Fa majeur (Op.54), 1804.

• Sonate n°23, en Fa mineur (Op.57), 1805. L'éditeur nomma cette sonate "Appassionata", sans doute avec l'accord du compositeur. Il est évident que cette sonate, et particulièrement le dernier mouvement, exige du virtuose une interprétation très passionnée. Beethoven disait de cette sonate qu'elle s'inspire, comme pour la sonate n°17, d'une lecture de "La Tempête" de Shakespeare.

La première édition de cette sonate n°23 portait le numéro 54. Ceci s'explique vraisemblablement par le fait que Beethoven, jusqu'alors, ne numérotait pas séparément ses sonates pour piano seul.

Sonate 23 - 1er mouvement : Allegro assai

Sonate 23 - 2ème mouvement : Andante con moto

Sonate 23 - 3ème mouvement : Allegro ma non troppo

- 32 variations, en Ut mineur (WoO.80), 1806. Plus tard, en redécouvrant cette composition, Beethoven qualifiera ces variations de stupides.
- Variations en Ré majeur (Op.76), 1809. Beethoven s'inspirera de ces variations deux ans plus tard lors de la composition des Ruines d'Athènes.
- Fantaisie en Sol mineur (Op.77), 1809.
- Sonate n°24, en Fa dièse majeur (Op.78), 1809.
- Sonate n°25, en Sol majeur (Op.79), 1809. Selon Beethoven cette sonate est assez facile (probablement écrite pour une élève n'ayant pas des dons de virtuose).
- Sonate n°26, dite "l'Adieu", ou "Les Adieux", en Mi bémol majeur (Op.81a), 1810. C'est Beethoven qui écrivit en tête de la partition "Das Lebewohl ...", mais lors de l'impression de cette sonate, l'éditeur Breitkopf et Härtel préféra traduire le titre en français et le compléter ainsi : "L'Adieu. Vienne le 4 mai 1809, jour du départ de Son Altesse Impériale, mon archiduc vénéré". En cette période, en effet, l'empereur venait de quitter la ville suite à l'invasion de l'armée de Napoléon Bonaparte. La sonate fut terminée après le retour de l'empereur (l'archiduc Rodolphe) à Vienne en janvier 1810.

• Bagatelle n°4, en La mineur (WoO 59) dite "La Lettre à Elise". Probablement écrite vers 1810, cette pièce facile pour piano n'a été éditée qu'après la mort de Beethoven. Sur le manuscrit, l'éditeur avait cru lire "für Elise" (c'est à dire pour Elise). On ignore qui est Elise. N'avait-il pas plutôt inscrit "für Therese" dont il était amoureux à l'époque.

• Polonaise pour piano (Op.89), 1814. Ecrite à l'occasion de la visite à Vienne de Sa Majesté Elisabeth, impératrice de Russie.

• Sonate n°27, en Mi mineur (Op.90), 1814.

• Sonate n°28, en La majeur (Op.101), 1816. Sonate en quatre mouvements, appelée également "Hammerklavier" comme l'a inscrit Beethoven sur le manuscrit pour indiquer clairement qu'il s'agit d'une œuvre pour le piano-forte (et non pour les instruments à clavier antérieurs, comme le clavecin). A son entourage qui ne comprenait pas bien cette œuvre, Beethoven répondait que la compréhension demanderait un certain temps. Cela reste souvent vrai aujourd'hui encore lorsque que l'on découvre cette œuvre.

• Sonate n°29, en Si bémol majeur (Op.106), 1819 *"Grosse Sonate fûr das Hamerklavier"*. Ecrite en presque trois ans, cette grande sonate, très complexe, en quatre mouvements, ne sera comprise et appréciée que bien des années plus tard. Comme pour la sonate précédente, Beethoven inscrit qu'il s'agit d'une sonate pour piano-forte (fur das Hammerklavier).

Sonate 29 - 1er mouvement :

Sonate 29 - 2ème mouvement (scherzo, Assai vivace) :

Sonate 29 - 3ème mouvement : mouvement lent, très long, sans thème principal, donnant l'impression que Beethoven nous amène faire une longue promenade paisible.

Sonate 29 - 4ème mouvement : la promenade continue, toujours sans thème significatif, mais devient de plus en plus rapide, une course étrange.

- Sonate n°30, en mi majeur (Op.109), 1820.

  Sonate 30 - 1er mouvement : Vivace ma non troppo (le thème rappelle celui du 2è mouvement de la sonate précedente)

  Sonate 30 - 2ème mouvement : Andante molto cantabile

  Sonate 30 - 3ème mouvement :

- Sonate n°31, en La bémol majeur (Op.110), 1821.

  Sonate 31 - 1er mouvement :

  Sonate 31 - 3ème mouvement :

- Sonate n°32, en Ut mineur (Op.111), 1822. Ces trois dernières sonates, Beethoven commença leur écriture pratiquement en même temps. Malgré leurs publication rapide à Vienne, à Berlin et à Paris, elles ne furent comprises et appréciées que bien des années après la mort de Beethoven. Voici les thèmes des premier et troisième mouvements.

Sonate 32 - 1er mouvement ; 20 mesures après l'introduction, on arrive au thème (Allegro con brio ed appassionato) :

Sonate 32 - 3ème mouvement : genre fugue rapide, jusqu'à la fin;
Ce dernier mouvement commence ainsi, (passant directement du 2ème au 3ème mouvement,

sans interruption)

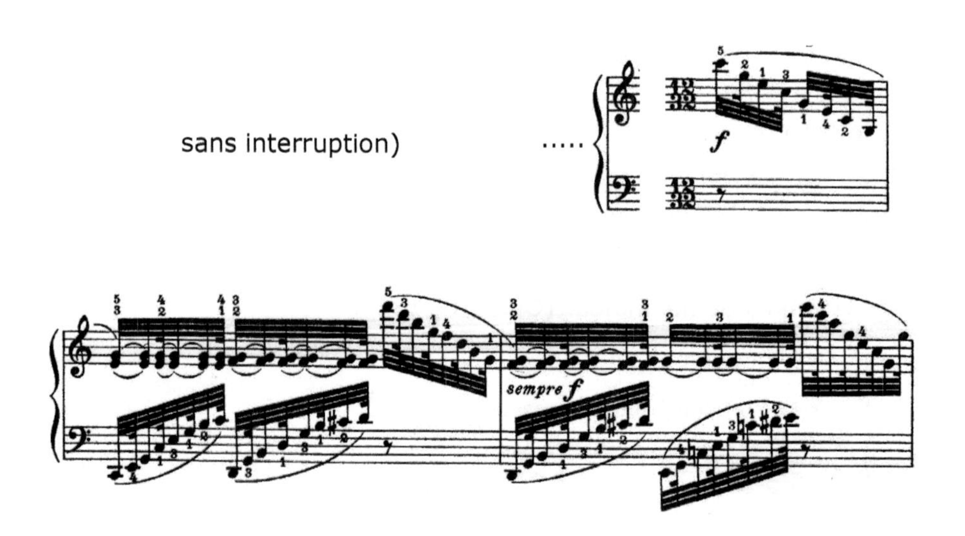

■ Musique de chambre

La musique de chambre de Beethoven est impressionnante en chefs-d'œuvre, et tellement riche en mélodies qu'on souhaiterait lui consacrer plusieurs chapitres. Mais dans le cadre de la présente édition, nous ne pouvons qu'énumérer l'essentiel :

- Quatuors (piano, violon, alto, violoncelle), en Mi bémol majeur, en Ré majeur et en Ut majeur. Trois quatuors composés par Beethoven probablement à l'âge de 15 ans, publiés après sa mort sous la référence (WoO.36).
- Trio à cordes (violon, alto, violoncelle), en Mi bémol majeur
- Trio piano, violon, violoncelle, en Mi bémol majeur (WoO.38), écrit probablement à Bonn en 1791, publié après la mort de Beethoven.
- Trio à cordes, en Mi bémol majeur (Op.3), 1797 suivant une première écriture de 1792.

- Octuor (deux Hautbois, deux clarinettes, deux cors et deux bassons), en Mi bémol majeur (Op.103), 1792 ou 1793. Puis vers 1796, Beethoven en fait une version pour quintette à cordes, 2 violons, 2 altos et violoncelle (Op.4).

- Duo pour flûtes, en Sol majeur (WoO.26), 1792.

- 12 variations pour clavecin (ou piano) et violon, sur l'air "se vuol ballare" des Noces de Figaro de Mozart, en Fa Majeur (WoO.40), 1793. Beethoven dira plus tard qu'il a inclus volontairement et par plaisir, des trilles très difficiles pour exaspérer certains instrumentistes qui le critiquaient systématiquement!

- Trios pour piano, violon, violoncelle, en Mi bémol majeur, Sol majeur et en Ut mineur, composés en 1794 et 1795, et édités ensemble sous le numéro d'opus 1.

- Sextuor pour 2 cors, 2 violons, alto et violoncelle, en Mi bémol majeur (1794), portant le numéro d'opus 81(B) car publié seulement en 1810.

- Rondo pour piano et violon, en Sol majeur (WoO.41), probablement en 1794.

- Sérénade pour flûte, violon et alto, en Ré majeur (Op.25), 1795 ou 1796. Beethoven en fera en 1802 une variante pour piano et violon ou flûte (Op.41).

- Sextuor à vent, en Mi bémol majeur (Op.71), 1796 (ou 97). Ce numéro d'opus peut paraître anormal pour cette période, mais s'explique du fait que l'œuvre ne fut publiée qu'une dizaine d'années après sa composition. Cet ensemble de deux clarinettes, deux cors et deux bassons est assez inhabituel, et le style fait penser à Mozart. L'ensemble est agréable, et on retient plus particulièrement le 4ème mouvement, Rondo Allegro :

- Quintette pour piano, clarinette, hautbois, cor et basson, en Mi bémol majeur (Op.16), 1796.

- Sonates pour piano (ou clavecin) et violoncelle; la première en Fa majeur, la deuxième en Sol mineur, toutes deux enregistrées sous le numéro d'opus 5. Compositions de 1796.

- Sérénade pour violon, alto et violoncelle, en Ré majeur (Op.8), 1796.

- Trios à cordes (violon, alto et violoncelle), en Sol majeur, en Ré majeur et en ut mineur, trois sonates sous le numéro d'opus 9, 1796-1797.

- Sonates pour piano et violon, n°1 en Ré majeur, n°2 en La majeur, n°3 en Mi bémol majeur, publiées ensemble sous numéro d'opus 12, composées entre 1796 et 1798.

- Trio n°4 pour piano, violon, violoncelle, en Si bémol majeur (Op.11), 1798. Le violon peut être remplacé par une clarinette.

- Quatuors à cordes (deux violons, un alto et un violoncelle) : n°1 en Fa majeur, n°2 en Sol majeur, n°3 en Ré majeur, n°4 en Ut mineur, n°5 en La majeur, n°6 en Si bémol majeur (Op.18), de 1798 à 1800. Ce dernier, remarquable et annonçant déjà la perfection atteint par Beethoven dans ce domaine, s'intitule aussi "Malinconia", nom en italien qu'avait donné Beethoven pour le dernier mouvement.

- Septuor (violon, alto, violoncelle, contrebasse, clarinette, cor, basson), en Mi bémol majeur (Op.20), 1800.

- Sonate pour piano et cor ou violoncelle, en Fa majeur (Op.17), 1800.

- Sonate pour piano et violon n°4, en La mineur (Op.23), 1801.

- Sonate pour piano et violon n°5, en Fa majeur (Op.24), 1801. Cette sonate, que l'on nomma par la suite Sonate du Printemps, fut terminée en 1801, mais commencée probablement un ou deux ans plus tôt.

- Quintette à cordes (2 violons, 2 altos et un violoncelle), en Ut majeur (Op.29), 1801.

- Sonates pour piano et violon : n°6 en La majeur, n°7 en Ut mineur, n°8 en Sol majeur. Ces trois sonate de 1802 portent le numéro d'opus 30.

- Sonate pour piano et violon n°9, en La majeur (Op.47), 1803 ou 1804. Cette sonate est connue sous le nom de "sonate à Kreutzer" car Beethoven l'avait dédiée au violoniste français Kreutzer rencontré à Vienne en 1798. Le nom de Kreutzer devint célèbre grâce à cette sonate, mais il semblerait que celui-ci n'ait jamais interprété cette œuvre qu'il trouvait à l'époque injouable ou incompréhensible!

- Quatuors à cordes (2 violons, alto, violoncelle) n°7, en Fa majeur, n°8 en Mi mineur, n°9 en Ut majeur (Op.59), 1806. Trois quatuors également connus sous le nom des "quatuors Razumovski" puisque dédiés au comte André Razumovski. Pour ces quatuors, Beethoven se permet des avancées considérables dont il est parfaitement conscient qu'elles ne seront pas comprises immédiatement par ses contemporains.

- Sonate pour piano et violoncelle n°3, en La majeur (Op.69), 1807 (ou 1808). En cette période très créative, Beethoven apporte aux violoncellistes cette magnifique sonate, dont nous rappelons ici le thème du premier mouvement (Allegro ma non tanto) :

Ainsi que le dernier mouvement qui, après quelques mesures d'un adagio cantabile enchaîne sur un allegro vivace avec le thème :

- Trios pour piano, violon, violoncelle, n°5, en Ré majeur, n°6 Mi bémol maj. (Op.70), 1808, dédiés à la comtesse Erdödy. Le premier, Op.70/1, est aussi appelé Trio des Fantômes (Geister Trio) d'après une annotation de Beethoven sur le deuxième mouvement, inspiré de Macbeth de Shakespeare.

- Quatuor à cordes n°10, en Mi bémol majeur (Op.74), 1809.

- Quatuor à cordes n°11, en Fa mineur (Op.95), 1810.

- Trio piano, violon, violoncelle, n°7 (dit Archiduc), en Si bémol majeur (Op.97), 1811. Ce trio, dédié à l'archiduc Rodolphe, est une œuvre magnifique, qui reflète probablement le bonheur de Beethoven à cette période où il éprouve le plaisir d'être entouré d'agréables jeunes admiratrices. Parallèlement à ce trio, il travaille aussi sur la septième symphonie dont on peut reconnaître quelques thèmes dans ce trio.

- Sonate pour piano et violon, n°10, en Sol majeure (op.96), 1812. Cette ultime sonate pour violon et piano est riche en mélodies, comme le sont les septième et huitième symphonies, de la même période.

- Sonates pour piano et violoncelle, n°4, en Ut majeur (Op.102.1); n°5 en Ré majeur (Op.102.2), 1815.

- Quintette à cordes (2 violons, 2 altos, un violoncelle) en Ut mineur (Op.104), 1807. C'est une adaptation à partir du trio pour piano-violon-violoncelle en Ut mineur Op.1.

- Quatuors n°12 en Mi bémol majeur (Op.127), n°13 en Si bémol majeur (Op.130) et n°15 en La mineur (Op.132), 1825. Commencés deux ans plus tôt, ces quatuors ont été écrits à la demande du prince russe Galitzine. Ce prince était un bon violoniste amateur et adorait les œuvres de Beethoven, contrairement à beaucoup d'autres qui préféraient des compositeurs contemporains plus faciles (dont les œuvres sont aujourd'hui presque complètement oubliées).

- Quatuor n°14 en Ut dièse mineur (Op.131), 1826. Encore une œuvre qui fut difficile à apprécier à sa création. Les mouvements se suivent pratiquement sans séparation. On peut considérer que ce quatuor comporte sept mouvements.

- Quatuor n°16 en Fa majeur (Op.135), 1826. Certainement la dernière œuvre achevée de Beethoven.

Compositeur : **Vincenzo BELLINI**

Date et lieu de naissance / mort : 3 novembre 1801 (Catania, Italie) / 23 septembre 1835 (Puteaux, région parisienne).

Vie et œuvres :

Vincenzo Bellini était l'aîné d'une famille de sept enfants. Le père, Rosario Bellini enseignait la musique et composait aussi. Il remarqua très tôt le don musical exceptionnel de Vincenzo qui, à 5 ans, maîtrisait bien le piano. Son grand père, également musicien, contribua aussi à son éducation musicale, y compris la composition. A 18 ans, on l'envoya au conservatoire de Naples afin d'y poursuivre sa formation musicale avec les grands maîtres de la région. Pour la fin de ses études, à 23 ans, il écrivit et présenta, avec des moyens limités, un opéra au théâtre du conservatoire. Devant le succès de cette composition, la ville lui demanda aussitôt d'écrire un opéra intitulé *Bianca e Gernando* pour une soirée officielle de l'année suivante, en mai 1826, et cette nouvelle œuvre fut très appréciée.

Son troisième opéra, *Il Pirata*, de 1827, fut déjà une commande pour "La Scala" de Milan. Et ce fut aussi le début d'une fructueuse collaboration avec le librettiste Felice Romani. Collaboration qui durera sept ans et qui donnera de grands opéras, dont *La Norma*, en 1831. Des succès qui procurèrent à Bellini une aisance financière sans avoir une fonction fixe ni d'obligations à l'égard de mécènes.

En 1830, il composa pour Venise, *I Capuleti e i Montecchi*. Ce fut un immense succès, comme ce sera le cas l'année suivante, à Milan, pour *La sonnambula*.

Pour ce qui est de *La Norma*, il a fallu attendre la deuxième représentation, en janvier 1832, pour que le public de La Scala comprenne et apprécie cette œuvre, et cela donna l'occasion à une grande cantatrice de l'époque d'atteindre la gloire, communiquant un grand bonheur au public.

En 1833, la dernière œuvre en collaboration avec Romani, *Beatrice di Tenda*, fut présentée à Venise sans grand succès.

Il s'en suivit un voyage à Londres pour une série de représentations de ses opéras, puis il décida de faire un long séjour à Paris où il se lia d'amitié avec son aîné Rossini, ainsi qu'avec Chopin et autres musiciens. Il aimait assister aux concerts que l'on donnait à Paris, en particulier lorsqu'il y avait au programme des œuvres de Beethoven.

Après un an de séjour, il finit par écrire un opéra, *Il puritani*, avec le librettiste italien Pepoli qui séjournait également à Paris. Cette œuvre fur représentée au Théâtre italien de Paris le 24 janvier 1835, avec un très grand succès et cela permit à Bellini d'obtenir la Légion d'honneur, ce qui le décida de prolonger encore de plusieurs mois sa vie parisienne. Mais, depuis cinq ans, Bellini souffrait de temps en temps de gastro-entérite. Le 23 septembre 1835, dans sa petite maison de la banlieue parisienne, Bellini eut encore une grave crise d'infection intestinale et en mourut le jour même. Il n'avait même pas 34 ans.

Les obsèques solennels eurent lieu aux Invalides, le 3 octobre, en présence de nombreux musiciens, dont Rossini et Cherubini, qui participèrent à porter le cercueil. Il fut enterré à Paris. Ce n'est que 30 ans plus tard que le cercueil fut transféré dans sa ville natale en Italie.

A part quelques œuvres instrumentales de toute première jeunesse et de nombreuses œuvres vocales pour l'église, on retient surtout les opéras de Bellini. Ajoutons à ceux qui sont mentionnés ci-dessus, une deuxième version, en 1728, de son premier opéra qui sera nommé cette fois *Bianco e Fernando*, et l'année suivante une nouvelle œuvre pour La Scala, *La siraniera*, puis *Zaira* pour le théâtre de Parme.

Compositeur : **Franz (Frantisek) BENDA**

Date et lieu de naissance / mort :

24 novembre 1709 (Bohème) / 7 mars 1786 (Potsdam, Allemagne)

Vie et œuvres :

Un des cinq fils d'un tisserand et musicien d'un village de Bohème, Franz Benda fut d'abord chanteur puis violoniste et professeur de musique. Il composa également beaucoup pour le violon, dont de nombreuses sonates, 15 concertos, et quelques symphonies, mais rares furent les œuvres publiées de son vivant.

Il acheva également une autobiographie, datée de 1763.

Compositeur : **Georg (Jiri) Anton BENDA**

Date et lieu de naissance / mort : Juin 1722 / Novembre 1795

Vie et œuvres :

Frère de Franz Benda, qu'il rejoint à 20 ans comme violoniste aussi au sein de l'orchestre de la cour de Prusse. En 1765, il visita l'Italie durant six mois et se familiarisa avec l'opéra italien. A son retour en Prusse, ses compositions nouvelles furent très appréciées et la cour le nomma Kapelldirektor en 1770.

Lors d'un séjour à Vienne en 1770, ses œuvres connurent un grand succès et enthousiasmèrent même le jeune Mozart (âgé alors de 14 ans).

A part une dizaine d'opéras, il laissa également une trentaine de symphonies et 20 concertos.

Ses cinq enfants furent également de bon musiciens. Mentionnons notamment **Friedrich Ludwig Benda** (1752 - 1792) dont on connaît trois concertos pour violon, une symphonie et, plus particulièrement, une adaptation lyrique (sans doute la première) du Barbier de Séville, d'après l'œuvre de Beaumarchais.

Compositeur : **Hector BERLIOZ**

Date et lieu de naissance / mort :

11 décembre 1803 (La Côte Saint-André, France) / 8 mars 1869 (Paris)

Vie :

L'aîné des enfants d'un médecin fort cultivé et exerçant dans cette toute petite ville de l'Isère, Hector reçut de son père l'essentiel de ses premières années d'éducation générale et apprit aussi à jouer le flageolet et la flûte. Il avait environ 13 ans lorsqu'il s'intéressa à un ouvrage sur la musique, trouvé dans la bibliothèque de son père, un Traité de l'harmonie écrit par Rameau. Il s'amusa, dès lors, à faire des arrangements d'airs populaires, puis à composer deux quintettes. A 15 ans, il écrivit à un éditeur parisien lui proposant de publier quelques mélodies et un sextuor de sa composition.

Ses études secondaires furent achevées à Grenoble, qui est à environ 45 km de sa petite ville natale. Il avait 17 ans et avait déjà l'intention de poursuivre une carrière musicale, mais son père en avait décidé autrement.

En 1821, son père l'envoie à Paris pour apprendre la médecine! Mais, à Paris, ce sont les concerts et les opéras qui intéressent d'avantage le jeune Berlioz. Parallèlement à ses études, il suit aussi des cours de musique et de composition. Il finira par abandonner ses études de médecine après deux ans.

Ainsi commença la période de sérieuses querelles avec son père, aboutissant à l'interruption de ressources et la nécessité de trouver de petits emplois à Paris, notamment dans la rédaction d'articles, tout en composant ses premières œuvres qui eurent plus ou moins de succès. La plupart de ces œuvres de jeunesse furent détruites, peut-être volontairement par Berlioz. Il commençait aussi à diriger des orchestres, ce qui lui donnait l'occasion d'interpréter également ses propres œuvres. Mais toutes ses œuvres étaient jugées trop incompréhensibles par les musiciens et critiques. La musique de Berlioz rompait, en effet, avec toute la musique traditionnelle de l'époque. Pourtant, Berlioz affirmait qu'il ne faisait que suivre l'évolution de la musique récemment tracée par Beethoven.

En fait, Berlioz avait introduit une sonorité particulière à l'orchestre, un style différent et une originalité allant même jusqu'à donner des noms à ses œuvres symphoniques au lieu d'un numéro comme le faisaient les autres compositeurs. En somme, tout était réuni pour désorienter les habitudes des mélomanes. Il était indiscutablement un compositeur génial, en avance sur son temps, mais auquel il manquait probablement cette fascinante abondance d'inspirations mélodiques qui caractérisent les compositeurs les plus appréciés.

En 1827 Berlioz assista à des représentations d'œuvres de Shakespeare par une troupe anglaise et en fut tellement impressionné qu'il mit en musique plusieurs œuvres de cet auteur et, parallèlement à cela, il tomba amoureux de l'actrice principale de cette troupe, Harriet Smithson. Il finira par l'épouser en 1833 après un séjour, plutôt forcé, qu'il dut effectuer à la Villa Médicis à Rome durant 15 mois du fait qu'il avait obtenu le prix de Rome en 1830. L'année suivante, ils eurent un fils, Louis. Mais les difficultés financières et les différences d'origine et de culture ne conduisirent pas à un ménage parfaitement heureux. D'autant plus que Harriet Smithson commença à avoir des problèmes de santé et la baisse inévitable de sa gloire. Finalement elle deviendra paralysée durant quatre années et mourra en 1854. Le fils, Louis, pour lequel Berlioz avait une très grande affection, s'engagera dans la marine nationale et mourra en 1867.

Après la mort de sa femme, Berlioz épousa une autre cantatrice, d'origine espagnole, Marie Recio. Elle connaissait bien Berlioz depuis plusieurs années, l'ayant accompagné souvent en voyage comme cantatrice lors de concerts donnés dans plusieurs villes européennes, notamment à partir de 1842. Ils se marièrent donc après la mort de sa première épouse en 1854. Mais cette deuxième union ne sera pas très heureuse non plus car cette deuxième épouse avait un caractère extrêmement difficile. Elle aussi mourra prématurément, en 1862.

Un des résultats des travaux littéraires de Berlioz fut la publication en 1843 d'un *Grand traité d'instrumentation et d'orchestration modernes*, ouvrage que l'on avait demandé à Berlioz de préparer car il n'y avait jusque là aucun traité didactique complet sur l'orchestration. C'est un ouvrage qui eut une très grande importance dans la littérature musicale et fut très utile à de nombreux jeunes compositeurs européens.

Berlioz était connu partout en Europe. A partir de 1853, il fit plusieurs séjours d'été à Baden-Baden où on l'engageait à diriger des orchestres durant la saison.

Mais, malgré sa célébrité et le succès de ses publications, la majorité du public restait généralement insensible ou hostile à la musique de Berlioz. Il finit par en être profondément désespéré, comme l'affirme les notes et articles qu'il écrivit durant les dernières années de sa vie. De plus, Berlioz souffrait depuis très longtemps déjà de problèmes intestinaux, maladie qui finira par l'emporter en 1869, à l'âge de 65 ans.

Oeuvres de Berlioz :

■ Opéras :

Après un premier essai à vingt ans, avec *Les francs-juges*, œuvre oubliée, sans être représentée, et après des chants divers, en particulier la série lyrique *Lélio, ou le retour à la vie* (1830-1832), Berlioz nous laisse les opéras importants suivants :

• Benvenuto Cellini, composé essentiellement en 1834 puis achevé pour la première représentation, à Paris, en 1838. En fait, il n'y a eu que 3 représentations de cet opéra avant d'être abandonné car la musique était jugée incompréhensible, y compris par un grand nombre des musiciens. De plus, la réalisation complexe, voire coûteuse de cet opéra rend sa programmation très rare, même de nos jours. Par contre, les mélomanes connaissent bien l'ouverture, qui est souvent au répertoire des orchestres. D'autre part, Berlioz reprit en 1844 un extrait qu'il transforma en ouverture nommé le Carnaval Romain, qui est également au répertoires des orchestres. Enfin, certains airs de cet opéra sont devenus célèbres car ils sont magnifiques et peuvent être fréquemment entendus dans les concerts.

- Les Troyens, composé à partir de 1856, achevé et représenté à Paris en 1863.
- Béatrice et Bénédicte, opéra-comique en 2 actes, composé à partir de 1860, achevé pour la première représentation, à Baden-Baden, en 1862. Le livret est également de Berlioz, inspiré de "Beaucoup de bruit pour rien" de Shakespeare.

■ Oeuvres symphoniques

- Symphonie fantastique (1830)
- Harold en Italie (1834)
- Roméo et Juliette (1839)
- Grande symphonie funèbre et triomphale (1840)

■ Ouvertures et divers

- Grande ouverture Waverley (1828)
- Cantate "La mort de Cléopâtre" (1829)
- Le roi Lear (1831)
- Carnaval romain (1844)
- Le corsaire (1844)
- Rêverie et caprice (1841)
- Marche troyenne (1864)

Compositeur : **Auguste BERTINI**

Date et lieu de naissance / mort :
5 juin 1780 (Lyon) / vers 1830 (Londres)

Vie et œuvres :

Fils d'un musicien français voyageant à travers l'Europe, Auguste Bertini passa plusieurs années de son enfance à Londres en tant qu'élève de Clementi. Il enseigna ensuite lui-même la musique dans plusieurs villes européennes avant de revenir s'installer définitivement à Londres. Il écrivit plusieurs sonates pour piano, mais on le connaissait surtout pour ses publications de méthodes pour apprendre la musique.

Compositeur : **Henri BERTINI**

Date et lieu de naissance / mort :
octobre 1798 (Londres) / octobre 1876 (Meylan, près de Grenoble)

Vie et œuvres :

Henri Bertini apprit la musique par son père et par son grand frère Auguste. Il fut un grand pianiste et un compositeur très apprécié, laissant trois symphonies et un très grand nombre d'œuvres pour piano, seul ou accompagné.

On l'appréciait aussi pour ses dons pédagogiques exceptionnels pour enseigner la musique.

Compositeur : **Henri Montan BERTON**

Date et lieu de naissance / mort :
17 septembre 1767 (Paris) / 22 avril 1844 (Paris)

Vie et œuvres :

Son père, Pierre Montan Berton (1727-1780), était lui-même musicien, chef d'orchestre, puis directeur de l'opéra de Paris. Il composa aussi quelques opéras.

Henri Berton apprit très tôt à maîtriser le violon et fut engagé à 15 ans par l'orchestre de l'opéra.

Il avait également une envie, et le talent, d'être compositeur d'opéras, notamment influencé au début par l'opéra *La frascatana* de Paisiello. Dans ce domaine, il reçut les conseils et encouragements de Sacchini.

Mais avant de s'engager dans la composition d'opéras, il avait déjà fait ses preuves de compositeur en présentant quelques oratorios, des œuvres de jeunesse. Puis, en 1787, il présenta son premier opéra-comique *Les promesses de mariage*. Cette expérience réussie l'encouragea à continuer très longtemps dans la composition pour la scène, dont quatre ballets et près de 50 opéras-comiques.

C'était un compositeur très apprécié dans le monde musical parisien de l'époque. Certains de ses opéras furent composés en collaboration avec d'autres célèbres compositeurs comme Boieldieu, Cherubini ou Kreutzer.

Il s'occupa aussi de l'enseignement musical, notamment lors de la création du Conservatoire.

Son fils, portant le même prénom que lui, promettait d'être un compositeur intéressant, mais il fut frappé par la maladie et la mort lorsqu'il était encore jeune.

Compositeur : **Johan Fredrik BERWALD**

Date et lieu de naissance / mort :

Décembre 1787 (Stockholm) / Août 1861 (Stockholm)

Vie et œuvres :

Violoniste et compositeur suedois, fils d'un musicien allemand Georg Berwald. A huit ans, Johan était déjà un bon violoniste et son père l'amena faire un tour de l'Europe où l'enfant prodige faisait une grande impression. A partir de 13 ans, il commença aussi à composer et à diriger les orchestres.

Ses compositions sont essentiellement des œuvres de jeunesse, la dernière étant un quatuor à cordes, datant de 1820.

Compositeur : **Franz BERWALD**

Date et lieu de naissance / mort :

23 juillet 1796 (Stockholm) / 3 avril 1868 (Stockholm)

Vie et œuvres :

Comme son cousin Johan, Franz Berwald fut un violoniste et compositeur suédois, fils d'un musicien allemand, Christian Berwald, qui s'établit et vécut à Stockholm à partir de 1772.

Franz Berwald fit de nombreux séjours dans les capitales européènnes, parfois avec son frère Christian August (1798 - 1869), lui aussi, violoniste, compositeur de quelques œuvres, mais dont l'activité principale était la direction d'orchestre. Franz Berwald commença à composer vers l'âge de 20 ans, mais son véritable talent de compositeur s'est révélé vingt ans plus tard, notamment avec ses quatre symphonies, composées entre 1842 et 1845, œuvres qui sont encore aujourd'hui au répertoire de beaucoup d'orchestres.

Notons qu'une première symphonie avait été composée en 1820, mais il n'en reste que des traces.

Les quatre symphonies connues sont d'un style rappelant l'influence de Beethoven, bien qu'il les appelle sinfonies et leur donne aussi un nom:

1/ sinfonie sérieuse, 2/ sinfonie capricieuse, 3/ sinfonie singulière, 4/ sinfonie naïve.

Après la période de ces symphonies, Franz Berwald se consacra essentiellement à la composition d'œuvres vocales et de musique de chambre, tout en s'occupant de petites affaires industrielles.

Compositeur : **Henry BISHOP**

Date et lieu de naissance / mort :

18 novembre 1786 (Londres) / 30 avril 1855 (Londres)

Vie et œuvres :

Sir Henry Rowley Bishop, était fils d'un horloger, Samuel Bishop. Il commença très jeune à composer des chansons et morceaux pour piano, œuvres qu'il arrivait à vendre dès l'âge de 14 ans. On lui donna alors une éducation musicale qui lui permit quelques années plus tard de composer de la musique de ballet, puis un opéra présenté avec succès en 1809 au Drury Lane, ce qui le conduisit à devenir, l'année suivante, à 24 ans, le directeur musical de l'opéra Covent Garden, fonction qu'il conservera durant 14 ans, puis dirigera d'autres théâtres réputés, tels que Drury Lane, où il aura l'occasion de présenter ses nombreux opéras et autres compositions, au total une centaines d'œuvres pour la scène.

Les œuvres de Bishop furent généralement très appréciées à l'époque, mais furent délaissées à partir de 1840.

Durant les dernières années de sa vie il s'intéressa donc davantage à l'édition musicale.

Compositeur : **Luigi BOCCHERINI**

Date et lieu de naissance / mort :

19 février 1743 (Lucca, Italie) / 18 mai 1805 (Madrid, Espagne)

Vie et œuvres :

Né dans une famille de musiciens, Luigi Boccherini prit des leçons de violoncelle de son père et se révéla très vite particulièrement doué pour la musique. En 1757, il fut engagé temporairement, avec son père, comme musicien à la cour de Vienne. Le jeune Luigi présentait également des talents de compositeur, proposant des œuvres facilement appréciées par les auditeurs.

En 1764, il accepta un poste dans sa ville natale pendant trois ans durant lesquels on apprécia ses compositions, notamment deux oratorios.

Ensuite, il fit un long séjour à Paris où il publia plusieurs œuvres. Puis il se rendit à Madrid où il trouva en 1770 un emploi à la Cour, tout en préservant la liberté de composer et publier ses œuvres à titre privé. Il y trouva donc une vie stable et se maria l'année suivante. Le couple eut deux fils.

La musique de Boccherini était appréciée dans toute l'Europe, en particulier à Paris où son ami Ignaz Pleyel s'occupait de la publication de beaucoup de ses œuvres, très nombreuses, souvent très intéressantes et d'un style personnel, notamment une centaine de quatuors et quintettes à cordes, une dizaine de symphonies, deux symphonies concertantes, un concerto pour clavecin, deux oratorios, un stabat mater et autres musiques sacrées.

Après la mort de sa femme en 1785, Boccherini se remaria deux ans plus tard. Vers la fin de sa vie, il vécut ses deux dernières années dans un état très dépressif, après avoir perdu sa deuxième femme et ses trois filles, et il était lui-même malade des poumons.

A sa mort il fut enterré à Madrid. Bien plus tard, en 1927 sa dépouille fut transférée à Lucca, en Italie, où on avait érigé un monument aux morts pour les célèbres natifs de cette ville.

Compositeur : **Alexandre BOELY**

Date et lieu de naissance / mort :

19 avril 1785 (Versailles) / 27 déc. 1858 (Paris).

Vie et œuvres :

Fils d'un musicien à la cour, Alexandre Pierre François Boëly apprit le piano, l'orgue et la composition musicale et devint titulaire de l'orgue de Saint Germain l'Auxerrois, à Paris. C'était un grand admirateur de Mozart et Beethoven. Ses œuvres sont intéressantes et comprennent trois messes, de la musique de chambre, des sonates et diverses pièces pour piano et pour orgue.

Compositeur : **François-Adrien BOIELDIEU**

Date et lieu de naissance / mort :

16 décembre 1775 (Rouen) / 8 octobre 1834 (Jarcy - Boutigny sur Essonne, au sud de Paris)

Vie et œuvres :

Boieldieu reçut une instruction musicale complète à Rouen où, à 17 ans, il devint organiste et compositeur. L'année suivante, en 1793, il eut déjà du succès avec son premier opéra (comique) *La fille du coupable*. Cela l'encouragea à poursuivre dans cette voie et de composer des opéras pour Paris, où il s'installa et mis à profit ses talents de pianiste et de compositeur. En 1801 il composa un concerto pour harpe, qui restera probablement la plus célèbre de ses œuvres. Cette œuvre rappelle beaucoup le style de Mozart.

Boieldieu se maria en 1802 avec une danseuse de l'opéra, mais ce mariage ne dura qu'une année. La séparation l'incita à accepter un poste à Saint-Pétersbourg, en Russie, où il résida durant huit années. De retour à Paris en 1812, il eut le plaisir de constater que le public parisien lui était resté fidèle et, dès lors, son succès ne fit que grandir. Puis, vers 1825, commença une forme de concurrence pour Boieldieu face au succès grandissant de Rossini, lui aussi installé à Paris.

Boieldieu vivait depuis quelques années déjà avec la chanteuse Jenny Philis-Bertin. Ils finirent par se marier en 1827. Ses compositions à partir de 1830 montrent que ses opéras commencés alors auraient pu être des chefs-d'œuvre s'il n'avait pas été empêché de poursuivre par de sérieux problèmes de santé. Il perdit progressivement la parole et mourut peu de temps après, en 1834.

Les œuvres de Boieldieu comprennent, en plus du célèbre concerto pour harpe, un grand nombre de *Romances* et une quarantaine d'*opéras*, dont certains sont égarés, les autres sont très rarement représentés de nos jours.

Compositeur : **Dimitri BORTNYANSKI**

Date et lieu de naissance / mort :

1751 (Glukhov, près de Kiev, Ukraine) / 10 octobre 1825 (Saint-Petersbourg).

Vie et œuvres :

Dimitri Stepanovitch Bortnyanski (ou Bortnianski) est né à l'époque où l'Ukraine était sous domination de l'Empire de Russie. Il devait avoir une voix et un talent musical exceptionnel pour qu'à 7 ou 8 ans il soit déjà engagé à la chorale de la chapelle impériale en Russie, sans doute à Saint-Petersbourg. Un de ses professeurs fut le compositeur Galuppi qui fit un séjour de 3 ans à Saint-Petersbourg, invité par l'Impératrice de Russie.

A 18 ans, il obtint une bourse d'étude en Italie afin de perfectionner ses connaissances musicales. Il y restera une dizaine d'années, période durant laquelle il composa son premier opéra *Creonte* (1776), puis *Quinto Fabio* (1778), puis *Alcide* (1778), ainsi que de la musique sacrée.

En 1779, il retourna à Saint-Pétersbourg où on lui confia le poste de Kapellmeister de la chorale impériale.

Il composa par la suite trois opéras-comiques : *Le faucon* (1786), *La fête du seigneur* (1786), *Le fils rival ou La moderne Stratonice* (1787), ainsi que de très nombreuses œuvres vocales, notamment religieuses (que certains russes critiquèrent du fait d'innovations un peu trop dans le style italien).

Parmi ses œuvres instrumentales, on notera une symphonie concertante, un concerto pour piano, quelques sonates pour piano et de la musique de chambre.

Compositeur : **William BOYCE**

Date et lieu de naissance / mort :

Septembre 1711 (Londres) / Février 1799 (Londres)

Vie et œuvres :

Fils d'un menuisier, William Boyce s'initia à la musique en tant qu'enfant de choeur à la Cathédrale Saint Paul de Londres et dont l'organiste lui enseigna aussi l'orgue. Puis il devint lui-même professeur d'orgue et de clavecin.

C'était aussi un compositeur apprécié et fut nommé compositeur de la chapelle royale en 1736. Dès lors, Boyce composa beaucoup de musique de circonstance pour la famille royale, ainsi que des opéras et musiques de scène.

Aujourd'hui, on retient surtout ses œuvres instrumentales, notamment 8 symphonies, 12 ouvertures, un concerto grosso et une dizaine de sonates pour clavecin.

Compositeur : **Gaetano BRUNETTI**

Date et lieu de naissance / mort : 1744 (Fano, Italie) / 16 décembre 1798 (Colmenar de Orejo, près de Madrid, Espagne)

Enfance et éducation :

Enfance passée à Fano où il apprit le violon. A 18 ans il déménagea avec ses parents pour s'installer à Madrtid.

Vie :

Gaetano Brunetti entra au service de Charles III en 1767, composant pour la cour et enseignant le violon au fils du roi, qui, en devenant Charles IV, roi d'Espagne (de 1788 à 1808), le nomma directeur de l'orchestre de chambre royale.

Oeuvres de Brunetti :

Au nombre de 451, les œuvres de Brunetti, principalement de la musique de chambre, ne furent pratiquement pas publiées de son vivant. Notons plus particulièrement les :

- Quatuors à cordes : 44
- Sextuors : 12
- Opéra, musique sacrée, ouvertures
- Symphonies concertantes : 4
- Menuets, contredanses, marches, airs de concert

Compositeur : **Pierre-Gabriel BUFFARDIN**

Date et lieu de naissance / mort :

1690 (Provence, France) / Janvier 1768 (Paris)

Vie et œuvres :

Flûtiste et professeur de musique. Comme compositeur, on connait deux de ses œuvres: un trio pour flûte, violon et continuo, et un concerto pour flûte.

Compositeur : **Guiseppe Maria CAMBINI**

Date et lieu de naissance / mort :

13 février 1746 (Italie) / 1825 (Paris)

Vie et œuvres :

Violoniste et compositeur, venant d'Italie du Nord, on n'a trace de sa vie que lorsqu'il s'est installé à Paris vers 1770.

Il jouait avec des ensembles de musique de chambre et aussi dans des orchestres. Il a également composé, jusqu'en 1800 et ses œuvres étaient très appréciées par le public parisien. Mozart fit sa connaissance lors de son séjour à Paris et apprécia ses quatuors. Beaucoup de ses œuvres furent égarées, notamment la plupart de ses œuvres lyriques. A part la musique de chambre, il écrivit également six symphonies, quelques symphonies concertantes et concertos, et de nombreuses sonates.

Il écrivit aussi pour l'enseignement musicale, notamment une méthode pour le violon et une pour la flûte traversière.

Compositeur : **Christian CANNABICH**

Date et lieu de naissance / mort :

Décembre 1731 (Mannheim) / Janvier 1798 (Frankfurt-am-Main)

Vie et œuvres :

Violoniste précoce, élève de Johann Stamitz, Christian Cannabich devint très rapidement un musicien important rattaché la cour de Mannheim. A 19 ans, la cour l'envoya en Italie, se perfectionner, durant trois ans auprès de Jommelli.

Après son retour à Mannheim, il se maria et se consacra beaucoup à la composition. Ses œuvres furent très appréciées et même rapidement publiées à Paris.

Lors d'un de ses voyages à Paris, il fit la connaissance de Mozart, alors enfant de 10 ans. Onze ans plus tard, lorsque Mozart fit un séjour à Mannheim, il fut très content de renouer le contact avec Cannabich, lui rendant visite tous les jours car il était toujours très bien reçu par Cannabich et toute sa famille.

En 1778, Christian Cannabich suivit la cour qui s'installait à Munich. Durant les dernières années de sa vie, la cour ne respectant plus ses engagements vis-à-vis des musiciens, il fut obligé de voyager très fréquemment, donnant des concerts, car c'était un excellent chef d'orchestre. Il composait aussi beaucoup, mais dans ses œuvres il y avait trop de répétitions et donc peu d'originalité, réduisant ainsi leur intérêt.

Parmi les œuvres de Christian Cannabich, notons plusieurs ballets, des symphonies, des symphonies concertantes, des quatuors et autres musiques de chambre.

Compositeur : **Carl CANNABICH**

Date et lieu de naissance / mort :

Octobre 1771 (Mannheim) / Mai 1806 (Munich)

Vie et œuvres :

Violoniste, chef d'orchestre et compositeur, comme son père Christian Cannabich, il était lui aussi au service de la cour.

Ses compositions, durant sa courte vie, sont intéressantes, notamment une symphonie et un concerto pour violon. Son style était manifestement très influencé par Mozart.

Compositeur : **Jean-Baptiste CARDON**

Date et lieu de naissance / mort :

Octobre 1760 (Champagne) / 11 mars 1803 (Saint-Petersbourg, Russie)

Vie et œuvres :

Son père, Jean-Guillain Cardon, musicien et compositeur né à Mons en 1732, était devenu compositeur et maître de violon de la cour, à Versailles, où il décèdera en 1788.

Le fils, Jean-Baptiste, fut attiré par la harpe, instrument dont il deviendra un virtuose exceptionnel. A Paris, on appréciait son enseignement de la harpe et ses compositions, toujours autour de cet instrument, notamment des sonates pour harpe et violon, des duos de harpe, et aussi des concertos pour harpe.

Il publia également un important traité intitulé *L'Art de jouer de la harpe*.

Au début de la Révolution, il quitte Paris pour s'établir en Russie où il est bien accueilli et engagé comme harpiste auprès de la famille du Tsar. Il continue à composer de belles oeuvres pour la harpe jusqu'à sa mort à St-Petersbourg.

Compositeur : **Antonio CARTELLIERI**

Date et lieu de naissance / mort :

27 septembre 1772 (Danzig) / 2 septembre 1807 (Bohême)

Vie et œuvres :

Son père, venu d'Italie (Milan) était chanteur, de même que sa mère, originaire de Lettonie. Antonio Casimir Cartellieri avait 14 ans lorsque ses parents se séparèrent. Avec sa mère, ils s'installèrent alors à Berlin, où il s'initia à la composition.

En 1791, il trouva un poste de directeur musical auprès du comte Oborsky et ses premières oeuvres furent très appréciées. Le comte l'envoya à Vienne se perfectionner auprès des maîtres Albrechtsberger et Salieri.

C'est là qu'il rencontra Beethoven, lui aussi arrivé récemment à Vienne, et ayant les mêmes professeurs. Les deux compositeurs s'apprécièrent mutuellement et resteront amis jusqu'à la mort prématurée de Cartellieri.

Le prince Lobkowitz apprécia le talent de Cartellieri lors d'un concert en 1795 où il présentait en première partie sa symphonie en ut mineur, la deuxième partie étant consacrée à Beethoven.

Dès lors, le prince garda Cartellieri à son service (malgré les protestations du comte Oborsky). Le prince se déplaçait souvent et Cartellieri devait le suivre, avec une charge de travail importante. Malgré cela, il eut l'occasion de se marier en 1803 et d'avoir trois fils.

Mais en 1807, sa santé était devenue préoccupante, se sentant de plus en plus fatigué. Le 2 septembre, il eut une terrible douleur à la poitrine, qui l'emporta à l'âge de 34 ans !

Ces oeuvres sont d'une grande qualité et comprennent 4 symphonies, 2 concertos pour clarinette, 3 oratorios (1795, 1806, 1807), 3 opéras (1793, 1796, 1804), et de la musique de chambre.

On trouve maintenant des enregistrements d'une partie de ses oeuvres.

Compositeur : **Ferdinando CARULLI**

Date et lieu de naissance / mort :

9 février 1770 (Naples) / 17 février 1841 (Paris)

Vie et œuvres :

Son premier instrument fut le violoncelle. Puis vers l'âge de 20 ans, il découvrit la guitare, qu'il apprit par lui-même car c'était un instrument peu connu à l'époque et aucun professeur local n'enseignait la guitare classique. Il commença à composer ou adapter des œuvres pour la guitare, et ses concerts furent très appréciés, à Naples, puis à travers l'Europe.

En 1801, il épousa une Française. Après Naples et Milan il s'établit définitivement à Paris en 1808, où il fut très apprécié pour son interprétation, ses compositions et son enseignement de la guitare classique.

Son fils, Gustavo, fut également guitariste et compositeur.

Compositeur : **Luigi CHERUBINI**

Date et lieu de naissance / mort :

Septembre 1760 (Florence) / Mars 1842 (Paris)

Vie et œuvres :

Reçut son éducation musicale de son père, musicien, puis de maîtres locaux. C'était un enfant doué présentant des talents de compositeur dès son enfance. A 18 ans, il était déjà apprécié comme compositeur et le grand duc de Florence lui accorda une bourse pour aller apprendre la composition d'opéras auprès des maîtres italiens à Bologne et à Milan.

A 24 ans, ses premiers opéras ayant eu du succès, on lui proposa d'aller à Londres, capitale où on aimait beaucoup la musique et appréciait bien les compositeurs. Cherubini y séjournera pendant deux ans, puis, en 1786, il ira s'installer définitivement à Paris où son compatriote et violoniste Viotti le présenta à la cour et aux musiciens parisiens et sa musique fut adoptée très rapidement par le public.

A la Révolution, la vie musicale parisienne subit des bouleversements et ralentissements mettant les musiciens en difficulté, d'autant plus que Cherubini avait eu des contacts privilégiés avec la cour. Il se mit donc à l'écart et alla passer quelque temps à Londres, puis chez un ami en Normandie.

Il revint à Paris en 1793, se maria et trouva un petit emploi dans un orchestre et participa à quelques compositions d'hymnes révolutionnaires de l'époque. A partir de 1795, une nouvelle vie musicale s'organisait à Paris et Cherubini put reprendre la création d'opéras, retrouvant son succès d'avant.

En 1805, Cherubini fut invité à Vienne où on lui réserva un accueil très chaleureux. Il y rencontra Haydn et Beethoven.

Durant son séjour à Vienne, Napoléon envahit l'Autriche et occupa la capitale. L'Empereur, qui habituellement ne s'intéressait pas beaucoup à la musique, et n'avait jamais manifesté d'intérêt pour Cherubini, étonna donc beaucoup le compositeur lorsqu'il lui demanda de rentrer bientôt à Paris où, dit-il, son public l'attendait avec impatience !

Mais Cherubini souffrait déjà depuis quelque temps d'une maladie dépressive. A son retour à Paris le mal s'intensifiât sérieusement. Au lieu de composer des opéras, il se mit à étudier les plantes; ses compositions devinrent plus rares et plus orientées vers la musique sacrée. Il composa des messes qui furent très appréciées et en 1822 il fût nommé directeur du Conservatoire, tache qu'il assumera très consciencieusement durant vingt ans et écrira des articles sur l'enseignement musical, ainsi qu'un *Cours de contrepoint et de fugue.*

En 1836 (il avait alors 76 ans) il étonna encore le public en composant un grand *Requiem*. Il fut alors le premier musicien à être décoré de la légion d'honneur.

La maladie le contraint d'abandonner, en 1842, le poste de directeur, puis entraîna son décès durant la même année. Il fût honoré de funérailles nationales et enterré au cimetière parisien du Père Lachaise.

Les œuvres de Cherubini furent essentiellement dominées par près de 40 opéras, de grands succès mais presqu'entièrement oubliés de nos jours à l'exception de *Médée* (1797).

Il composa également beaucoup de musique sacrée, notamment 15 messes dont deux Requiem qui sont de belles œuvres. Il composa une seule symphonie, en 1815, puis vers la fin de sa vie une série de quatuors à cordes.

Compositeur : **Domenico CIMAROSA**

Date et lieu de naissance / mort :

17 décembre 1749 (Aversa, Italie) / 11 janvier 1801 (Venise)

Vie et œuvres :

Né dans une famille d'ouvriers et ayant perdu son père très jeune, sa mère trouva du travail dans un monastère à Naples où on assura l'éducation de l'enfant. On ne tarda pas à remarquer les dons exceptionnels de Domenico pour la musique. Il fut admis au conservatoire où il maîtrisa rapidement le clavecin et le violon, ainsi que le chant et la composition.

Sa carrière musicale débuta à sa sortie du conservatoire, vers l'âge de 23 ans, et il se lança très vite dans la composition d'opéras. Mais sa renommée commença quelques années plus tard lorsque Paisiello, puis Piccinni quittèrent Naples pour d'autres pays en Europe.

Les opéras de Cimarosa eurent un grand succès et les commandes commencèrent à affluer de toute l'Italie. A partir de ses 35 ans, il eut en plus le privilège d'une fonction d'organiste à Naples, lui assurant un salaire régulier sans obligation d'une présence rigoureuse et permanente; car il acceptait, parallèlement à cet engagement, d'autres obligations en Italie, notamment à Venise, ainsi qu'à Vienne et en Russie, et il demeura même un certain temps à Saint Petersbourg.

Lorsqu'il revint vivre à Naples, il montra beaucoup de sympathie à l'égard des révolutionnaires républicains. En 1799, cela le mena même en prison durant quatre mois et ne fut relâché que sous la forte pression de ses nombreux admirateurs. On l'invita à se remettre rapidement à la composition d'opéras, mais sa santé se détériora très vite. Il souffrait d'un mal dont on ignora l'origine exacte. Ses amis soupçonnèrent un empoisonnement délibéré lors de sa détention, et cela malgré les démentis officiels. Il en mourra quelques mois plus tard.

Le nom de Cimarosa restera étroitement lié à ceux des grands compositeurs d'opéras; il en composa environ 65, par exemple: *Le stravaganze del conte* (1772); *L'italiana in Londra* (1779); *L'amor costante* (1782); *La ballerina amante* (1782); *L'Olimpiade* (1784); *La Cleopatra* (1789); *Il matrimonio segreto*, soit en français : *Le Mariage Secret* (1792); *Penelope* (1795); *La finta ammalata* (1795); *L'imprudente fortunato* (1797); *Il secreto* (1798).

De ces opéras, notons que *Le Mariage Secret* (1792), connut un succès immense et de longue durée. Sa musique sacrée était aussi très appréciée, notamment ses nombreuses messes et oratorios.

Pour ce qui est de la musique instrumentale, Cimarosa écrivit une soixantaine de sonates pour clavier, un concerto pour clavecin, un concerto grosso avec deux flûtes, 6 quatuors et deux sextets, œuvres qui rappellent celles de Mozart.

Mais l'œuvre de Cimarosa probablement la plus connue de nos jours, est son concerto pour hautbois.

Compositeur : **Muzio CLEMENTI**

Date et lieu de naissance / mort :

23 janvier 1752 (Rome) / 10 mars 1832 (Evesham - Angleterre)

Vie et œuvres :

Fils d'un petit artisan, Muzio Clementi était l'aîné d'une famille nombreuse, et montra très jeune des dispositions pour la musique. Il eut plusieurs professeurs à Rome et put obtenir un poste d'organiste alors qu'il était encore un jeune garçon. Il avait 13 ans lorsqu'un jeune voyageur anglais, apparemment fortuné, fut séduit par le jeu de cet organiste encore beaucoup plus jeune que lui, demanda à voir son père dont il obtint l'autorisation d'amener le garçon avec lui en Angleterre où il lui assurerait une solide éducation musicale.

A sa majorité, Muzio Clementi décida de quitter la petite ville anglaise où il venait de passer sept ans, pour aller s'installer à Londres où il s'intégrera lentement à la vie musicale de cette ville. Mais sa notoriété ne commença que vers l'âge de 30 ans, comme interprète et comme compositeur. Alors commencèrent aussi ses voyages à travers l'Europe. Il eut ainsi l'occasion de rencontrer Mozart lors de son séjour à Vienne en 1781 et de l'affronter dans une sorte de concours organisé par l'empereur Joseph II entre ces deux grands musiciens. Après cela Clementi aurait confié à un ami sa grande admiration pour Mozart.

C'est aussi durant les trois ans qui suivirent cette rencontre que Clementi composera une vingtaine de grandes sonates pour piano (op.7, 8, 9, 10, 12, 13) qui sont probablement ses meilleures œuvres.

A Londres, Clementi était également connu pour l'enseignement de la musique. Parmi ses élèves les plus brillants était John Field, ainsi que Cramer. Sa méthode pour l'enseignement du piano, en particulier l'édition de 1817, restera célèbre et continuera à être utilisée très longtemps après sa mort.

Contrairement à beaucoup d'artistes et musiciens, Clementi était aussi un homme perspicace, ayant une certaine réussite dans les affaires. Il s'intéressait à la vente des pianos et aussi à l'édition musicale.

A partir de 50 ans, il consacra beaucoup de temps et fit de nombreux voyages pour consolider son affaire d'édition, et sa très grande réussite fut de convaincre Beethoven de lui confier l'édition à Londres de certaines de ses œuvres.

Clementi se maria très tard; une première fois en 1804, avec une femme très jeune mais qui décédera quelques mois plus tard. Puis il se maria une deuxième fois lorsqu'il avait presque 60 ans; et ce couple eut quatre enfants.

A l'approche de ses 80 ans, Clementi se retira complètement de ses activités et alla s'installer avec sa famille dans une petite ville au Nord de Londres, vers Birmingham. C'est là qu'il mourra peu de temps après. Les obsèques, dignes d'un grand homme célèbre, eurent lieu à Londres.

La célébrité de Clementi était essentiellement due à son ouvrage didactique pour le piano, paru sous plusieurs éditions, et aussi aux nombreuses sonates dont certaines sont directement liées à l'enseignement du piano. Plusieurs générations de pianistes, y compris bien après sa mort, utiliseront et profiteront de ses œuvres didactiques. Dans beaucoup de ses sonates, surtout celles de la première moitié de sa vie, Clementi montre d'une part sa grande virtuosité, et aussi quelques idées très originales.

Pour ce qui est de la musique pour orchestre, Clementi composa un ou deux concertos pour piano et six symphonies, mais plusieurs de ces œuvres furent égarées et apparemment Clementi ne les considérait pas suffisamment bien pour les publier. Pourtant la première symphonie, dont il existe maintenant un enregistrement, est agréable, intéressante, rappelant l'époque de Beethoven.

Compositeur : **Michel CORRETTE**

Date et lieu de naissance / mort : 1709 (Rouen) / 1795 (Paris)

Vie et œuvres :

On ignore tout de la jeunesse de ce musicien à part le fait que son père, Gaspard Corrette, était, comme lui, organiste et compositeur.

Il se maria à l'âge de 24 ans et occupa plusieurs postes d'organiste et également d'enseignant de musique. Cela lui donna l'occasion d'écrire de nombreux traités sur la musique, notamment son *Premier Livre d'Orgue* publié en 1737, suivi peu de temps après d'une méthode pour apprendre facilement le violon, puis la flûte traversière, et le clavecin. Et des publications similaires continuèrent pendant quarante ans, en traitant le chant, la guitare, la contre-basse, la harpe, le vielle, la flûte à bec.

Durant sa très longue carrière musicale, il s'intéressa beaucoup aux chants populaires pour lesquels il composa des versions instrumentales. On appréciait aussi ses sonates et ses concertos.

Compositeur : **Wilhelm CRAMER**

Date et lieu de naissance / mort :

Juin 1746 (Mannheim) / Octobre 1799 (Londres).

Vie et œuvres :

Fils d'un violoniste, ses talents au violon furent décelés très jeune. A 6 ans, il fut admis à jouer dans l'orchestre de Mannheim. A 22 ans, sa renommée de violoniste exceptionnel était déjà établie. On l'invita à donner des concerts à Paris, puis à Londres où on lui fit tant d'honneurs qu'il décida d'y résider le restant de sa vie.

Il composa plusieurs concertos pour violon, ainsi que de la musique de chambre.

Compositeur : **Johann Baptist CRAMER**

Date et lieu de naissance / mort :

24 février 1771 (Mannheim) / 16 avril 1858 (Londres).

Vie et œuvres :

Fils de Wilhelm Cramer, il vécut à Londres depuis l'âge de trois ans lorsque la famille Cramer, venant d'Allemagne, décida de s'installer définitivement dans cette ville. Le petit Johann, appelé John à Londres, s'initia au violon par son père, mais se révéla particulièrement doué au piano, devenant à 12 ans et pendant un an, un des élèves exceptionnels de Muzio Clementi, maître très connu alors pour la qualité de son enseignement du piano.

A 17 ans, alors qu'il était déjà un pianiste connu à Londres, et ayant composé une dizaine de sonates pour piano, il fit un voyage à travers l'Europe et vécut deux ans à Paris où il fit connaître ses talents de grand pianiste et ses nouvelles sonates. De retour à Londres en 1791, il participa à de nombreux concerts et fut reconnu comme le plus grand pianiste de son temps.

En 1799, il entreprit une deuxième tournée en Europe. A Vienne, il eut le plaisir de revoir Haydn, qu'il avait connu à Londres, et se lia aussi d'une grande amitié avec Beethoven. De retour à Londres, il contribuera à faire connaître rapidement les œuvres de Beethoven.

Il se maria en 1800, il avait alors presque 30 ans. Suivant l'exemple de Clementi, il se lança aussi un peu dans l'enseignement du piano et surtout dans l'édition musicale, créant avec des associés la maison d'édition J.B.Cramer & Co. qui est devenue très connue dans le monde musical.

Parallelement à ces activités, Cramer continua à composer de nombreuses sonates pour piano, la dernière, op.74, datant de 1827.On lui doit également deux séries d'études pour piano, de 1804 et 1810, qui furent appréciées par Beethoven, et utilisées pour l'enseignement du piano durant plusieurs générations.

Cramer composa aussi neuf concertos pour piano, entre 1795 et 1822, ainsi que quatre quintettes.

Compositeur : **Bernhard CRUSELL**

Date et lieu de naissance / mort :

15 octobre 1775 (Nystad, Finlande) / 28 juillet 1838 (Stockholm, Suède)

Vie et œuvres :

Ayant appris à jouer de la clarinette, Crussel s'engagea à 12 ans dans la fanfare militaire, ce qui lui donna l'occasion de voyager à travers le pays (Suède - Finlande réunis à l'époque) et de rencontrer à Stockholm de bons musiciens qui lui permirent d'améliorer sa formation musicale, de s'engager dans la vie musicale suèdoise, puis devenir un grand clarinettiste à la cour.

A partir de l'âge de 25 ans, il commença a publier ses compositions, toutes à base de clarinette, notamment trois concertos, une sinfonia concertante, de la musique de chambre avec clarinette et un opéra *Lilla Slafvinna*. De plus, ses connaissances linguistiques (francais, allemand, italien) lui permirent de traduire en suédois les opéras les plus appréciés alors en Europe.

Compositeur : **Carl CZERNY**

Date et lieu de naissance / mort :
21 février 1791 (Vienne) / 15 juillet 1857 (Vienne)

Vie et œuvres :

Fils d'un musicien nommé Wenzel Czerny, probablement originaire de Prague, qui maîtrisait plusieurs instruments et enseignait le piano. Ainsi, Carl Czerny eut droit à des leçons de piano de son père dès l'âge de trois ans, et à dix ans, il maîtrisait parfaitement le piano et se présentait en public. Il fut alors présenté à Beethoven. Celui-ci apprécia son jeu et l'accepta exceptionnellement comme son élève. En quelques années, Czerny devint un très grand pianiste, un des meilleurs interprètes de Beethoven. Mais il abandonna pratiquement les concerts vers l'âge de 30 ans et se consacra presqu'entièrement à l'enseignement du piano, activité qu'il avait commencé dès l'âge de 15 ans. Liszt faisait partie de ses nombreux élèves.

Pour faciliter l'étude de ses élèves, il écrivit de très nombreuses études et exercices pour le piano.

Par ailleurs, Czerny avait une grande facilité pour la composition: des sonates, des sonatines, des variations sur des œuvres de Mozart, Beethoven et autres compositeurs qu'il appréciait, des valses, des polonaises, des marches, des sonates à quatre mains, de la musique de chambre, une dizaine de symphonies, deux concertos, des messes et autres musiques pour l'Eglise.

Vers la fin de sa vie, Czerny écrivit aussi une très intéressante autobiographie.

Compositeur : **Franz (Ignaz) DANZI**

Date et lieu de naissance / mort :

15 juin 1763 (Schwetzingen) / 13 avril 1826 (Karlsruhe)

Vie et œuvres :

Né dans une famille de musiciens, il apprit rapidement les règles de la musique, et la maîtrise du piano et du violoncelle. Il fut engagé, dès l'âge de 15 ans, comme violoncelliste dans l'orchestre de Mannheim, grande ville culturelle non loin de sa ville natale.

Au décès de son père, en 1783, on lui proposa de le remplacer comme violoncelliste à Munich. C'est là qu'il développa ses capacités de composition dont il avait déjà fait preuve à Mannheim.

Son opéra, *Die Mitternachtstunde*, présenté à Munich en 1788 eut beaucoup de succès et fut représenté ensuite dans plusieurs villes.

En 1790 Franz Danzi épousa une cantatrice, **Margarethe Marchand**, avec laquelle ils firent une carrière musicale intense, voyageant souvent ensemble à travers l'Europe, jusqu'à la mort prématurée de sa femme en 1800. Elle avait également des talents de compositeur. Elle a notamment écrit trois concertos pour violon vers la fin de sa vie.

Quant-aux compositions de Franz Danzi, œuvres qui ne furent pratiquement plus interprétées après sa mort, il y a de nombreux opéras et autres œuvres lyriques écrits entre 1780 et 1820, des chants, deux messes (1814), des concertos et symphonies, ainsi que de la musique de chambre.

Compositeur : **Louis-Claude DAQUIN**

Date et lieu de naissance / mort :

4 juillet 1694 (Paris) / 15 juin 1772 (Paris).

Vie et œuvres :

Enfant prodige au clavier, il fut présenté à la cour à l'âge de 6 ans. Deux ans plus tard, il dirigea une œuvre avec chœur et orchestre de sa propre composition à la Sainte Chapelle.

Il devint un organiste virtuose, très remarqué, notamment à la Chapelle Royale, puis à Notre-Dame de Paris.

En tant que compositeur, ses 4 suites de pièces pour clavecins rappellent le style de Rameau. Il y a également un recueil, pour orgue, de "Noëls variés". Autrement, la plupart de ses œuvres se sont égarées.

Compositeur : **Giuseppe DEMACHI**

Date et lieu de naissance / mort :
Juin 1732 (Alessandria, Italie) / vers 1791 (?).

Vie et œuvres :

On connaît très peu la vie de ce vilolonista et compositeur italien. Il fut connu dans sa ville natale comme violoniste talentueux. On ignore quand il commença à composer, mais une première publication de ses sonates pour violon et clavier fut faite à Paris en 1769. Puis furent publiés 10 concertos pour violon, 4 symphonies concertantes, une symphonie nommée "La Campagne di Roma", des ouvertures, beaucoup de musique de chambre, des œuvres généralement bien appréciées à l'époque.

Compositeur : **François DEVIENNE**

Date et lieu de naissance / mort : 31 janvier 1759 (Joinville, France) / 5 septembre 1803 (Charenton, France)

Vie et œuvres :

Ce musicien était essentiellement un talentueux flûtiste et maîtrisait plusieurs instruments à vent. Il arriva à Paris vers l'âge de 20 ans et fut engagé à l'orchestre de l'opéra. Par ailleurs, on connaît aussi ses travaux de composition, notamment des œuvres pour instruments à vent, qu'il interprétait souvent luimême, se faisant ainsi remarquer comme excellent soliste.

Après une courte interruption lors de la révolution, ses concerts reprirent peu de temps après.

Il composait également des opéras qui eurent beaucoup de succès, notamment *Le mariage clandestin* (1790), *Les visitandines* (1792). Son dernier opéra *La valet de deux maîtres* date de 1800. Il était également professeur de musique au Conservatoire de Paris et publia à cet effet, en 1794, une "Nouvelle méthode théorique et pratique pour la flûte".

Après ses 40 ans, sa santé commença à décliner prématurément.

En 1803, des troubles mentaux sérieux conduisirent François Devienne à l'asile de Charenton où il devait mourir quelques mois plus tard.

Compositeur : **Anton DIABELLI**

Date et lieu de naissance / mort :

6 septembre 1781 (près de Salzbourg) / 7 avril 1858 (Vienne, Autriche)

Vie et œuvres :

On a peu de détails sur son enfance à part le fait qu'il apprit la musique très vite et qu'il passa le début de sa jeunesse au monastère, période durant laquelle il composa plusieurs messes.

A 22 ans, il s'installa à Vienne où il enseigna le piano et la guitare et collabora également avec une maison d'édition musicale qui lui permit de connaître Beethoven.

En 1818, il fonda, en association, une maison d'édition musicale sous le nom de Cappi & Diabelli, qui deviendra Anton Diabelli & Cie en 1824 lorsque Cappi se retira des affaires.

Diabelli se révéla très actif et habile dans cette activité, publiant beaucoup de musique populaire, mais aussi, nouant des contacts intéressants avec les compositeurs, notamment Schubert.

En 1819, il lança un défi aux compositeurs d'écrire des variations sur un thème de sa composition et nombreuses furent les réponses reçues, dont la plus célèbre : les variations Diabelli de Beethoven.

En 1851, Diabelli se retira, cédant sa maison d'édition très prospère à la famille Spina.

Compositeur : **Carl Ditters von DITTERSDORF**

Date et lieu de naissance / mort :

2 novembre 1739 (Vienne) / 24 octobre 1799 (Neuhof, Bohème)

Vie et œuvres :

Fils d'un grand costumier du théâtre de la cour, Carl Dittersdorf reçut une excellente éducation y compris l'apprentissage de la musique et du violon à partir de l'âge de 7 ans. A 22 ans, il était un bon violoniste et soliste, engagé dans les concerts pour la cour où il eut l'occasion de se familiariser avec l'opéra et de rencontrer Gluck. Puis il fut successivement au service de plusieurs évêques, formant des orchestres et organisant les représentations musicales, et ses compositions commencèrent à être connues à partir de 1766.

A 33 ans, il épousa une cantatrice hongroise.

En 1773, Carl Dittersdorf fut anobli par la cour et eut alors le droit d'ajouter "von Dittersdorf" à son nom. Cette même année, fut interprété avec grand succès son oratorio *Esther*.

Son deuxième oratorio *Giobbe* fut écrit treize ans plus tard. Parmi ses autres œuvres, citons quatre messes (1795), nombreuses symphonies, 18 concertos pour violon, 4 pour hautbois, un pour flûte, 5 pour clavecin, mais aussi de la musique de chambre, des opéras et opérettes.

A la fin de sa vie, il souffrait d'arthrite sévère et dut prendre sa retraite en Bohème où il écrivit ses mémoires et mourut peu de temps après.

Compositeur : **Ignacy Feliks DOBRZYNSKI**

Date et lieu de naissance / mort :

15 février 1807 (Romaniv, Ukraine) / 9 octobre 1867 (Varsovie, Pologne)

Vie et œuvres :

Dobrzynski était un pianiste et compositeur polonais. Sa ville natale faisait partie de la Pologne à cette époque.

Son éducation musicale supérieure s'est déroulée au conservatoire de Varsovie, où il fut dans la même classe que Frédéric Chopin autour des années 1826.

Puis il fut très apprécié en Pologne et en Allemagne, comme pianiste et aussi comme chef d'orchestre.

Il composa des pièces pour piano, de la musique de chambre, des fantaisies pour instruments et orchestres, un concerto pour piano (1824), son Rondo à la Polaka (1827), la symphonie (de 1829) et la Synfonia Caractéristique (1831), et un opéra "Monbar" (vers 1838).

Compositeur : **Johann Friedrich DOLES**

Date et lieu de naissance / mort :

23 avril 1715 (Steinbach) / 8 février 1797 (Leipzig)

Vie et œuvres :

Né dans une famille allemande de musiciens, il reçut très tôt une bonne éducation musicale malgré la perte de son père lorsqu'il avait 5 ans. A la fin de ses études il était déjà un excellent organiste ayant, en plus, des talents de compositeur et d'organisateur de concerts, mais il continua l'étude de la musique à Leipzig, notamment avec Bach et aimait aussi assister aux opéras représentés alors dans cette ville. Il continua ensuite une longue carrière musicale à Leipzig, et composa beaucoup de musique religieuse, des motets et des chorales, ainsi que des lieder, qui furent longtemps dans les répertoires fréquemment interprétés.

Doles eut beaucoup de plaisir lorsqu'il reçut Mozart en 1789 et l'écouta jouer à l'orgue de la Thomaskirche. Il restera un musicien très actif, jusqu'à l'âge de 75 ans, puis continuera à s'intéresser à la vie musicale de Leipzig jusqu'à sa mort.

Compositeur : **Gaetano DONIZETTI**

Date et lieu de naissance / mort :

29 novembre 1797 (Bergamo, Italie) / 8 avril 1848 (Bergamo)

Vie et œuvres :

Cinquième enfant d'une famille pauvre, Gaetano s'inscrivit à l'âge de 9 ans dans une école de musique que l'on venait d'ouvrir justement pour les enfants pauvres de la ville. On remarqua ses talents pour la musique et particulièrement ses dispositions pour la composition. Vers l'âge de 16 ans, ses maîtres l'envoyèrent poursuivre ses études à Bologne.

A 20 ans, il revint à Bergamo (Bergame, en français) et obtint une commande pour quatre opéras. Ils furent écrits très rapidement entre d'autres compositions de musique instrumentale telles que des sinfonias et de la musique de chambre. En effet, son caractère était vif et sa manière de composer aussi.

C'est en 1822 qu'il commença à avoir du succès, avec son opéra *Zoraida di Granata*, présenté à Rome. A partir de cette période on lui demanda beaucoup d'opéras, à Naples, à Milan, à Rome, à Gènes et sa production d'opéras fut impressionnante, trois à cinq par an! Il dirigeait lui-même ses opéras, mais aussi des œuvres de beaucoup d'autres compositeurs, y compris Rossini dont les opéras étaient déjà très célèbres à l'époque.

Son opéra *Anna Bolena* (1830) eut un succès immense, et dès lors sa renommée franchit les frontières de l'Italie.

D'autres grands succès suivirent, comme *L'Elixir d'amour* (1832), *Lucrezia Borgia* (1833), *Maria Stuarda* (1835).

Donizetti se maria en 1828, mais son épouse mourra jeune d'une épidémie de choléra en 1837. Il perdit également ses trois enfants en bas âge.

Sa première visite à Paris fut en 1835, invité par Rossini. Puis, de retour à Naples, il présenta *Lucia di Lammermoor*, sans doute le plus célèbre de ses opéras et qui restera dans le répertoire classiques des opéras. Plus tard il en fit une version en français un peu différente de l'originale.

Son opéra *L'assedio di Calais* (1836), inspiré des Bourgeois de Calais, comporte un ballet comme dans beaucoup d'œuvres françaises de l'époque, ce qui indique l'influence de sa visite à Paris l'année précédente.

Après la mort de sa femme, Donizetti éprouva la nécessité d'un changement et décida de passer quelque temps à Paris. Là, entre 1839 et 1843, son succès fut très grand, avec ses grands opéras *Les martyrs* (1840), *La fille du régiment* (1840), *La favorite* (1840), *Maria Padilla* (première à Milan, 1841), *Linda di Chamonix* (première à Vienne, 1842), *Don Pasquale* (1843), *Maria di Rohan* (première à Vienne, 1843), *Dom Sébastien, roi du Portugal* (1843).

Cependant, Donizetti commençait alors à souffrir de problèmes de santé le rendant de plus en plus instable, avec, par moments, une impossibilité de se concentrer et de composer. Une dégénérescence qui l'obligera à passer l'année 1846 dans un établissement spécialisé, à Ivry, près de Paris. A la fin de l'année suivante, des amis italiens le ramenèrent à Bergamo, en Italie, où il mourra quelques mois plus tard.

Ce très grand compositeur d'opéras et de musique vocale a composé relativement peu de musique instrumentale : quelques sinfonias, musique de chambre et pièces pour piano.

Compositeur : **Egidio Romualdo DUNI**

Date et lieu de naissance / mort :

9 février 1709 (Matera, près de Naples) / 11 juin 1775 (Paris).

Vie et œuvres :

Son père, ainsi que son frère aîné, Antonio, étaient musiciens et compositeurs. Egidio Duni suivit donc l'exemple et il s'intéressa dès sa jeunesse à l'opéra. Son premier opéra, *Nerone*, présenté à Rome en 1735, fut déjà un succès, comme le fut le suivant, *Adriano in Siria*.

Il commença à voyager à partir de 1737, présentant à Londres un nouvel opéra *Domofoonte*.

Durant les vingt ans qui suivirent, il composa une dizaine d'opéras présentés dans diverses villes italiennes jusqu'à ce qu'il commence à s'intéresser, en 1756, à l'opéra comique, un nouveau genre d'opéra qui avait pris naissance à Paris. Il se rendit donc à Paris, présenta un nouvel opéra, *Le peintre amoureux de son modèle*, œuvre qui fut très appréciée, ce qui le décida de s'installer à Paris et de se marier. Il eut un fils, Jean-Pierre, qui sera aussi musicien.

A Paris, durant vingt ans, ses opéras se succédèrent, avec généralement beaucoup de succès, notamment *La Fée d'Urgèle ou ce qui plaît aux dames* (1765). Malgré quelques détracteurs, on le considérait comme le plus grand compositeur d'opéra comique de cette époque.

Après son dernier opéra *Thémire*, en 1770, il se retira progressivement de la vie musicale et mourut à Paris en 1775.

Compositeur : **Jean-Louis DUPORT**

Date et lieu de naissance / mort :
4 octobre 1749 (Paris) / 7 septembre 1819 (Paris)

Vie et œuvres :

Fils d'un danseur à l'opéra, il apprit la danse et le violon, avant de se consacrer au violoncelle, dont il devint un virtuose extrêmement apprécié.

A 20 ans il est acclamé à Paris, se marie, puis commence des tournées en Europe, notamment en Angleterre.

Il compose également des oeuvres pour le violoncelle, notamment 6 concertos, des sonates.

A la révolution française il va à Vienne, où il fait la connaissance de Mozart, qui composera en 1789, les variations K573 sur des thèmes de Jean-Louis Duport. Plus tard il fera également la connaissance de Beethoven.

Il passe aussi quelques années à Berlin où son frère aîné, Jean-Pierre, également violoncelliste et compositeur, est installé depuis 1773.

En 1813, il reprend sa vie à Paris, où il mourra six ans plus tard et sera inhumé au cimetière du Père-Lachaise dans un espace réservé aux musiciens.

Jean-Louis Duport est également l'auteur d'un important traité, de 1804, sur l'art et la technique de jouer le violoncelle.

Compositeur : **Frantisek Xaver DUSEK**

Date et lieu de naissance / mort :
Déc. 1731 (Choteborky, Bohème) / février 1799 (Prague)

Vie et œuvres :

Fils d'un paysan tchèque, il se montra doué pour la musique et apprit le piano à Prague, puis à Vienne. Il devint ensuite, à Prague, un professeur réputé de piano et de musique en général. Il fut très actif dans la vie musicale de la ville et participa à la création à Prague des opéras de Mozart.

Ses compositions furent nombreuses, dont 40 symphonies, plusieurs concertos pour clavecin, de la musique de chambre et plusieurs sonates pour clavecin.

Compositeur : **Jan Josef DUSSEK**

Date et lieu de naissance / mort :

16 août 1738 (Mlazovice, Bohème) / 24 juin 1818 (Caslave, Bohème).

Vie et œuvres :

Organiste et enseignant de musique, il composait également. Il enseigna la musique à ses 8 enfants et fonda ainsi une famille de musiciens très célèbres en Bohème. Notons que dans le langage tchèque d'aujourd'hui on a tendance à écrire ce nom "Dusik" au lieu de "Dussek".

Compositeur : **Jan Ladislav DUSSEK ou DUSIK**

Date et lieu de naissance / mort :

12 février 1760 (Caslav, Bohème) / 20 mars 1812 (Saint Germain en Laye, près de Paris)

Vie et œuvres :

Fils de Jan Josef Dussek, il apprit très tôt le piano et l'orgue, ainsi que le chant. Puis il continua ses études à Prague avant de devenir enseignant de musique à Malines, en Belgique, où il commença à être connu également comme pianiste. Ses talents lui permirent de voyager dans plusieurs villes européennes et jusqu'à Saint Petersbourg, et enfin Paris en 1786 où il fût très apprécié à la cour et y restera jusqu'en 1789.

Durant la révolution, Dussek séjournera à Londres, pendant 11 ans, enseignant le piano et donnant des concerts. C'est là qu'il épousera, en 1792, Sophia Corri, une talentueuse harpiste et chanteuse et il s'associera également à l'entreprise d'éditions musicales de son beau-père, mais cette affaire fit faillite et se termina par la condamnation des associés, ce qui incita Dussek à fuir Londres en 1799. Il semblerait que cela mit fin également à sa vie familiale, sa femme et sa fille étant restées à Londres.

Il s'en suivit une période de vie instable, principalement à Hambourg et à Prague, jusqu'à ce qu'il fut invité à retourner à Paris en 1807.

A Paris, Dussek retrouva rapidement le grand succès qu'il y avait connu en tant que pianiste.

Après quatre années de vie agréable, il commença à souffrir beaucoup de crises de goutte, sans doute favorisée par l'alcool, crises qui l'obligèrent à garder le lit, avant de lui coûter la vie en 1812.

Pour ce qui est de ses œuvres, Dussek commença à composer vers l'âge de 20 ans. Etant un pianiste virtuose, il composa presque exclusivement pour le piano, des sonates et des concertos pour piano, souvent difficiles et éprouvants pour le pianiste, mais généralement fort agréables et intéressants. Ses dernières œuvres montrent même une certaine avance sur son temps.

Compositeur : **Anton EBERL**

Date et lieu de naissance / mort : 13 juin 1765 (Vienne - Autriche) / 11 mars 1807 (Vienne).

Vie et œuvres :

Pianiste et compositeur Autrichien, Eberl connut et fut apprécié de Mozart, Beethoven et Haydn. Il composa des opéras, des sonates, 5 concertos pour piano et 3 symphonies dont la dernière rappelle déjà le style des symphonies de Schubert.

La plupart de ses œuvres connurent un grand succès. Il est donc surprenant que ce compositeur ait été ensuite rapidement oublié.

Compositeur : **Jean-Frédéric EDELMANN**

Date et lieu de naissance / mort :

5 mai 1749 (Strasbourg) / 17 juillet 1794 (Paris)

Vie et œuvres :

Tout en se montrant doué pour la musique (piano, clavecin et composition), il fit aussi des études de droit à Strasbourg.

A 25 ans, il s'installa à Paris, enseignant le clavecin et le piano à des élèves doués, comme Adam et Méhul. Ses compositions ne sont pas très nombreuses, mais elles sont de qualité et connurent un grand succès à Paris, puis à Londres et à Vienne. Mozart exprima son enthousiasme en découvrant les œuvres de Edelmann. Parmi celles-ci figurent quelques œuvres vocales et un opéra, *Ariane dans l'isle de Naxos* (1782), qui eut beaucoup de succès.

En 1789 il retourna à Strasbourg avec un engagement d'administrateur régional, ce qui lui valut des problèmes à la Révolution et la guillotine, à Paris, en 1794!

Compositeur : **Ernst EICHNER**

Date et lieu de naissance / mort :
1740 (Arolsen, Allemagne) / 1777 (Potsdam, Près de Berlin)

Vie et œuvres :

Fils d'un musicien, il apprit le violon, et le basson.

A 22 ans, il fut engagé à la cour comme violoniste. Il commença aussi à composer. Plus tard, c'est en tant que virtuose du basson qu'il se fit connaître à travers l'Europe. Et ses symphonies et concertos composés à partir de 1770 furent aussi très appréciés et montrent une certaine avancée musicale annonçant l'arrivée quelques années plus tard des grandes œuvres de Mozart.

Comme Mozart, il disparut prématurément; il avait à peine 37 ans.

Ses sonates pour clavier et sa musique de chambre sont également intéressantes.

Compositeur : **Joseph Leopold EYBLER**

Date et lieu de naissance / mort :
8 février 1765 (Schwechat) / 24 juillet 1846 (Vienne, Autriche)

Vie et œuvres :

Schwechat est aujourd'hui une banlieue où se trouve l'aéroport international de Vienne. Fils d'un enseignant et directeur de chorale, Joseph Eybler maîtrisa très tôt le piano. Il perfectionna son éducation musicale avec le professeur Albrechtsberger, puis avec Joseph Haydn. Ce dernier aida Joseph Eybler pour la publications de ses premières compositions.

En 1790, Eybler collabora avec Mozart pour la préparation de la première du "Cosi fan tutte". Ils restèrent de proches amis jusqu'à la mort de Mozart l'année suivante.

C'est à Eybler que la veuve de Mozart demanda d'abord de compléter le Requiem. Mais il semblerait que Eybler ait eu quelques hésitations et scrupules, alors elle préféra finalement confier le travail à Süssmayr.

Puis Eybler fut engagé comme musicien à la Cour, sous la direction de Salieri, et lorsque ce dernier prit sa retraite en 1824, c'est Eybler qui le succéda.

Les œuvres de Eybler sont généralement dans le style de Haydn et de Mozart. On apprécie ses sonates et sa musique de chambre. Un requiem et plusieurs messes font partie de ses œuvres importantes.

Compositeur : **Louise FARRENC**

Date et lieu de naissance / mort :

31 mai 1804 (Paris) / 15 Septembre 1875 (Paris)

Vie et œuvres :

Louise Dumont est née dans une famille de sculpteurs. Ses talents pour la musique furent rapidement appréciés et sa famille l'inscrivit au Conservatoire de Paris où elle perfectionna la maîtrise du piano et l'art de la composition.

Elle épousa très jeune le flûtiste Aristide Farrenc, de 10 ans son aîné, qui créa par la suite la maison d'éditions musicales Farrenc. Du couple naîtra une fille, Victorine, qui deviendra aussi une excellente pianiste.

Louise Farrenc connut un très grand succès comme pianiste, mais aussi comme compositeur. A part ses œuvres pour piano, on notera également de la musique de chambre, ainsi que 3 symphonies.

On la connaissait également comme professeur de piano, au Conservatoire de Paris où, pendant 30 ans, son enseignement fut très apprécié.

Compositeur : **Carl FASCH**

Date et lieu de naissance / mort :

Novembre 1736 (Zerbst, Allemagne) / Août 1800 (Berlin)

Vie et œuvres :

Fils d'un musicien, il apprit très jeune le clavier et le violon et entra, avec C.P.E. Bach, au service de la cour. Il devint le musicien principal de la cour après le départ de C.P.E. Bach.

Carl Fasch était aussi un compositeur, avec des œuvres écrites plus particulièrement dans la dernière partie de sa vie, mais on n'en connaît que quelques rares œuvres, sachant qu'il a détruit lui-même un grand nombre de ses compositions dont il n'était pas satisfait. Nous connaissons de lui quelques sonates pour clavecin, une sinfonia, quelques messes, un oratorio.

Il avait fondé un institut pour l'art vocal et une chorale de grande qualité. Cette chorale interpréta, à sa mort, le requiem de Mozart, comme il l'avait lui-même souhaité à la fin de sa vie.

Compositeur : **Friedrich Ernst FESCA**

Date et lieu de naissance / mort :

15 Février 1789 (Magdeburg) / 24 mai 1826 (Karlsruhe)

Vie et œuvres :

Compositeur allemand, ayant appris dès son enfance la maîtrise du piano et du violon.

Il fut engagé comme violoniste à l'orchestre de Leipzig dès lâge de 16 ans, puis à la cour de Jérôme Bonaparte en 1808, lors de l'occupation française qui dura jusqu'en 1814. Après cela, il fit un séjour à Vienne, avant d'être engagé à Carlsruhe (Karlsruhe), où il vécut jusqu'à sa mort prématurée, à l'âge de 37 ans, suite à une maladie des poumons.

Fesca composa 3 symphonies, 2 opéras, de la musique sacrée, mais il fut plus particulièrement apprécié pour sa musique de chambre.

Le deuxième fils de Friedrich Fesca, Alexandre, né en 1820, fut également un bon musicien et compositeur, mais il souffrait lui aussi des poumons et mourra très jeune, à l'âge de 28 ans.

Compositeur : **Joseph FIALA**

Date et lieu de naissance / mort :

Février 1748 (Bohème) / Juillet 1816 (Donaueschingen, Allemagne).

Vie et œuvres :

Ce compositeur tchèque, hautboïste, violoncelliste et altiste, débuta sa carrière musicale auprès du prince de Oettingen-Wallenstein, où il composa ses premiers quatuors à cordes. En 1777 il s'installa à Munich où on apprécia ses talents d'hautboïste, de compositeur et de professeur de musique. Il fit la connaissance de Mozart et devint son ami. Ses œuvres sont principalement des quatuors à cordes, quelques symphonies et une symphonie concertante.

Compositeur : **John FIELD**

Date et lieu de naissance / mort :
Juillet 1782 (Dublin) / Janvier 1837 (Moscou).

Vie et œuvres :

Fils d'un violoniste irlandais protestant, il montra des dons précoces pour le piano et à dix ans il était devenu déjà un interprète étonnant. C'est alors que sa famille alla s'installer à Londres où le jeune Field devint élève de Muzio Clementi. Ce dernier paraît avoir bien dirigé la période de jeunesse de Field en évitant trop de concerts l'exposant comme enfant prodige. A cette période, John Field apprit également le violon, qu'il maîtrisa fort bien.

A 17 ans, John Field interpréta son premier concerto pour piano, œuvre qui impressionna fortement les connaisseurs par ses expressions musicales innovantes et intéressantes. Il avait aussi une façon de jouer le piano très agréable et attachante que l'on retrouvera plus tard chez Chopin.

Après quelques morceaux pour piano, il publia en 1801 ses trois premières sonates qu'il dédia à Clementi.

En 1802, il accompagna Clementi dans une tournée européenne se terminant par un long séjour à Saint Petersbourg. Field décida même d'y rester après le départ de Clementi car il avait beaucoup plu au public russe. On lui proposa d'enseigner à de nombreux élèves moyennant une rémunération très intéressante.

Il avait également des élèves à Moscou où il se rendait régulièrement et finit par épouser l'une d'entre elles, Adélaïde Percheron, d'origine française. Il passera ensuite une dizaine d'années à Saint Petersbourg, continuant à enseigner, mais aussi à composer des concertos et pièces pour piano, notamment ses célèbres nocturnes. Il composa aussi 4 sonates et de la musique de chambre, toujours avec piano.

Field eut un enfant, Adrien, en 1819. Mais il avait déjà eu un autre fils, Léon, en 1815, lors d'une aventure passagère avec une autre française. Sa femme le quitta curieusement après la naissance de leur fils Adrien.

Field s'installa alors à Moscou, s'occupa de l'éducation musicale du petit Léon, qui présentait, comme lui, des dons précoces pour la musique.

Mais Field s'adonna aussi à l'alcool, d'autant plus qu'il traversait alors une période sans succès. Quelques années plus tard il eut un cancer du rectum et retourna à Londres en 1831 pour se faire soigner.

Un an après, il avait retrouvé une santé suffisamment bonne pour donner des concerts à Londres où il fit la connaissance de quelques musiciens contemporains comme Mendelssohn et Moscheles.

En décembre 1832, il se rendit à Paris où il présenta son septième et dernier concerto pour piano. La tournée européenne s'acheva en 1834 à Naples où la maladie le rattrapa sérieusement. Après un long séjour à l'hôpital il reprit le chemin de Moscou, en passant par Vienne où il eut encore la force de donner des concerts.

De retour à Moscou, fin 1835, il réussit à composer encore quelques nocturnes avant son décès en 1837.

Curieusement, les œuvres de Field furent oubliées pendant environ un siècle. Puis on redécouvrit la beauté de ses nocturnes, un style qu'il semble avoir inventé lui-même, durant sa vie en Russie, quelques années avant Chopin.

Compositeur : **Domenico FISCHIETTI**

Date et lieu de naissance / mort :

1725 (Naples - Italie) / 1810 (Salzbourg)

Vie et œuvres :

Compositeur italien; devint chef d'orchestre à la cour de Dresde en 1766, puis à la cour de Salzbourg à partir de 1772.

Il a composé de nombreuses œuvres pour la scène, dont un grand nombre d'opéras.

Compositeur : **Carel Anton FODOR**

Date et lieu de naissance / mort :

12 avril 1768 (Venlo, Pays-Bas) / 22 février 1846 (Amsterdam)

Vie et œuvres :

Très doué pour le piano, il fut envoyé à Paris, à l'âge de 13 ans, pour se perfectionner et compléter sa formation musicale.

Il s'installa ensuite à Amsterdam où il fit une brillante carrière de pianiste vituose, compositeur et chef d'orchestre.

Ses œuvres comprennent 2 symphonies, 8 concertos pour piano, de la musique de chambre et diverses pièces pour le piano.

Compositeur : **François FRANCOEUR**

Date et lieu de naissance / mort :

Septembre 1698 (Paris) / Août 1787 (Paris)

Vie et œuvres :

Violoniste précoce, il fut engagé à 15 ans par l'orchestre de l'opéra de Paris, puis devint membre de la Musique de la Chambre du Roi.

En 1720 furent publiées ses premières compositions, des sonates pour violon. En 1723, il fit un voyage à Vienne et à Prague où il prit goût pour l'opéra. Dès lors il commença à composer des opéras, en collaboration avec François Rebel, collaboration qui se poursuivra très longtemps, produisant un grand nombre d'opéras et de musique pour scène, jusqu'à sa retraite en 1776.

Son neveu, **Louis-Joseph Francoeur** (octobre 1738 - mars 1804), ayant perdu son père à l'âge de sept ans fut recueilli par son oncle François et devint violoniste et compositeur, occupant lui aussi une place importante à l'orchestre de l'opéra de Paris, puis à la direction de l'opéra jusqu'à la révolution.

De ses compositions, on notera des cantates et quelques opéras. Il fut aussi l'auteur d'ouvrages importants sur l'opéra et sur la musique en général.

Compositeur : **Baldassare GALUPPI**

Date et lieu de naissance / mort :

Octobre 1706 (Burano, près de Venise) / Janvier 1785 (Venise)

Vie et œuvres :

Fils d'un barbier et violoniste, il reçut de son père l'éducation musicale élémentaire et se trouva rapidement des dons pour la composition d'opéras. Cependant, son premier opéra, "*La fede nell'inconstanza ...*" composé à l'âge de 16 ans, n'eut aucun succès. Il retourna alors à une étude plus sérieuse de la musique durant cinq ans avant de se lancer à nouveau dans la composition d'opéras.

Son succès commença avec son troisième opéra, *Dorinda*, créé à Venise en 1729. Dès lors, les créations d'opéra de Galuppi se succédèrent à un rythme impressionnant; il en composera une centaine, jusqu'en 1773.

Ses œuvres furent également appréciées à Londres où il fit un long séjour en 1741.

Parallèlement, Galuppi fut engagé comme maître de musique dans un des meilleurs conservatoires de Venise, avec un salaire appréciable. Là, il fut impressionné par un nouveau style d'opéra appelé "opera buffa", venant de Naples. Ce sont des opéras dont l'histoire est beaucoup moins sérieuse que les sujets traités jusqu'alors; il s'agit généralement d'une comédie et le public aimait ce changement de style. Dès lors, Galuppi adopta lui-même ce style qui fut rapidement apprécié à travers l'Europe.

Il fut considéré comme un des plus grands compositeurs d'opéras de son époque. Il était également un excellent claveciniste et composa un grand nombre de sonates pour clavier, souvent agréables et intéressantes.

Vers la fin de sa vie sa musique s'orienta davantage vers les oratorios et les messes.

Galuppi fut un des rares musiciens jouissant de la gloire et d'aisance financière durant sa longue carrière et jusqu'à sa mort.

L'un de ses trois fils, Antonio Galuppi, fut connu comme librettiste.

Compositeur : **Florian Leopold GASSMANN**

Date et lieu de naissance / mort :

3 mai 1729 (Bohème) / 20 janvier 1774 (Vienne - Autriche)

Vie et œuvres :

Formation musicale auprès de Padre Martini, à Bologne.

Composa 22 opéras, 15 symphonies, de la musique de ballet, de la musique de chambre. Fut nommé maître de chapelle à la cour de Vienne à partir de 1771.

Compositeur : **Pierre GAVEAUX**

Date et lieu de naissance / mort :

Octobre 1760 (Béziers) / Février 1825 (Charenton, près de Paris)

Vie et œuvres :

Enfant doué pour le chant, il fut soliste, dès l'âge de 7 ans, à la chorale de la cathédrale de Béziers où il fit des études de théologie, mais aussi de musique et de composition. Puis il fut engagé comme ténor à Bordeaux où il commença à composer des motets. Après une tournée dans le sud de la France, il vint s'installer à Paris où on apprécia sa manière de chanter dans diverses œuvres lyriques que l'on représentait à l'époque. Il composa lui-même quelques œuvres lyriques et aussi quelques chants patriotiques durant la révolution. Son dernier opéra, "*Une nuit au bois, ou le muet de circonstance*" est de 1818, puis il dut se retirer de la vie musicale pour des raisons de santé et fut admis l'année suivante dans un asile psychiatrique jusqu'à sa mort.

Pierre Gaveaux et son frère Simon avaient aussi ouvert à Paris un magasin de musique. Mais il ne faut pas confondre ce nom avec celui de Joseph Gaveau qui fonda bien plus tard, en 1847, un atelier produisant des pianos sous la célèbre marque Gaveau.

Compositeur : **Giuseppe GAZZANIGA**

Date et lieu de naissance / mort :

Octobre 1743 (Vérone, Italie) / Février 1818 (Crema, Italie)

Vie et œuvres :

Très jeune, il se passionna pour la musique alors que son père le destinait à une vie ecclésiastique. A 17 ans il fut admis gratuitement au conservatoire de Naples où il s'initia à la composition et devint élève de Piccinni.

A partir de 1768 il commença à composer des opéras pour plusieurs théâtres de l'Italie. En février 1787, il eut un très grand succès en présentant son opéra en un acte, *Don Giovanni Tenorio Osia il Convitato* (livret de Bertati), soit huit mois avant le Don Giovanni de Mozart. L'opéra de Gazzaniga fut créé à Venise, puis présenté à Paris, Lisbonne et Londres et fut joué durant plusieurs années, même après la mort de Mozart. Il est peu probable que Mozart ait eu connaissance de l'opéra de Gazzaniga, mais on sait que Da Ponte avait bien lu le livret de Bertati avant de proposer lui-même son propre livret pour le Don Giovanni de Mozart.

Gazzaniga composa au total 47 opéras jusqu'en 1807. Puis durant les dernières années de sa vie, il se consacra davantage à la musique sacrée.

Compositeur : **Francesco GEMINIANI**

Date et lieu de naissance / mort :

Décembre 1687 (Lucca, Italie) / Septembre 1762 (Dublin, Irlande)

Vie et œuvres :

Fils d'un violoniste, Francesco Geminiani montra des talents exceptionnels pour le violon. A Milan et à Rome, il travailla avec des maîtres comme Corelli et Scarlatti.

En 1714, il fut invité à Londres, où il s'installa pour plusieurs années, enseignant la musique, mais aussi composant des oeuvres qui eurent beaucoup de succès.

A partir de 1730, sa carrière musicale se déroule entre Londres, Dublin et Paris.

Parmi ses oeuvres, on trouve évidemment un grand nombre de concertos pour violon, ainsi que des sonates pour violon seul, et des sonates pour 2 violons et basse continuo. Il excellait également dans le genre concerto grosso.

Il publia aussi un ouvrage longtemps apprécié sur l'Art de Jouer le Violon.

Compositeur : **Mikhaïl GLINKA**

Date et lieu de naissance / mort :

20 mai 1804 (Novospasskoye, Russie) / 3 février 1857 (Berlin)

Vie et œuvres :

Enfant, Mikhaïl Ivanovitch Glinka était très attiré par les sons, les cloches de l'église, par exemple. Il se passionnait aussi par les histoires et récits de voyages qu'on lui lisaient. Ce n'est qu'à 10 ans, après avoir écouté un quatuor de Crussel, qu'il se mit à apprendre du violon. Et aussi de la flûte.

De 14 à 18 ans, il continua ses études à Saint-Petersbourg, où il eut la chance d'apprendre le piano avec John Field.

Et il commença également à composer : *un quatuor à cordes* (1820) et diverses *mélodies*.

Un voyage en Italie lui fit connaître les opéras de Donizetti et de Bellini. Là il composa quelques *sérénades* inspirées de ces opéras, et un *septuor* (1824).

En 1830, il se rendit à Berlin afin de se perfectionner en composition. Dès lors commencera sa grande période de création musicale.

Son premier opéra, *Ivan Soussanine (Une Vie pour le Tsar)* fut représenté à Saint-Petersbourg, en 1836. Ce fut un grand succès.

Le second opéra *Rousslan et Lioudmila* fut crée à Saint-petersbourg, en 1832, mais ne fût pas apprécié par le public local. Pourtant, il s'agit probablement de la meilleure œuvre de Glinka ; et de nos jours, tous les mélomanes connaissent au moins l'ouverture de cet opéra.

D'ailleurs, agacé, Glinka quitta la Russie en 1844. Et en arrivant à Paris, il fut très surpris que ses deux opéras y trouvaient beaucoup de succès.

Après quelques années à Paris et à Madrid, il rentra en Russie et écrivit une autobiographie dans un style léger, plutôt humoristique.

Ce qui caractérisait Glinka était son goût incessant pour les voyages. Mais à peine arrivé à destination, en France, en Espagne, en Allemagne ou en Autriche, il avait aussitôt la nostalgie de son pays et écrivait de la musique russe.

Son dernier voyage fut pour Berlin, fin 1856, mais sa santé se déteriora rapidement et il mourut dans cette ville. Quelques mois plus tard, sa dépouille fut transférée à Saint-Petersbourg.

Glinka est considéré comme le fondateur de la musique russe, montrant la voie à Rimsky-Korsakov, Borodin, puis Tchaikovsky et autres compositeurs russes qui le succéderont.

Compositeur : **Christoph Wilibald Ritter von GLUCK**

Date et lieu de naissance / mort :

2 juillet 1714 (Erasbach, Palatinat, région d'Allemagne proche de Strasbourg) / 15 novembre 1787 (Vienne)

Vie et œuvres :

Fils d'un forestier assez prospère, Christoph Wilibald Gluck était l'aîné d'une famille nombreuse, avec cinq frères et deux soeurs. Il reçut une bonne éducation, dont la musique, le chant et le violon. A 13 ou 14 ans il s'échappa de la maison car son père, qui souhaitait le prendre dans son affaire et sentant que la musique commençait à occuper une place trop grande dans la vie de son fils, demanda que cessent les leçons de musique.

Mais, avec la complicité probable du clergé, le jeune Gluck put se rendre à Prague et commencer à travailler comme musicien jusqu'à ce que son père comprenne finalement la passion de son fils et lui envoie des subsides. Il put alors continuer un peu ses études et apprendre l'orgue et la composition.

C'est une époque où on appréciait à Prague les opéras italiens. Sous cette influence, Gluck composa son premier opéra, présenté à Milan en 1741. Il s'agissait de *Artaserse*, sur un livret de Métastase, et ce fut un grand succès. Le public fut étonné du talent de ce compositeur d'opéra qui, pour une fois, n'était pas un Italien! Gluck avait su transformer l'opéra italien en lui donnant une nouvelle dimension et aussi en travaillant davantage avec le librettiste, donnant ainsi une plus grande cohésion entre la parole et la musique. Dès ce premier succès, l'opéra de Milan lui commanda de produire un opéra par an durant sept ans. De plus, il obtenait des commandes d'autres villes italiennes, ainsi que d'Allemagne, d'Angleterre, puis de Vienne et enfin de Paris.

Gluck dirigeait souvent lui-même ses opéras, ce qui impliquait de très nombreux voyages en Italie et de longs séjours à travers l'Europe, jusqu'à ce qu'il se marie à Vienne en 1750 et s'établisse définitivement dans cette ville. Il s'est donc marié à 36 ans, avec une jeune fille de 18 ans, d'une famille viennoise ayant de proches relations avec la cour. Ce mariage restera sans enfants et Gluck adoptera sa nièce à la mort de sa sœur en 1760.

En 1752, il se rendit à Naples, accompagné de son épouse, pour un nouvel opéra sur un livret de Métastase, *La clemenza di Tito (La clémence de Titus)*, livret que Gluck préféra à un autre livret qu'on lui avait initialement proposé du même auteur. Le public remarqua et apprécia une nouvelle évolution dans le style de composition (innovations que Gluck avait déjà commencé à introduire dès son opéra *Semiramide* présenté à Vienne en 1748).

A son retour à Vienne, Gluck fut engagé officiellement par la cour comme directeur musical et conservera ce poste jusqu'à la dissolution de l'orchestre de la cour en 1761, la guerre des Sept Ans ayant épuisé les ressources de l'Etat.

En 1762, son opéra *Orpheo et Euridice*, sur un livret de Calzabigi, fut un très grand succès. Une version en français fut présentée à Paris quelques années plus tard, avec le titre *Orphée et Euridice.* A l'origine, le rôle masculin d'Orphée (en fait Orfeo) était tenu par un castrat. De nos jours c'est généralement chanté par une soprano, ou parfois par un haute-contre. Cependant, il faut savoir que Gluck a lui-même présenté plus tard, à Paris, une version où le rôle d'Orphée était tenu par un tenor.

Par cet opéra, Gluck donnait un style nouveau à l'opéra, à la fois plus simple et merveilleusement beau. C'était l'époque de l'alliance entre la France et l'Autriche. L'opéra comique à la française était alors très apprécié à Vienne. Ces opéras étaient sur des sujets moins austères, et intégrant parfois des ballets. Gluck composa plusieurs opéras dans ce style, souvent sur des livrets en français. Citons par exemple *La rencontre imprévue*, opéra sur livret de Dancourt, présenté à Vienne en 1764, et qui fut considéré durant des années comme un des meilleurs opéras de l'époque.

En 1765, Gluck produisit deux ballets très remarqués, *Semiramis*, puis *Iphigénie*. Cette dernière œuvre fut malheureusement égarée.

A l'approche de ses 60 ans, Gluck, avec ses nombreux succès, avait gagné suffisamment sa vie pour se permettre de ne plus assumer de fonctions salariées. Il se plaisait alors à lire la littérature française et anglaise, tout en travaillant à la composition de nouveaux opéras.

A cette période, Gluck fut attiré par Paris où sa musique était très appréciée du public et particulièrement par la reine Marie-Antoinette. S'inspirant alors de la tragédie de Racine, Iphigénie, sujet qu'il avait déjà utilisé pour son ballet en 1765, il décida de composer un opéra, *Iphigénie en Aulide,* pour le présenter à Paris où il s'installa à partir de 1773. L'opéra fut donné en 1774, avec un très grand succès. Mais un certain public parisien restait fermement attaché à la tradition italienne d'origine et ne voulait pas admettre d'opéras de ce compositeur allemand. Ce public en particulier s'opposa donc à Gluck très fermement et porta ses éloges inconditionnels envers le compositeur italien Piccinni qui était venu également présenter ses opéras à Paris. Ainsi est né la querelle insensée entre "gluckistes et picinnistes" qui durera quelques années jusqu'au départ de Gluck en 1779.

Cette année 1779 fut pourtant marquée par la supériorité incontestable de l'opéra en 4 actes de Gluck, *Iphigénie en Tauride* par rapport à l'opéra de même titre composé par Piccinni. Gluck composa *Iphigénie en Tauride* sur un livret de Nicolas-François Guillard, avec l'histoire d'Iphigénie après la guerre de Troie (alors que *Iphigénie en Aulide*, opéra de 1774, se déroulait durant la guerre de Troie).

Par contre, quelques mois après ce triomphe, son dernier opéra, *Echo et Narcisse*, présenté à Paris en Septembre 1779 n'obtint aucun succès. Gluck quittera Paris quelques jours plus tard. Il est très probable qu'il ait eu durant cette période un problème important de santé, probablement une attaque cérébrale, précipitant sa décision de rentrer définitivement à Vienne. Là, il se remit à travailler sur de nouvelles compositions, mais celles-ci n'aboutissaient plus. En été 1781, il fut atteint d'une attaque plus grave, mais malgré cela, il réussit à présenter quelques mois plus tard une version révisée, en allemand, de son opéra *Iphigénie en Tauride*. En 1783, sa santé se détériora encore et il dut renoncer à un projet de voyage à Londres et à Paris.

Gluck composa aussi quelques chants pour l'église, notamment un *de profundis* achevé peu avant sa mort, en 1787, et que Saliéri dirigera lors des obsèques de Gluck.

En plus des célèbres opéras mentionnés ci-dessus, Gluck en a écrit une quarantaine. On peut citer par exemple *Il Tigrane (Roi d'Arménie) de 1743,* dont une partie a été égarée, *Alceste (1767), Armide (1777).*

Compositeur : **François-Joseph GOSSEC**

Date et lieu de naissance / mort :

17 janvier 1734 (Vergnies, actuellement en Belgique) / 16 février 1829 (Paris)

Vie et œuvres :

Gossec est né dans une famille de paysans appelée Gossé, à l'origine. C'était une famille française puisque Vergnies était à l'époque en France (la Belgique ne sera créée que beaucoup plus tard, en 1830).

Son talent pour le chant fut remarqué dès l'âge de six ans par le curé du village qui l'envoya apprendre la musique à Walcourt, village un peu plus important dans les environs. A neuf ans, il fut engagé dans la chorale de la cathédrale Notre-Dame d'Anvers où on lui enseigna aussi le violon et la composition.

A 17 ans son maître de musique lui conseilla d'aller à Paris, avec une recommandation pour Rameau qui avait alors une grande influence sur la vie musicale. Impressionné par le talent de ce jeune musicien, Rameau le fit engager comme violoniste. Le jeune Gossec commençait aussi à composer des sonates pour violon avec basses, des duos flûte-violon, des sinfonias.

Mais ce n'est qu'en 1761, soit dix ans après son arrivée à Paris, que Gossec commença à être apprécié comme compositeur avec notamment sa *Messe des Morts*. Puis on s'intéressa aussi à ses musiques pour scène, ballets et opéras (23 œuvres composées entre 1761 et 1803), notamment *La Périgourdine* (1761), *Le Tonnelier* (1765), *Les pêcheurs* (1766), *Toinon et Toinette* (1767), *Sabinus* (1773), *Rosine ou l'épouse abandonnée* (1786), *Les sabots et le cerisier* (1803).

Ses talents d'organisateur le conduisirent aussi au poste de sous-directeur de l'opéra de Paris, en 1780, puis directeur, de 1782 à 1784, pour diriger ensuite la toute nouvelle Ecole Royale de Chant.

Gossec avait très vite compris et admis la supériorité de Gluck pour la composition d'opéras. Par contre, sa musique instrumentale est remarquable, notamment à partir de ses six symphonies de 1762. Il composa beaucoup de musique de chambre et plusieurs symphonies dont trois grandes symphonies de 1765, six symphonies de 1769, et autres symphonies jusqu'à sa dernière de 1809, ainsi qu'un oratorio (1774) et plusieurs messes.

A la Révolution, il se montra sympathisant pour le mouvement et devint l'un des musiciens officiels de la Révolution, composant des chants patriotiques.

Au changement de régime, Gossec dut s'écarter de la vie musicale à partir de 1814, d'autant plus qu'il était alors déjà très âgé pour l'époque. Il mourra en 1829, à 95 ans et sera enterré au cimetière du Père-Lachaise, à Paris.

Compositeur : **Christian GRAAF (GRAF)**

Date et lieu de naissance / mort :
30 juin 1723 (Rudolstadt, Allemagne) / 17 juillet 1804 (La Haye, Pays-Bas)

Vie et œuvres :

Le musicien-compositeur allemand, Johann Graf (1684 - 1750), eut sept fils dont quatre, Johann Paul, Friedrich Wilhelm, Christian Ernst et Friedrich Hartmann, devinrent d'excellents musiciens. Mais c'est Christian Ernst qui fut le plus connu, du fait de ses talents comme chef d'orchestre et compositeur.

Christian Graf commença sa carrière musicale à Rudolstadt, puis on retrouve sa trace au Pays-Bas où il se rendit, peut-être, lorsque son jeune frère, engagé dans l'armée allemande fut blessé lors d'une campagne dans ce pays.

La carrière musicale de Christian Graf au Pays-Bas est bien connue à partir de 1750, d'abord à Middelburg, puis à la cour de La Haye. Il est nommé compositeur de la cour et professeur de musique du prince.

Et desormais il adopta l'orthographe néerlandaise de son nom de famille, donc Graaf au lieu de Graf.

Lorsque Mozart, enfant, donna un concert à La Haye, en 1765, c'est Christian Graaf qui dirigeait l'orchestre qui l'accompagna.

Après une carrière bien réussie, il prit sa retraite en 1790, continuant à vivre à La Haye jusqu'à sa mort.

Les symphonies, concertos et musique de chambre de Graaf sont des œuvres agréables, évoluant du style ancien jusqu'au style rappelant les œuvres de Haydn.

Compositeur : **Johann Gottlieb GRAUN**

Date et lieu de naissance / mort : 27 octobre 1703 (Wahrenbrück, Allemagne)/ 28 octobre 1771 (Berlin)

Vie et œuvres :

Ce violoniste et compositeur, dont la vie et la carrière sont peu connues, à part le fait d'avoir été professeur de violon de l'un des fils Bach, ainsi que du violoniste et compositeur Franz Benda, et qu'il devint directeur musical de l'opéra de Berlin à partir de 1740. C'était un grand violoniste et un compositeur très apprécié.

Il composa 2 symphonies, une quinzaine de concertos pour divers instruments, ainsi que de la musique de chambre. Des oeuvres agréables à écouter et dont il existe des enregistrements.

Egalement connu fut son frère **Carl Heinrich Graun** (1704-1759), chanteur et compositeur de plusieurs opéras, ainsi que d'un concerto et d'une sinfonia.

Les oeuvres des frères Graun sont souvent très agréables, mais furent malheureusement délaissées après leur mort, notamment avec le succès des oeuvres de compositeurs plus récents à l'époque, comme Gluck.

Compositeur : **André-Ernest-Modeste GRETRY**

Date et lieu de naissance / mort :

8 février 1741 (Liège) / 24 septembre 1813 (Montmorency, près de Paris)

Vie et œuvres :

Son père, violoniste, l'initia à la musique et plus particulièrement au violon. Lors de son enfance, il fut un choriste très apprécié, puis, à l'adolescence il se lança dans la composition et ses talents furent rapidement remarqués. Après avoir composé une messe et quelques symphonies, le jeune homme obtint un prix lui permettant de passer quatre ans en Italie afin de perfectionner ses connaissances musicales. C'est là qu'il se passionna pour l'opéra et en particulier pour les œuvres de Pergolèse.

Après Rome, il fit un séjour en Suisse où il fit la connaissance de Voltaire, puis il arriva à Paris en 1767. Un an plus tard, il remportait un grand succès avec son opéra-comique *Le Huron*, sur livret de Marmontel tiré de L'ingénu, de Voltaire.

L'année suivante (1769), il remporta deux nouveaux succès avec les opéras-comiques *Lucile*, puis *Le tableau parlant*. Dès lors, Grétry dominera la vie musicale parisienne durant une vingtaine d'années, avec plus de 50 opéras dont un bon nombre de succès, et cela, malgré l'arrivée triomphale à Paris de Piccinni et de Gluck.

Grétry avait le don de combiner la langue française avec le style de l'opéra italien, ajoutant souvent dans ses opéras l'agrément d'un ballet, ce qui était au goût du public parisien. Beaucoup de ses opéras étaient également représentés ailleurs en Europe.

Un des meilleurs opéras-comiques de Grétry est *L'Amant jaloux ou Les fausses apparences* (1778).

Son immense succès durera jusqu'en 1786 lorsque son inspiration déclina, sans doute à la suite de la mort de trois de ses filles, puis l'arrivée de la Révolution. A partir de cette période, il n'écrivit pratiquement que quelques chants révolutionnaires de circonstance et surtout ses mémoires et réflexions sur la musique. Bien qu'il ne composait plus, il conservera longtemps sa réputation de grand compositeur d'opéras et en 1805 il fut décoré de la Légion d'honneur.

Sa mort en 1813 fut marquée par de funérailles grandioses à Paris et une importante cérémonie à Liège, ville à laquelle son cœur fut légué sous forme de relique qui fut scellée sous une statue érigée à sa mémoire.

Compositeur : **Pietro GUGLIENI**

Date et lieu de naissance / mort : 9 décembre 1728 (Massa Carrara - Italie) / 19 novembre 1804 (Rome)

Vie et œuvres :

Composa 103 opéras. En 1793, il fut nommé maître de chapelle à la basilique Saint-Pierre de Rome. Dès lors il ne composa que de la musique sacrée.

Compositeur : **Jacques Fromental HALEVY**

Date et lieu de naissance / mort : 27 mai 1799 (Paris) / 17 mars 1862 (Nice)

Vie et œuvres :

Son père était un juif venant d'Allemagne, ayant changé son nom Lévy en Halévy après son mariage et en s'établissant à Paris.

Jacques Halévy fit des études de musique au Conservatoire de Paris, où il eut parmi ses professeurs des compositeurs comme Berton, Méhul et Cherubini. Il devint lui-même un grand compositeur d'opéras.

Son premier opéra, *L'Artisan* est de 1827, puis *Le Batelier, de* la même année. Cette année là, il fut nommé professeur au Conservatoire.

Halévy poursuivra la composition d'opéras pratiquement jusqu'à la fin de sa vie. Le vrai succès commença lorsqu'il acheva l'opéra *Ludovic* que Hérold avait commencé mais interrompu par sa mort en 1833.Puis *La Juive* (1835) fut une grande réussite, y compris en Allemagne et en Autriche où cet opéra, traduit en allemand en 1836, eut un très grand succès.

Dès lors, pendant une longue période, les opéras et opéras comiques de Halévy, une quarantaine en tout, dominèrent la vie du théatre lyrique à Paris.

Notons également son influence sur ses élèves devenus de prestigieux compositeurs, tels que Gounod, ou encore Bizet, qui épousera par la suite la fille de Halévy.

Sa santé étant fragilisée, il se retira à Nice où il décéda en 1862.

Son neveu, Ludovic Halévy (1834-1908), s'associa plus tard à Henri Meillac et produisirent ensemble de nombreux livrets d'opéras et d'operettes très célèbres, signés Meillac et Halévy.

Compositeur : **Johann Adolf HASSE**

Date et lieu de naissance / mort :

mars 1699 (près de Hambourg) / 16 décembre 1783 (Venise)

Vie et œuvres :

Ayant appris la musique à Hambourg, il devint ténor à l'opéra de cette ville à l'âge de 19 ans. Puis il alla s'installer en Italie, se convertit au catholicisme, continua ses études de musique en travaillant avec Alessandro Scarlatti et composa de nombreux opéras qui eurent beaucoup de succès. En 1730, il épousa une italienne, chanteuse à l'opéra. Durant sa longue carrière musicale, ses œuvres trouvèrent également beaucoup de succès à travers l'Europe, notamment en Allemagne et en France où il fit de nombreux séjours.

Dans une lettre écrite à 15 ans à sa sœur, le jeune Mozart dit que les opéras de Hasse le fascinent et il ajoute qu'il vient d'apprendre par cœur presque tous les arias du dernier opéra *Il Ruggiero* de ce compositeur. En effet, les œuvres de Hasse sont souvent très intéressantes. Il composa quelque 62 opéras, entre 1721 et 1771, dont :
Antonio e Cleopatre (1725), *Tigrane* (1729), *Catone in Utica* (1731), *Demetrio* (1732), *Antigono* (1743), *Arminio* (1745), *Adriano in Siria* (1752), *Zenobia* (1761), *Il trionfo di Clelia* (1762), *Partenope* (1767), *Piramo e Tisbe* (1768), *Il Ruggiero* (1771).

Il composa également 11 oratorios, une quinzaine de messes et 7 requiem ainsi qu'une centaine de cantates et autres chants sacrés.

Ses œuvres comprennent aussi un grand nombre de sonates pour clavecin, ainsi que des trios et quatuors et une trentaine de concertos.

Compositeur : **Johann Wilhelm HÄSSLER**

Date et lieu de naissance / mort :

29 mars 1747 (Erfurt, Allemagne) / 29 mars 1822 (Moscou)

Vie et œuvres :

Après avoir appris la musique avec son oncle, organiste, il commença lui même sa carrière musicale à 15 ans comme organiste à Erfurt. Il fut rapidement très apprécié dans cette ville puis dans plusieurs villes allemandes.

Mozart alla l'écouter à Dresde en 1789, mais apparemment en fut déçu.

Hässler passa deux ans à Londres puis se rendit à Moscou où il eut beaucoup de succès et s'y installa définitivement, se consacrant essentiellement à l'enseignement de la musique.

Hässler composa de nombreuses sonates et un peu de musique de chambre.

Compositeur : **Georg Friedrich HÄNDEL**

Date et lieu de naissance / mort :

23 février 1685 (Halle, Allemagne) / 14 avril 1759 (Londres).

Vie et œuvres :

Fils de Georg Händel (s'écrit également Haendel), barbier-chirurgien, mort en 1697, le jeune Georg Friedrich montra une passion pour la musique et prit des leçons auprès de l'organiste de l'église de son lieu de naissance. Puis il commença des études de droit à l'université de Halle, comme l'avait souhaité son défunt père, mais il abandonna très vite et devint titulaire de l'orgue de la cathédrale de la ville.

Il s'engagea ensuite comme claveciniste à l'opéra de Hambourg; il se lia d'amitié avec le musicien-compositeur Matthesson (1681-1764), dont la connaissance allait lui être très utile par la suite malgré une petite dispute lors d'un concert, qui se termina par un duel qui a failli lui coûter la vie ! Après avoir fait la paix avec son ami, il créa son premier opéra *Almira*, en 1705, qui fut très apprécié.

L'année suivante, il se rendit en Italie et y resta jusqu'en 1710, faisant la connaissance de nombreux musiciens et compositeurs, donnant des concerts et écrivant des opéras.

Après un passage à Halle, il décida d'aller à Londres où il créa un opéra *Rinaldo* (1711) qui obtint un grand succès.

Händel voyageait avec une facilité étonnante pour l'époque. Ainsi, après un engagement à la cour de Hanovre, on le retrouve encore une fois à Londres en 1712 où il commence à bien connaître des personnes influentes. Il compose pour la reine Anne Stuart et reçoit pour cela une bonne rémunération.

Sa relation avec la cour fut compromise à la mort de la reine en 1714, d'autant plus que le successeur d'Anne Stuart fut le prince Georg de la cour de Hanovre d'où Händel était parti pour Londres deux ans plus tôt, rompant brutalement son engagement, sans les notifications d'usage.

Notons, d'ailleurs, que la succession de la reine Anne par un prince Allemand était un événement inattendu. Car en fait, Georg de Hambourg n'était pas un héritier direct de la cour du Royaume-Uni. Mais les autres prétendants, plus proches, furent écartés car ils étaient catholiques. Ainsi, Georg fut couronné George 1er du Royaume-Uni.

Les griefs à l'encontre de Händel furent rapidement oubliés et le compositeur put bientôt rétablir ses bonnes relations avec la cour. Sa composition *Water Musique* fut créée, en partie, en 1717, pour agrémenter une promenade favorite du roi le long de la Tamise.

En 1719, George Friderik Handel, comme on l'appelait en Angleterre, fut l'un des créateurs de la Royal Academy of Music. Une tache essentielle de cette institution était de recruter et former des chanteurs et musiciens pour les opéras qui étaient alors en italien et dont Händel était devenu le plus grand maître au Royaume-Uni.

En 1727, il devint le compositeur officiel de la cour et obtint la nationalité britannique.

Par ailleurs, à cette époque le public commençait à manifester une certaine lassitude pour l'opéra italien, et lorsqu'en 1728 le poète anglais John Gay produisit son *The Beggar's Opera* dans lequel son texte lu ou chanté sur des airs populaires anglais menait en dérision l'opéra italien, cela eut un immense succès.

Händel mit longtemps pour réagir, et il connut de sérieuses difficultés, avant de comprendre qu'il fallait qu'il change lui-même d'orientation dans la création d'opéras.

Enfin, en 1732, il se lança dans un autre genre musical : les oratorios, en anglais, chantés par des troupes anglaises. Et il renoua aussitôt avec le succès.

Il se perfectionna progressivement dans ce nouveau style, atteignant un sommet avec *Le Messie*, composé en 1741 à l'occasion d'une invitation qu'il avait reçue d'Irlande. L'accueil du public irlandais fut considérable.

Mais il fallut quelques années encore avant que ce chef-d'œuvre n'obtienne un triomphe à Londres aussi. Dès lors, la gloire de Händel fut immense.

En 1751, en composant un autre grand oratorio, *Jephte,* Händel dut interrompre le travail suite à des troubles de la vision. L'opération de la cataracte, qu'on lui pratiqua l'année suivante, échoua et il perdit totalement la vue !

Malgré une excellente réputation, ce chirurgien avait aussi échoué, deux ans plus tôt, l'opération du célèbre contemporain de Händel, Jean-Sébastien Bach, lui aussi atteint de la cataracte! Bach, très affaibli, perdra même la vie quelques mois plus tard, en 1750.

Pour ce qui concerne Händel, la cécité ne l'empêcha pas de continuer ses activités durant les six dernières années de sa vie, jouant en public l'orgue et le clavecin, et composant de nouvelles œuvres en se faisant aider par un de ses élèves.

Il est mort à 74 ans et fut inhumé à l'Abbaye de Westminster, conformément à ses souhaits, et en présence de très nombreux admirateurs.

Händel fait partie des quelques plus grands compositeurs de musique classique. Mozart et Beethoven avaient, eux-mêmes, une très grande admiration pour ses œuvres.

Le répertoire des œuvres de Händel porte la numérotation HWV (abréviation de : Händel Werke Verzeichnis). Les 612 numéros commencent par les opéras (de 1 à 42), puis autres musiques de scène (42 à 45), oratorios (46 à 71), ... se terminant par la musique instrumentale, dont les concertos (287 à 335), diverses œuvres pour orchestre (336 à 356), musique de chambre (357 à 425), œuvres pour clavecin (426 à 612).

Parmi les œuvres les plus connues de Händel, on peut noter :

- *Le Messie* (HWV 56, de 1742)
- *Water Music* (HWV 348, 349 et 350, de 1717)
- *Musique pour feu d'artifice* (HWV 351, de 1749)
- Cantate sacrée *Dixit Dominus* (HWV 232, de 1707)

De nombreuses autres œuvres sont également au répertoire des orchestres et des clavecinistes.

De la quarantaine d'opéras de Händel, on connaît bien :

- *Rinaldo* (opéra en trois actes, de 1711), puis repris avec modifications en 1717, puis 1731; Mais la plupart des enregistrements récents reviennent à la version de 1711.
- *Alcina* (opéra en trois actes, de 1735).

Compositeur : **Joseph HAYDN**

Date et lieu de naissance / mort :

1er avril 1732 (Rohrau, en Autriche - environ 60km au sud-est de Vienne) / 31 mai 1809 (Vienne)

Vie :

Fils de Mathias Haydn, qui exerçait le métier de charron, mais était aussi juge dans ce village autrichien nommé Rohrau, car c'était un homme sérieux, honnête et rigoureux. Il épousa en 1728 Anna-Maria Koller. Après la naissance d'une fille, Franziska, le deuxième enfant fut Joseph. Ils eurent ensuite dix autres enfants dont cinq allaient mourir en bas âge.

Notons que dans cette région, le nom Haydn est assez répandu, et l'on trouve fréquemment aussi la variante Haiden, ce qui donne l'occasion de confusions et d'erreurs d'orthographe.

Mathias Haydn appréciait la musique et avait appris à jouer de la harpe. Sa maison était un lieu où la musique était fréquemment jouée. Dès l'âge de six ans, Joseph Haydn se montra très intéressé par la musique et chantait admirablement. Ce don fut remarqué par un cousin de Mathias Haydn qui était maître d'école et maître de chapelle dans un bourg voisin. Joseph Haydn fut amené par ce cousin afin de lui donner une instruction générale et musicale. Là il eut l'occasion de se familiariser avec plusieurs instruments, dont les timbales, instruments qu'il arrivait à maîtriser très correctement. Plus tard, Joseph Haydn utilisera fréquemment les timbales dans ses symphonies.

A huit ans, l'enfant fut remarqué par Georg Reutter, compositeur et maître de chapelle de la cathédrale de Vienne. Celui-ci l'emmena et le garda pendant près de dix ans dans cet institut où on ne lui apporta pratiquement aucune éducation à part l'apprentissage et la maîtrise du violon. Ainsi, après avoir bien profité de sa jolie voix d'enfant, on le congédia et l'abandonna à la rue à dix-huit ans!

Un ténor nommé Spangler, de la chorale de la cathédrale, eut pitié de voir ce jeune homme errer dans les rues et lui proposa un abri fort modeste au grenier de sa maison. Ainsi, Joseph Haydn commença sa vie adulte dans une grande misère, essayant de gagner son pain quotidien en jouant du violon dans les rues, puis dans les bals. Il donnait aussi quelques leçons de musique. En cette période, il songea également à une carrière ecclésiastique, passa alors quelques jours dans un monastère pour s'apercevoir enfin que cela ne lui conviendrait pas.

Il continua alors sa vie difficile de jeune musicien pauvre, dans une Vienne qui offrait, cependant, quelques maigres possibilités, surtout aux musiciens capables de composer une musique légère, des Divertissements, des Nocturnes, etc..

Joseph Haydn n'avait reçu aucune formation de compositeur, bien qu'il se sentit capable de composer et en avait fait quelques essais pour lui-même dès son enfance. L'occasion se présenta donc de composer pour gagner sa vie. Il se mit à composer des Divertissements, puis aussi des quatuors à cordes.

La rencontre avec Buchholz, un mécène, permit à Haydn d'améliorer ses conditions de vie misérables à Vienne. Il eut la possibilité de s'instruire par quelques bonnes lectures et d'acheter des partitions, entre autres de la musique de Carl-Philippe-Emmanuel Bach qui l'inspira profondément.

Le hasard voulut que dans son nouveau logement il eut pour voisin le poète italien Métastase. Celui-ci était bien introduit à la cour et fréquentait les meilleurs musiciens de Vienne. Haydn profita de cette opportunité pour se lancer à vingt ans dans une carrière musicale qui, dès lors, sera exceptionnelle. Sa musique fut immédiatement très bien accueillie. Quelques-unes de ces premières œuvres ont probablement été égarées.

En 1760, à 28 ans, Haydn avait une fonction rémunérée comme musicien auprès d'un Comte. Il épousa alors Maria-Aloysia qui avait quatre ans de plus que lui, mais il se rendra compte rapidement de son erreur car celle-ci ne partageait absolument pas sa passion pour la musique. Un mariage raté qu'il supportera jusqu'à la mort de son épouse quarante ans plus tard!

L'année suivante, le Comte qui l'employait perdit sa fortune et dut renoncer à ses musiciens. Haydn eut la chance de trouver aussitôt un emploi auprès du Prince Esterhazy qui résidait à Eisenstadt, aujourd'hui en Autriche, mais à l'époque en Hongrie, non loin de Vienne. Le Prince, qui aimait la musique et jouait lui-même le violon, avait un petit orchestre. Il cherchait un bon musicien et compositeur pour seconder son maître de chapelle. Le contrat très strict imposait à Haydn des règles de conduite, d'obéissance et de discrétion, lui interdisant aussi toute copie ou toute transmission sans autorisation préalable des œuvres qu'il composerait.

Cependant, les premières symphonies de Haydn connurent un tel succès qu'elles furent copiées et éditées en Autriche et en France à son insu!

Le Prince Esterhazy mourut en 1762. Son frère Nicolas reprit alors le domaine et conserva les musiciens et le personnel. Il construisit un magnifique château (le château d'Esterhaz) comprenant aussi une salle pour des représentations d'opéras.

Le salon de musique du château était un lieu favori du prince où il aimait écouter de la musique de chambre. D'autant plus que Haydn écrivait des quatuors à cordes de plus en plus beaux, jusqu'à devenir le maître incontesté dans ce genre musical.

Ainsi, Haydn était très bien considéré du Prince et ne manquait de rien pour sa vie quotidienne. Durant des années, il logea avec sa femme dans une chambre confortable dans une partie du château réservée aux musiciens. C'était un privilège, car seuls quelques musiciens étaient autorisés à vivre au château en famille. Les autres ne pouvaient voir leurs familles que durant les congés, c'est-à-dire les périodes où le prince n'avait pas besoin de leur présence.

Or ces périodes étaient parfois trop rares ou espacées. Ainsi, en 1772, la période d'activité au château fut particulièrement longue et les musiciens avaient hâte d'en finir pour aller retrouver leurs familles. Pour exprimer au prince, d'une manière élégante, leur exaspération, Haydn composa la "*Symphonie des adieux*" dont le dernier mouvement se termine par le départ progressif des musiciens, chacun d'eux éteignant la bougie qui éclairait (à l'époque) son pupitre. Cela fit un grand effet sur le prince, qui comprit parfaitement la signification et accorda aux musiciens le congé tant attendu.

De 1772 à 1782, le château d'Esterhaz connut une période grandiose, à l'image de Versailles. Les réceptions et fêtes se succédaient, réunissant régulièrement des convives de Hongrie et d'Autriche, mais aussi d'autres pays. La musique y tenait évidemment une place très importante et on appréciait beaucoup les œuvres de Haydn. C'était ainsi que la renommée de Haydn s'est répandue à travers l'Europe. A 50 ans, il jouissait désormais d'une grande liberté, pouvant aussi composer pour des commandes extérieures, notamment de Vienne et faire éditer ses œuvres à Vienne et à Paris.

A partir de 1783, Haydn était fréquemment à Vienne, bien qu'il continuât à composer certaines œuvres pour Esterhaz, par exemple "*Armide*", l'opéra le plus connu du compositeur. D'ailleurs, il était encore au service du prince Esterhazy et le restera jusqu'à la mort du prince en 1790.

A Vienne, en 1785, la franc-maçonnerie remportait un grand succès auprès des personnalités de la ville. C'est ainsi que Haydn, entraîné par des amis, devint lui-même franc-maçon. Cette même année fut la rencontre avec Mozart. Il se noua une grande amitié entre les deux compositeurs qui déjà s'accordaient une admiration réciproque. Et, contrairement à d'autres compositeurs contemporains, Haydn admirait ouvertement les œuvres de Mozart et n'a jamais manifesté de jalousie envers son très jeune concurrent.

Après avoir transmis au jeune Mozart son expérience musicale, Haydn a certainement subi à son tour la magie opérée par la musique de Mozart. Ainsi ses œuvres composées à partir de cette période sont d'une qualité remarquable.

En 1790, Haydn étant maintenant totalement libre, alla s'installer à Vienne, mais il reçut quelques mois plus tard un contrat intéressant pour une série de concerts à Londres. Ses amis, y compris Mozart voulurent le dissuader d'accepter craignant que ce long voyage serait trop fatiguant pour un homme âgé de presque 60 ans (un grand âge pour l'époque)! Mais Haydn était bien décidé et quitta Vienne pour Londres le 15 décembre, sous le regard triste des amis et surtout de Mozart, tous venus assister au départ de "papa Haydn".

Mais Haydn arriva à Londres sans difficultés, eut immédiatement un grand succès et y resta jusqu'en juin 1792. Durant ce séjour, il eut l'immense tristesse d'apprendre la mort de son jeune ami Mozart.

Ayant gardé un excellent souvenir de l'Angleterre, Haydn y retournera début 1794 pour y passer de nouveau environ 18 mois, remportant toujours beaucoup de succès et fut également très apprécié par la famille royale.

Les séjours de Haydn à Londres nous ont laissé de grandes œuvres comme les douze symphonies "londoniennes", dont la 104 (sa dernière symphonie), ainsi qu'une remarquable symphonie concertante.

A son retour définitif à Vienne en 1795, inspiré par l'hymne national "God save the King (ou the Queen)" Haydn proposa un hymne national pour son pays, l'Autriche. On le joua pour la première fois au début d'un concert officiel, à Vienne, au moment où l'Empereur entrait dans la salle. Les paroles de l'hymne étaient étroitement liées à la gloire de François 1er, devenu empereur d'Autriche en 1804. Après la mort de cet empereur, on abandonna donc l'hymne, créant d'autres en fonction des successeurs de François 1er! Ce n'est que des dizaines d'années plus tard, lorsque l'Allemagne essayait de former un Empire (absorbant et réunissant tous les petits Etats allemands indépendants de l'époque) qu'on a pensé utile d'avoir un hymne national pour les Allemands. Les paroles furent écrits, et comme l'Autriche n'utilisait plus la composition de Haydn, c'est l'Allemagne qui l'adopta définitivement pour son hymne national !

Lors de l'occupation de l'Autriche par les armées de Napoléon, Haydn vivait loin de Vienne, continuant à composer et à participer aux concerts dans des régions peu concernées par les contraintes et épreuves de la guerre ou de l'occupation.

L'occupation française se termina en 1798. Haydn s'installa de nouveau à Vienne où il composa un oratorio "*La Création*", commande venant initialement de Londres où l'on souhaitait avoir une grande œuvre inspirée des oratorios de Haendel. Ce fut pour Haydn l'occasion de développer un nouveau style qui va marquer la dernière partie de sa vie. Mais, la première exécution de "*La Création*" eut lieu non pas à Londres, mais à Vienne, en privé, en avril 1798, dirigée par Haydn et avec la participation de Salieri au clavier; elle eut aussitôt un immense succès. Cependant, elle ne fut exécutée en public qu'une année plus tard, suivie d'une exécution tout aussi triomphale à Paris.

Fort de ce succès, Haydn travailla beaucoup sur un nouvel oratorio "*Les Saisons*". Contrairement à l'oratorio précédent, celui-ci ne porte pas sur un thème religieux. L'œuvre fut achevée en 1801 et connaîtra un succès dès les premières représentations cette même année.

Ce chef-d'œuvre de Haydn est le couronnement de sa vie de compositeur exemplaire, après avoir laissé au monde musical des quatuors remarquables, des symphonies qui figureront toujours dans les répertoires de tous les orchestres, des œuvres d'un style personnel évoluant sans cesse avec l'expérience et l'environnement musical de l'époque, parallèlement aux œuvres de Mozart, puis des premières grandes œuvres de Beethoven.

Rappelons qu'environ douze ans plus tôt, le jeune Beethoven, en arrivant à Vienne, à 21 ans, avait pris quelques leçons de Haydn, compositeur alors très connu et très respecté de tous. Mais la différence d'âge et de caractère était trop grande pour qu'il y ait alors une amitié entre les deux hommes et les leçons furent interrompues assez rapidement. Cela n'empêchera pas au vieux maître de reconnaître immédiatement en ce jeune homme un successeur possible du grand Mozart.

En 1805, Haydn a 73 ans; c'est un homme fatigué et ne compose plus depuis deux ans. La rumeur annonce même sa mort, ce qui provoque immédiatement une très grande émotion dans le monde musical européen. Mais "papa" Haydn était bien vivant. On rapporte qu'il fut amusé et très touché par ces hommages et sentiments sincères de regrets de sa "disparition" dont il eut les échos!

Malgré la faiblesse de sa santé, Haydn s'intéressait encore à tout et recevait beaucoup de visites. Il conservera la vivacité de l'esprit jusqu'au début des maux de tête et perte de conscience cinq jours avant sa mort, le 31 mai 1809.

Oeuvres de Joseph Haydn :

Durant sa longue carrière musicale, Joseph Haydn composa un très grand nombre d'œuvres. Beaucoup de celles-ci n'étaient ni numérotées par Haydn, ni datées. D'autre part, il avait plusieurs éditeurs et c'était parfois ces éditeurs qui ajoutaient un numéro à l'œuvre éditée. Tout cela rendit difficile la numérotation exacte et chronologique des œuvres de Haydn après sa mort.

Beaucoup plus récemment, Antony van HOBOKEN (1887 - 1983) se consacra à la classification des œuvres de J. Haydn, dans trois volumes édités entre 1957 et 1978. Aussi préfère-t-on maintenant utiliser le classement Hob. plutôt que l'ancien classement imprécis et incomplet par numéros d'opus.

Le classement de Hoboken est par catégorie ; par exemple, I pour les symphonies, VII pour les concertos pour instruments divers sauf piano, XVIII pour les concertos pour piano, XXI pour les oratorios, etc.. Et dans chaque catégorie les œuvres sont numérotés 1, 2, 3, etc..

Joseph Haydn, déjà reconnu de son vivant comme un des plus grands compositeurs, fait partie des principaux compositeurs encore très appréciés jusqu'à nos jours. Nombreuses œuvres de Haydn sont restées définitivement dans les répertoires classiques des orchestres et formations musicales. Rappelons les œuvres les plus connues :

• Symphonies : de 1759 à 1795, Haydn composa 104 symphonies. Celles que l'on entend le plus fréquemment sont :

la symphonie n°45 dite des adieux (1772), la symphonie n°73 dite la chasse (1781), les symphonies 82 à 87 (1785 et 1786) dites les parisiennes car Haydn les a composées pour une commande venant de Paris, la symphonie n°92 dite "Oxford" (1788) composée en préparation de son voyage en Angleterre, la n°94 dite "surprise" (1791), n°97 (1792), n°99 (1793), n°100 dite "militaire" (1794), n°101 dite "l'horloge" (1794), n°103 dite "roulement des timbales" (1795) et la dernière, n°104 dite "Londres" (1795).

• Concertos : les célèbres concertos pour trompette en mi bémol majeur (1796) et pour violoncelle en ré majeur (1783) sont des œuvres essentielles pour tous les solistes de ces instruments.

• les six quatuors du soleil, op.20, Hob. III: 31 à 36, (1772)

• les six quatuors russes, op.33, Hob. III: 37 à 43, (1781)

- les sept quatuors des Sept paroles du Christ, op.51, Hob.III: 50 à 56, (1785)
- le quatuor l'Alouette, op.64, n°5, Hob.III: 63, (1790)
- le quatuor Les quintes, op.76, n°2, Hob. III: 76, (1799)
- le dernier quatuor, op.103, Hob. III: 83, (1803)
- l'oratorio La Création (1798); titre original "die Schöpfung"
- l'oratorio Les Saisons (1801); titre original "die Jahreszeiten"
- des opéras : parmi une vingtaine, les plus connus sont : *Acis (Acide) e Galatea* (1762), *La Canterina* (1766), *L'infedelta delusa* (1773) *L'Incontro improviso* (1775), *Il Mondo della Luna* (1777), *La Vera Costanza* (1778), *L'Isola disabitata* (1779), *La Fedelta premiata* (1780), *Orlando Paladino* (1782), *Armida* (1783), *Orfeo ed Euridice* (1791). Tous ces opéras ne sont pas aux répertoires réguliers actuels, mais provoquent beaucoup d'intérêt lorsqu'ils sont repris de temps à autre.
- des messes : 14, composées entre 1749 et 1802. Les 6 derniers composées à partir de 1796 sont de très belles œuvres. On connaît en particulier la *Nelsonmesse*, en ré mineur (1798) et les 3 dernières messes en si mineur : *Theresienmesse* (1799), *Schöpfungsmesse* (1801) et *Harmoniemesse* (1802)
- des sonates pour clavier : Haydn en composa environ 62, les premières destinées au clavecin, puis pour le piano. Plusieurs de ces sonates sont d'une très grande qualité et étaient très appréciées de Beethoven. La n° 62, Hob. 52 (1794) est particulièrement étonnante et annonce déjà les grandes sonates de Beethoven. Son dernier mouvement, rapide, commence ainsi :

Compositeur : **Michael HAYDN**

Date et lieu de naissance / mort :

14 septembre 1737 (Rohrau, Autriche) / 10 août 1806 (Salzbourg)

Vie et œuvres :

Comme son frère Joseph (qui était son aîné de 5 ans), Michael Haydn fut amené vers l'âge de huit ans à Vienne pour s'intégrer à la chorale de la cathédrale et à son école de musique. A l'adolescence, lorsque ces jeunes élèves perdaient leur belle voix, on ne les gardait plus dans cet établissement et ces jeunes traversaient alors quelques années très difficiles en attendant de pouvoir commencer une carrière musicale d'adulte.

A 20 ans, il fut engagé comme directeur musical par un évêché de Hongrie. Là il commença aussi à composer, notamment des messes, un Te Deum et des symphonies.

A partir de 1762, il s'installa à Salzbourg où il fut engagé comme directeur musical par l'archevêque Sigismund Schrattenbach qui avait une centaine de musiciens à son service. Là, il fit la connaissance et se lia d'amitié avec la famille Mozart. Wolfgang était encore un jeune enfant mais il impressionnait Michael Haydn par un talent exceptionnel au clavier et une facilité étonnante à la composition musicale.

On sait que Mozart suivait avec attention les compositions de Michael Haydn et faisait des copies des passages qui l'intéressaient plus particulièrement.

En 1768, M. Haydn épousa la fille d'un organiste, elle-même chanteuse à la chorale qu'il dirigeait. Ils n'eurent qu'une fille, mais qui décédera peu après sa naissance.

A la mort de l'archevêque, en 1771, il composa un impressionnant Requiem (Pro defuncto Archiepiscopo Sigismundo). Il continua à composer des messes et autres œuvres religieuses, comme le demandait le nouvel archevêque Colloredo (avec lequel Mozart allait avoir tant de problèmes).

En 1786, il reçut une commande d'Espagne pour une messe, la Missa hispanica, qui sera également une de ses grandes œuvres.

Il composa aussi de nombreuses symphonies, plusieurs concertos, des oratorios, un opéra *Andromeda e Perseo* (1787) et autres œuvres lyriques, sans oublier les danses, les marches et la musique de chambre, notamment les quatuors à cordes.

Michael Haydn était également apprécié pour ses leçons de musique. Diabelli et Weber furent parmi ses élèves.

Contrairement à Mozart, il put vivre en paix à Salzbourg, au service de l'Archevêque jusqu'à la destitution de Colloredo en 1800 lors de l'occupation française. Il composera encore quelques rares messes et sa mort en 1806 l'empêchera d'écrire un dernier Requiem qu'il avait commencé.

Compositeur : **Ferdinand HEROLD**

Date et lieu de naissance / mort :

28 janvier 1791 (Paris) / 19 janvier 1833 (Paris)

Vie et œuvres :

Ferdinand Hérold est issu d'une famille de musiciens. Son grand-père, Nicolas Hérold était organiste à Seltz (près de Strasbourg). Son père, François-Joseph (1755-1802), qui était pianiste, vécut à Paris dès 1781; il fut aussi compositeur de quelques œuvres pour piano.

En 1807, Ferdinand Hérold se présentait déjà comme un excellent pianiste. L'année suivante, il entra au Conservatoire de Paris où il compléta l'apprentissage de la composition et fut élève de Méhul.

En 1812 il obtint le Prix de Rome pour sa composition d'une cantate.

Durant son séjour en Italie, il composa, entre autres, ses troisième et quatrième concertos pour piano, ses deux symphonies et 3 quatuors à cordes.

Il s'ensuivit une période d'instabilité politique où il dût fuir l'Italie, faire un séjour à Vienne en 1815, avant de s'installer à Paris.

Là, en collaboration avec Boieldieu, il écrivit en 1816 un opéra nommé *Charles de France* ; ce fut un grand succès.

Dès lors, Hérold devint connu comme compositeur d'opéras, essentiellement d'opéras comiques, et il en écrira une quinzaine jusqu'à sa mort, de tuberculose, à 42 ans. Son dernier opéra, *Ludovic*, fut achevé après sa mort, par le compositeur Halévy.

Parmi ses œuvres importantes, il y a aussi la création de 4 ballets, écrits dans la période de 1827 à 1830.

Compositeur : **Johann Wilhelm HERTEL**

Date et lieu de naissance / mort :

9 octobre 1727 (Eisenbach, Allemagne - proche de la Suisse) / 14 juin 1789 (Schwerin, Allemagne, région de Hambourg).

Vie et œuvres :

Fils du violoniste et compositeur Johann Christian Hertel (1699/1754), il montra, dès son enfance, des dons exceptionnels pour la musique et accompagnait souvent son père au clavecin. Il apprit aussi le violon, notamment avec Franz Benda et s'initia à la composition avec C.P.E. Bach.

Comme compositeur, on appréciait beaucoup ses symphonies, ses concertos et ses œuvres vocales. Il publia aussi quelques écrits sur la musique, ainsi que deux autobiographies.

Compositeur : **William (Friedrich) HERSCHEL**

Date et lieu de naissance / mort :

15 novembre 1738 (Hanovre) / 25 août 1822 (Londres)

Vie et œuvres :

Né Friedrich Willhelm Herschel, à Hanovre en Allemagne, il fut initié à la musique par son père, Isaac, qui jouait lui-même du violon et du basson et dirigeait l'orchestre militaire à Hanovre. Le jeune friedrich Wilhelm intègre cet orchestre dès ses 4 ans, jouant aussi bien le violon que le hautbois, tot en s'intéressant beaucoup à la science !

A 18 ans, il part avec son régiment qui est envoyé au Royaume-Uni pour soutenir ce pays suite à la menace d'un invasion française. Il se plait beaucoup à Londres, et y retournera dès sa libération de l'armée. Là Wilhelm devient William. Il trouve du travail facilement, d'abord à Londres, puis à Durham, puis Edimbourg, à Newcasle, à Leeds, puis enfin à Bath, où pendant 10 ans il est organiste et s'occupe de concerts, mais aussi d'astronomie !

Sa jeune soeur, également passionnée d'astronomie, vient le rejoindre à Bath où ils font ensemble des découvertes intéressantes du ciel qu'ils observent avec le téléscope local. Ils découvrent notamment la planète Uranus.

Le roi George III se passionna à leur travaux et les installa à Slough, près de Londres, apportant son soutient pour la construction d'un téléscope géant, achevé en 1789.

Le Régent, futur George iV, lui conféra en 1788 le titre de Chevalier. On le nomma dès lors Sir William Herschel. Il demeura un astronome respecté, jusqu'à sa mort à 83 ans.

Ses oeuvres musicales, 24 symphonies, de nombreaux concertos, étaient alors déjà oubliées, et jusqu'à récemment. Il y a maintenant des formations musicales qui s'y inéressent, heureusement, et nous font découvrir des oeuvres bien agréables à écouter.

Compositeur : **Henri (Heinrich) HERTZ**

Date et lieu de naissance / mort :

6 janvier 1803 (Vienne, Autriche) / 5 janvier 1888 (Paris)

Vie et œuvres :

Son éducation musicale, commencée très jeune, se poursuivit au Conservatoire de Paris à partir de l'âge de 14 ans . Il devint un virtuose du piano et ses concerts furent très appréciés lors de ses nombreux voyages à travers l'Europe, ainsi que sur le continent américain qu'il parcourut entre 1845 et 1851. Il écrivit plus tard un récit intitulé "Mes voyages en Amérique".

Au retour de ses voyages il se lança dans la fabrication de pianos, entreprise d'abord désastreuse, puis connaissant enfin le succès après un prix remporté à l'exposition de Paris de 1855.

Hertz fut aussi à l'origine de l'Ecole Spéciale de Piano.

Il composa 8 concertos pour piano, et de nombreuses pièces pour piano qui furent beaucoup jouées dans les salons parisiens de l'époque.

Ses exercices pour le piano furent également beaucoup utilisés.

Compositeur : **Friedrich Heinrich HIMMEL**

Date et lieu de naissance / mort :

20 novembre 1765 (Treuenbrietzen, petite ville proche de Berlin) / 8 juin 1814 (Berlin)

Vie et œuvres :

Il apprit le piano très jeune et se consacra à la musique tout en faisant quelques études de théologie à Potsdam (près de Berlin).

A 21 ans, son talent musical fut remarqué par le roi Friedrich Wilhelm II qui l'envoya se perfectionner à Dresde. A son retour à Berlin, quatre ans plus tard, il présenta des compositions de lui, notamment un oratorio *Isacco figura del redentore* (1792), sur des paroles de Metastase. La qualité de l'œuvre incita le roi à l'envoyer en Italie afin de l'initier à la composition d'opéras. Il en résultera plusieurs œuvres lyriques, notamment : *Il primo navigatore* (Venise, 1794), *La morte di Semiramide* (Naples, 1795), *Alessandro* (St Petersbourg, 1799), *Vasco de Gama* (Berlin, 1801), *Der Kobold* (Vienne, 1813).

Himmel composa aussi quelques concertos pour piano, de la musique de chambre et des sonates et autres pièces pour piano.

Il était connu pour son élégance et ses bonnes manières qui plaisaient beaucoup à la cour, malgré, dit-on, sa tendance à abuser de l'alcool.

Compositeur : **Ernst Theodor Amadeus HOFFMANN**

Date et lieu de naissance / mort :

24 janvier 1776 (Königsberg) / 25 juin 1822 (Berlin)

Vie et œuvres :

Königsberg, ville située sur la mer Baltique, fut cédée par l'Allemagne à la Russie en 1945 et s'appelle dès lors Kaliningrad. Le père, Christoph Hoffmann était un juge important dans cette ville. Il se sépara de sa femme lorsque Ernst avait deux ans. L'enfant fut élevé par sa mère, sa grand mère et surtout son oncle qui lui assura une éducation complète y compris la musique. Après avoir terminé des études de droit, il s'installa à Berlin où il se passionna pour les musées, la peinture, mais aussi le théâtre et l'opéra, il fit la connaissance de Weber et se mit à composer lui-même.

En 1800, il fut envoyé, en tant que magistrat, à Poznan, ville polonaise qui, durant ces années là, était sous domination allemande. A Poznan, il composa une œuvre vocale à l'occasion de la fête du Nouvel an et ce fut sa première œuvre interprétée en public. Puis, sa carrière juridique fut compromise lorsqu'on découvrit les caricatures qu'il dessinait (avec beaucoup de talent) des hommes influents du moment. A Varsovie, il trouva une atmosphère favorable dans le domaine musical et eut l'opportunité de monter un opéra de sa composition, *Die lustigen Musikanten* (1805). Le succès de cette œuvre lui permit de se consacrer davantage à la musique et devint chef d'orchestre, dirigeant ses œuvres, mais aussi d'autres, comme les premières symphonies de son illustre contemporain, Beethoven. Les œuvres de Mozart ont également eu une grande importance dans toute sa musique. On l'entendait aussi comme soliste dans des concertos pour piano.

En cette période il composa également trois messes (dont deux égarées), une symphonie, des sonates et un peu de musique de chambre.

Cependant, ses conditions de travail à Varsovie se dégradèrent avec les guerres napoléoniennes. En 1808, Hoffmann essaya sa chance à Berlin, mais sans grand succès; il dut se contenter de donner des leçons de piano et de chant. Après avoir essayé sa chance dans d'autres villes, notamment à Bamberg et Dresde, il retourna à Berlin en 1817 où il trouva, cette fois, beaucoup de succès auprès des éditeurs, non pour sa musique, mais pour ses écrits littéraires, principalement des petites histoires imaginaires. D'autre part, ses écrits sur la musique, notamment ses commentaires sur les symphonies toutes récentes de Beethoven, furent lus avec grand intérêt par les musiciens de l'époque.

Il avait encore de nombreux projets de littérature et de musique, interrompus par la mort qui le frappa relativement jeune.

Parmi les 23 œuvres lyriques de Hoffmann, plusieurs ont été égarées, probablement détruites dans un incendie à Berlin. Son opéra *Undine* (1816), une des dernières œuvres, est très intéressant. Par ailleurs, ses écrits littéraires ont inspiré, plus tard, plusieurs compositeurs qui en ont fait des sujets d'opéra, ou de ballet, comme par exemple *Les contes d'Hoffmann* d'Offenbach (1881), *Copélia* de Delibes (1870), etc..

Notons qu'un autre Hoffmann, compositeur de chants et poète, a vécu à cette période; il s'agit de **August Hoffmann von Fallersleben** (1798 - 1874). C'était un ami des frères Grimm et écrivit lui-même des poèmes et des chants pour enfants. Il est aussi l'auteur de *Das Lied des Deutschen* (1841), sur un air de Haydn, qui deviendra plus tard l'hymne national de l'Allemagne.

Compositeur : **Franz HOFFMEISTER**

Date et lieu de naissance / mort :

12 mai 1754 (Rothenburg am Neckar) / 9 février 1812 (Vienne)

Vie et œuvres :

Bien qu'il soit né dans une petite ville du sud de l'Allemagne, Franz Hoffmeister est connu comme un éditeur et compositeur viennois. Car il habita la capitale autrichienne dès son adolescence lorsqu'il y fit ses études de droit tout en s'intéressant beaucoup à la musique. Il se lança dans la composition et publia lui-même, en 1783, ses premières œuvres, notamment deux symphonies, lorsqu'il créa à Vienne une maison d'édition musicale.

La musique de Hoffmeister était très appréciée de son temps. Ses concertos pour flûte sont très agréables à écouter, rappelant le style de Mozart et de Haydn. On aimait les mélodies développées dans ses symphonies et sa musique de chambre. Notons sa remarquable symphonie concertante (violon, violoncelle, hautbois, basson) composée à Londres en 1792.

Son meilleur opéra est *Der Königssohn aus Ithaka* (1795).

Hoffmeister fut un grand ami de Mozart et de Beethoven.

Compositeur : **Leopold HOFMANN**

Date et lieu de naissance / mort :

14 août 1738 (Vienne, Autriche) / 17 mars 1793 (Vienne)

Vie et œuvres :

Enfant très doué pour la musique, Leopold Hofmann reçut une éducation musicale complète et montra des talents de compositeur dès l'âge de 12 ans.

Dix ans après, ce jeune compositeur, contemporain de Haydn, avait déjà beaucoup de succès; on commença à publier ses œuvres à Vienne et à Paris. Plus tard, il deviendra un grand ami de Haydn et de Mozart.

Hofmann composa 5 symphonies, des concertos pour flûte, pour violoncelle, pour hautbois, pour hautbois et clavecin, ainsi que des messes et autres œuvres spirituelles.

Compositeur : **Ignaz HOLZBAUER**

Date et lieu de naissance / mort :

17 novembre 1711 (Vienne - Autriche) / 7 avril 1783 (Mannheim)

Vie et œuvres :

Après avoir fait des études de juriste, il opta pour une carrière musicale, d'abord à la cour de Vienne. Après un long voyage en Italie, il s'établit à Mannheim. Il écrivit de nombreuses symphonies, des opéras et de la musique religieuse.

Ce compositeur a été sans doute trop rapidement oublié. Pourtant lors de son passage à Mannheim en 1777, Mozart montra de l'intérêt pour Holzbauer, alors agé de 65 ans, et assista avec enthousiasme à l'un de ses opéras : *Günther von Schwarzburg*.

Compositeur : **Gottfried HOMILIUS**

Date et lieu de naissance / mort :

2 février 1714 (Rosenthal, près de Dresde, Allemagne) / 2 juin 1785 (Dresde)

Vie et œuvres :

Malgré la mort de son père alors qu'il n'avait que huit ans, Gottfried August Homilius reçut une éducation complète à Dresde et montra très jeune des capacités pour la composition musicale. Puis il étudia le droit à Leipzig où il eut le plaisir de rencontrer Bach et d'obtenir des leçons de musique de ce grand maître.

A partir de 30 ans Homilius se consacra à la musique, devenant organiste titulaire et professeur de musique à Dresde. Organiste et professeur réputé, il fut aussi un compositeur apprécié, notamment pour ses cantates et sa musique de chambre.

Compositeur : **Johann Nepomuk HUMMEL**

Date et lieu de naissance / mort :

14 novembre 1778 (Bratislava) / 17 octobre 1837 (Weimar)

Vie et œuvres :

Fils du Musicien Johannes Hummel, le petit Johann montra des dons exceptionnels pour la musique dès l'âge de trois ans. A six ans, il jouait déjà le violon et le piano! Il avait huit ans lorsque la famille s'installa à Vienne où son père obtint la direction d'un théâtre. Mozart fut impressionné par le don de cet enfant, situation qu'il avait lui-même bien connue. Il accepta de prendre Johann Hummel comme élève et même de l'héberger souvent chez lui.

A partir de 10 ans, Johann, accompagné de son père, commença a donner des concerts à travers l'Europe. Puis il y eut de longues années où Hummel ne se produisit plus en public, préférant la composition et l'enseignement musical. Il fit la connaissance de Haydn avec lequel il collabora durant quelques années au service du prince Esterhazy. De retour à Vienne, il se trouva dans un monde musical dominé alors par Beethoven avec lequel les relations ne furent pas faciles.

En 1813, il épousa une cantatrice, dont il aura deux fils. Sa femme finit par le persuader de reprendre ses activités de concertiste, ce qu'il fit avec grand succès. A partir de 1818, il s'installa à Weimar, pris en charge la direction du théâtre de la cour où il monta de nombreux opéras et devint un personnage important de cette ville célèbre (où habitait aussi Goethe). Hummel y mena une vie musicale très active, trouvant également le temps de composer, d'enseigner et d'écrire un ouvrage sur l'enseignement du piano. Il voyageait aussi pour donner des concerts partout en Europe et ne manquait pas d'y rencontrer les plus grands compositeurs de l'époque. C'était un homme réaliste, de contact facile et faisant son possible pour défendre les intérêts des compositeurs vis à vis des éditeurs et organisateurs encore peu scrupuleux à cette époque des notions de droits d'auteurs.

En 1827, il se rendit à Vienne pour rendre finalement hommage à Beethoven dont il avait appris qu'il vivait ses derniers jours; il assista aux funérailles et participa à l'hommage public rendu au célèbre compositeur en dirigeant le concert organisé à cette occasion.

A partir de 1834, Hummel commença a avoir lui-même de sérieux problèmes de santé, mettant fin à toutes ses activités, jusqu'à sa mort trois ans plus tard.

Les œuvres de Hummel sont nombreuses. A part son célèbre concerto pour trompette (1803), il composa, ensuite, une dizaine de concertos pour piano. On ignore souvent qu'il fut également compositeur d'une vingtaine d'opéras (entre 1797 et 1833), de plusieurs messes et autres musiques religieuses, de musique de chambre, ainsi que de nombreuses sonates et pièces pour piano.

Compositeur : **Jean B. JADIN**

Date et lieu de naissance / mort : vers 1740 / vers 1789 (Versailles)

Vie et œuvres :

On connait très peu de la vie de ce violoniste et compositeur, à part le fait qu'il fut musicien à Bruxelles avant de s'établr à Versailles où son frère était déja musicien à la cour. Il composa de la musique de chambre et quelques symphonies.

Compositeur : **Louis Emmanuel JADIN**

Date et lieu de naissance / mort :

21 septembre 1768 (Versailles) / 11 avril 1853 (Monfort-l'Amaury, Yvelines, France)

Vie et œuvres :

Fils de Jean B. Jadin, qui fut également son professseur de musique. Il devint pianiste, violoniste et compositeur à la cour de Versailles, puis s'adapta aux exigences des années de la Révolution, pour devenir ensuite professeur de musique au Conservatoire de Paris jusqu'en 1816.

Durant sa longue vie, il composa de nombreux opéras, de la musique symphonique, notamment des symphonies concertantes, de la musique de chambre, des sonates, la plupart de ses œuvres ayant été très appréciées à l'époque. Il bénéficia même d'une pension lors de sa viellesse, ce qui était alors un fait exceptionnel, et se retira à la campagne, à Montfort l'Amaury jusqu'à la fin de ses jours.

Son frère **Hyacinthe**, pianiste et compositeur, né un an après lui, n'a vécu, par contre, que 33 ans.

Compositeur : **Johann Gottlieb JANITSCH**

Date et lieu de naissance / mort :

17 juin 1708 (Schweidnitz, ville allemande à l'époque, maintenant en Pologne) / 1763 (Berlin)

Vie et œuvres :

Selon les souhaits de son père, il étudia le droit, tout en se passionnant pour la musique. Et à partir de 1736 il se consacra entièrement à la musique. Il fut engagé comme violoniste et compositeur à la cour locale, puis à Berlin.

Ses oeuvres sont agréables, mais ne retiennent pas une attention particulières.

Compositeur : **Niccolo JOMELLI**

Date et lieu de naissance / mort :
10 septembre 1714 (Naples - Italie) / 25 août 1774 (Naples)

Vie et œuvres :

Ce musicien italien écrivit d'abord plusieurs ballets. En 1741, il passa une période à Bologne à travailler avec le padre Martini, puis il obtint la direction d'un conservatoire à Venise.

Par la suite, on le trouve maître de chapelle à Rome, puis à Stuttgart.

A partir de 1769, il retourne vivre à Naples. C'est dans cette ville que Mozart le rencontra lors de son séjour en 1770 et assista à la représentation de l'un de ses 82 opéras; il s'agissait plus précisément de la création de *Armida abandonata*. Dans son commentaire, le jeune Mozart dit avoir trouvé cette œuvre bien écrite mais "très archaïque"!

En effet, Jomelli était resté attaché à un style de musique très ancien. Mais malgré cela, il semble avoir été sincère lorsqu'il fit des compliments à Mozart, d'autant plus que ce dernier, jeune garçon de 14 ans, avait demandé à être reçu par Jomelli, compositeur alors connu et respecté à Naples. Lors de cette audience, Mozart avait parfaitement réussi une improvisation faite sur un thème donné par Jomelli.

Jomelli décédait quatre années plus tard, et ses œuvres furent rapidement oubliées.

Compositeur : **Friedrich (Frédéric) KALKBRENNER**

Date et lieu de naissance / mort : 7 novembre 1785 (Allemagne) / 10 juin 1849 (Enghien-les-Bains, près de Paris)

Vie et œuvres :

Fils de Christian Kalkbrenner (1755 - 1806), un violoniste allemand, ayant aussi composé quelques œuvres, et qui s'installa à Paris depuis 1799, jusqu'à sa mort.

Friedrich Kalkbrenner fit sa carrière de grand pianiste et compositeur, essentiellement à Paris, où il fonda une école de musique et écrivit une méthode pour piano qui fut très appréciée. Il s'associa aussi à l'entreprise de manufacture des pianos Pleyel dont il contribua activement au développement.

Parmi ses œuvres les plus connues, du moins à l'époque, sont deux concertos pour piano, et de la musique de chambre (avec piano).

Compositeur : **Johannes Wenzeslaus KALLIWODA**

Date et lieu de naissance / mort : 21 février 1801 (Prague) / 3 décembre 1866 (Karlsruhe, Allemagne)

Vie et œuvres :

Le nom peut s'écrire également Jan Vàclav Kalivoda. Violoniste, chef d'orchestre et compositeur tchèque, il fit ses débuts comme un jeune virtuose du violon, à Prague. Il joua sous la direction de Carl Maria von Weber, et commança à composer dans un style qui est proche de la musique de Weber.

Puis il donna des concerts dans quelques villes européénnes avant d'être engagé par le Prince Karl de Fürstenberg, dans sa principeauté au sud-ouest de l'Allemagne actuelle. Il épousa une cantatrice très célèbre à l'époque et ils eurent un fils, Wilhelm, qui deviendra plus tard un grand pianiste, ayant aussi des talents de compositeur.

Avec des changements politiques en 1848, le Prince perdit ses privilèges et fut obligé de se séparer de son orchestre. Kalliwoda prit sa retraite puis alla s'installer à Karlsruhe où habitait son fils. C'est là qu'il mourra d'une crise cardiaque en 1866.

Les œuvres de Kalliwoda étaient très nombreuses et furent très appréciées à l'époque. Parmi ses œuvres figurent quelques opéras, 7 symphonies, des ouvertures, un concerto pour violon, un concerto pour hautbois, un concerto pour clarinette, plusieurs quatuors.

Compositeur : **Friedrich August KANNE**

Date et lieu de naissance / mort :

8 mars 1778 (Delitsch, Saxe, Allemagne) / 16 décembre 1833 (Vienne)

Vie et œuvres :

Après des études de médecine à Leipzig, puis de théologie à Wittenberg, il décida de se consacrer à la musique, s'installant à Vienne à partir de 1801.

Il enseignait la musique et publiait des articles dans une revue sur la musique. Il eut le mérite d'être l'un des premiers critiques musicaux à avoir fait les éloges des premières œuvres de Beethoven.

Lui-même composait des chants puis des opéras qui eurent beaucoup de succès, tels que : *Orpheus* (1807), *Lindane oder die Fee* (1824). En plus d'une douzaine d'opéras, il composa une *symphonie* qui ne manque pas d'intérêt.

Puis l'alcool ruina sa santé et mit fin aux possibilités pour lui de devenir un compositeur plus connu.

Compositeur : **Johann Antonin KOZELUCH (ou Kozeluh)**

Date et lieu de naissance / mort :

14 décembre 1738 (Velvary, près de Prague) / 3 février 1814 (Prague)

Vie et œuvres :

Après avoir appris la musique et débuté sa carrière musicale dans sa ville natale, en Bohème, il passa quelques années à Vienne où il s'initia à la composition avec des maîtres comme Gluck et Hasse. Puis il s'installa définitivement à Prague où il devint un professeur de musique et compositeur renommé.

Johann Kozeluch a composé des opéras, notamment *Alessandro nell'Indie* (1769), *Il Demofoonte* (1771), un oratorio, *La morte d'Abel* (1776) et plusieurs messes et œuvres religieuses, quatre symphonies et plusieurs concertos pour instruments à vent. Malgré le succès de ses œuvres, elles n'ont pas été toutes imprimées.

Compositeur : **Léopold KOZELUCH**

Date et lieu de naissance / mort :

26 juin 1747 (Velvary) / 7 mai 1818 (Vienne)

Vie et œuvres :

Son prénom initial Jan Antonin fut changé en Léopold afin d'éviter la confusion avec son cousin aîné Johann Antonin, qui fut également son maître de musique.

Leopold Kozeluch abandonna ses études de droit pour devenir pianiste, compositeur, mais aussi professeur de musique. Il s'installa à Vienne en 1778 et obtint un grand succès.

En 1784 il commença à éditer lui-même ses œuvres. La maison d'édition ainsi fondée fut ensuite dirigée par son frère Antonin.

Les œuvres de Leopold Kozeluch furent aussi publiées par d'autres éditeurs en Europe, notamment au Royaume Uni dont il s'inspira de certaines mélodies populaires pour en faire des arrangements qui eurent beaucoup de succès. Ses œuvres sont très nombreuses, y compris 6 opéras, des ballets, des messes, des oratorios, 11 symphonies, plusieurs concertos et symphonies concertantes et beaucoup de sonates et de musique de chambre.

A partir de 1792, il obtint une fonction officielle de musicien de la cour de Vienne, fonction qu'il conservera jusqu'à la fin de ses jours.

Sa fille, **Catharina** (Cibbini), fit également une carrière musicale de pianiste et de compositeur.

Compositeur : **Antonin KRAFT**

Date et lieu de naissance / mort :

30 décembre 1752 (Rokycany, Bohème, maintenant Tchéquie) / août 1820 (Vienne)

Vie et œuvres :

Son père fut son premier professeur de violoncelle. Puis il fit des études de droit à Vienne. Là, il fit la connaissance de Joseph Haydn qui lui enseigna la composition, puis le fit engager dans l'orchestre du prince Esterhazy.

Après la mort du prince, il retourna à Vienne et participa à la création du quatuor Schuppanzigh, dont les qualités exceptionnelles furent très appréciées par Haydn, Mozart et Beethoven.

Ses oeuvres sont essentiellement pour le violoncelle, y compris 2 concertos pour cet instrument

Compositeur : **Joseph Martin KRAUS**

Date et lieu de naissance / mort :

20 juin 1756 (Miltenberg-am-Main) / 15 décembre 1792 (Stockholm)

Vie et œuvres :

Il apprit la musique dès son enfance, en Allemagne, où il fit aussi des études de droit. Puis, accompagnant un ami suédois à Stockholm, il y trouva une opportunité pour exercer ses talents musicaux et il devint rapidement chef de l'orchestre de la cour. Ayant aussi des talents pour la composition, il présenta une messe, un requiem, des cantates, puis des opéras et des symphonies.

A Vienne, il rencontra Haydn et Gluck et ces deux célèbres compositeurs eurent beaucoup d'éloges pour les œuvres de Kraus.

Durant sa courte vie, ce parfait contemporain de Mozart fut adopté par les Suédois qui le considérèrent comme un des plus grands de leurs compositeurs.

Compositeur : **Rodolphe KREUTZER**

Date et lieu de naissance / mort :

16 novembre 1766 (Versailles) / 6 janvier 1831 (Genève)

Vie et œuvres :

Son père, d'origine allemande, était musicien des Gardes Suisses à la cour de Versailles. Rodolphe Kreutzer reçut donc une éducation musicale de son père, puis de Karl Stamitz lors de son séjour à Versailles.

Le jeune Kreutzer montrait des dons exceptionnels pour le violon, mais aussi pour la composition. Il fut nommé premier violon à la chapelle royale à 16 ans, lorsqu'il perdit ses deux parents.

Puis il fut engagé au Théâtre italien, car il aimait l'opéra et voulait en composer lui-même. Et il en composera une quarantaine, dirigeant lui-même ses opéras, là, puis en tant que chef de l'opéra de Paris.

Ses autres œuvres comprennent 19 concertos pour violon, des ballets, de la musique de chambre, des études pour violon (car il a été également professeur au Conservatoire de Musique).

Beethoven l'ayant entendu jouer à Vienne, en 1803, lui dédia sa sonate pour piano et violon n°9, mais Kreutzer ayant trouvé l'œuvre incompréhensible ne l'a jamais interprétée.

Compositeur : **Franz KROMMER**

Date et lieu de naissance / mort :

27 novembre 1759 (Bohème) / 8 janvier 1831 (Vienne)

Vie et œuvres :

Son oncle était musicien et lui enseigna le violon et l'orgue. Il commença sa carrière musicale en Hongrie, puis s'installa à Vienne en 1795 où il se consacra à la composition, notamment des symphonies, des concertos et de la musique de chambre.

Ces œuvres furent très appréciées à Vienne, puis dans toutes les capitales européennes. Elles sont dans un style qui rappelle Haydn et Mozart.

Compositeur : **Johann Baptist KRUMPHOLZ**

Date et lieu de naissance / mort :

3 mai 1742 (Bohème) / 19 février 1790 (Paris)

Vie et œuvres :

Ayant appris le cor et la harpe, il enseigna la musique à Vienne, puis entra au service du prince Esterhaz pendant trois ans où il devint élève de Haydn. Après cela, il travailla dans un atelier d'instruments de musique à Metz et termina sa carrière et vie à Paris où ses concertos pour harpe eurent un grand succès.

Compositeur : **Friedrich KUHLAU**

Date et lieu de naissance / mort :
11 septembre 1786 (Uelzen, région de Hambourg, Allemagne) / 12 mars 1832 (près de Copenhague, Danemark)

Vie et œuvres :

Né dans une famille pauvre, de musiciens, Friedrich perdit son oeil droit à l'age de 7 ans suite à une malheureuse chute. Mais son talent exceptionnel pour la musique incita ses parents à l'envoyer se perfectionner au piano à Hambourg.

Après l'occupation de la région par les armées de Napoléon, Friedrich Kuhlau fuit Hambourg, en 1810, pour Copenhague où il devint un pianiste de grande réputation, et il adopta la nationalité danoise.

Kuhlau admirait les œuvres de Beethoven, notamment les sonates, qu'il fit connaître au Danemark.

Il avait aussi un grand talent pour la composition : plusieurs opéras, un concerto pour piano, des pièces didactiques bien connues pour le piano et un très grand nombre de sonates et sonatines dont certaines sont très intéressantes.

Compositeur : **Joseph LANNER**

Date et lieu de naissance / mort :
12 Avril 1801 (Vienne, Autriche) / 14 avril 1843 (Vienne)

Vie et œuvres :

Son don exceptionnel pour la musique et la maitrise du violon lui permit de se perfectionner lui-même, puis de former un ensemble musical, puis un orchestre qui devint très célèbre à Vienne.

Son orchestre, comme celui de Johann Strauss (père), jouait plus particulièrement de la musique de danse, très demandée à l'époque (à partir des années 1820) à Vienne, mais aussi à Londres et à Paris.

L'empreur et la classe dirigente d'Auriche ont beaucoup encouragé à l'époque cette ferveur générale pour la danse et l'organisation de festivités, ce qui permettait d'écarter le peuple des idées et tentations révolutionnaires qui circulaient dans toute l'Europe depuis la Révolution Française.

Les compositions de Joseph Lanner sont essentiellement dans le style des valses de Vienne.

Il mourut prématurément d'une épidémie de typhus à Vienne, et laissa dès lors à Johann Strauss, père et fils, la possibilité de dominer sans rival dans le domaine de la composition et interprétation des célèbres valses de Vienne.

Compositeur : **Louis-Sébastien LEBRUN**

Date et lieu de naissance / mort :
10 décembre 1764 (Paris) / 27 juin 1829 (Paris)

Vie et œuvres :

Durant son enfance, il apprit la musique, notamment le chant, puis la composition. Il fit une carrière de ténor à l'opéra de Paris et composa aussi de nombreux opéras comiques (entre 1790 et 1818). On lui connaît également quelques autres œuvres comme son oratorio (1787), un Te Deum (1809), la messe solennelle de Ste Cécile (1809) et la messe en trio (1826).

Compositeur : **Ludwig August LEBRUN**

Date et lieu de naissance / mort :
mai 1752 (Mannheim) / 16 déc. 1790 (Berlin)

Vie et œuvres :

Fils d'un musicien Allemand, originaire de Bruxelles, qui lui apprit le hautbois. Musicien doué, Ludwig Lebrun fut engagé très jeune à l'orchestre de Mannheim et conserva ce poste durant toute sa vie, tout en devenant aussi membre de l'orchestre de chambre de la cour.

Après son mariage en 1778, il fit également beaucoup de tournées musicales, avec son épouse, et eut beaucoup de succès dans de nombreuses villes à travers l'Europe, se terminant par Berlin, où il mourut prématurément en 1790.

Lebrun composa plusieurs concertos, notamment pour le hautbois. Il écrivit aussi de la musique de chambre et de la musique de ballet.

Compositeur : **Jean-François LESUEUR (LE SUEUR)**

Date et lieu de naissance / mort :
15 février 1760 (Ducat-Plessiel, près d'Abbeville) / 6 octobre 1837 (Paris)

Vie et œuvres :

Etant issu d'une famille pauvre, c'est l'Eglise qui se chargea de l'éducation de cet enfant très doué pour la musique.

A 18 ans il fut déjà engagé comme maître de chapelle à Sées. Et il composa aussi des oratorios qui attirèrent l'attention de Grétry, qui l'invita à venir se faire connaître à Paris.

En 1786, il sollicita et obtint le poste de maître de chapelle à Notre-Dame de Paris, fonction qu'il abandonna l'année suivante suite à des controverses soulevées par ses écrits sur la musique.

Pendant la Révolution, ses chants patriotiques eurent beaucoup de succès. Puis il sera très apprécié aussi par Napoléon.

Après le départ de Paisiello en 1804, c'est à Lesiueur qu'on demanda de composer une marche pour le sacre de l'Empereur. Lors de cette cérémonie, cette marche fut exécutée, ainsi que le Te Deum que Paisiello avait composé pour cette occasion avant de quitter Paris.

Napoléon assista aussi à une représentation de l'opéra de Lesueur *Ossian ou les Bardes* qui eut un immense succès.

Après Napoléon, Lesueur put continuer sa carrière musicale, se consacrant plus particulièrement à l'enseignement de la composition au Conservatoire de Paris, où il forma de grands compositeurs comme Gounod et Berlioz.

Compositeur : Christian Joseph LIDARTI

Date et lieu de naissance / mort :
23 février 1730 (Vienne) / 1794 ? (Pise)

Vie et œuvres :

Issu d'une famille d'origine italienne, il fit en Allemagne des études de théologie et de droit, tout en apprenant le clavecin et la harpe.

Puis il commença à enseigner ces deux instruments et à composer des sonates. A 21 ans, il alla en Italie compléter sa formation musicale et s'installa à Rome, puis à Pise.

Ses œuvres sont rares, mais d'une grande qualité musicale.

Compositeur : Thomas LINLEY (père)

Date et lieu de naissance / mort :
17 janvier 1733 (Badminton, Angleterre) / 19 novembre 1795 (Londres)

Vie et œuvres :

Fils d'un menuisier, il apprit rapidement la musique à Bath où la famille Linley s'était installée peu de temps après sa naissance.

Dès ses 18 ans et durant une vingtaine d'années, il assura la direction de l'orchestre de cette ville et devint également un professeur de chant réputé.

Il enseigna aussi la musique à ses 12 enfants dont certains devinrent d'excellents musiciens. L'un de ses enfants s'appelait également Thomas et avait un talent exceptionnel pour la musique, mais il mourut à 22 ans (voir le paragraphe qui lui est consacré ci-dessous).

A partir de 1767, donc à 34 ans, Linley se mit aussi à composer des opéras, à commencer par *The Royal Merchant*, qui fut représenté au Drury Lane à Londres.

Dix ans plus tard, il fut nommé directeur de ce théâtre et s'installa dès lors définitivement à Londres. Il continua la composition d'opéras, et de quelques chants pour accompagner des pièces de théâtre et autres spectacles.

Compositeur : **Thomas LINLEY (fils)**

Date et lieu de naissance / mort :
5 mai 1756 (Bath, Angleterre) / 5 août 1778 (Grimsthorpe, Angleterre)

Vie et œuvres :

Musicien précoce, à 7 ans il jouait déjà très bien le violon. Il étudia ensuite à Londres avec William Boyce, puis en Italie où il resta trois ans. Là, en 1770, il eut l'occasion de rencontrer Mozart. Ces deux garçons, qui avaient le même âge, et tous deux des génies précoces de la musique, se sentirent immédiatement très proches, prenant grand plaisir à faire de la musique ensemble, l'un au violon, l'autre au piano. Par la suite, ils continuèrent à s'écrire jusqu'à la mort tragique et prématurée de Linley.

De retour à Londres il devint un grand soliste et aussi un compositeur exceptionnellement doué et prolifique. Mais hélas il mourut accidentellement, à 22 ans, noyé par une tempête soudaine lors d'une promenade sur un lac.

Après La mort de Linley, une grande partie de ses œuvres fut égarée avant même d'avoir pu être éditée. On ne connaît donc que ses trois opéras : *The Duenna* (1775) composé en collaboration avec son père, *The Tempest* (1777), *The Cady of Bagdad* (1778).

Et d'une vingtaine de concertos pour violon, il n'en reste qu'un seul!

Compositeur : **Pietro Antonio LOCATELLI**

Date et lieu de naissance / mort :
1695 (Bergamo, Italie) / 30 mars 1764 (Amsterdam)

Vie et œuvres :

On connaît peu de l'origine et de l'enfance de ce violoniste et compositeur Italien. Sa carrière n'est bien connue qu'à partir de 1725 lorsqu'il fut engagé à la cour comme violoniste virtuose déjà très apprécié.

Puis à partir de 1729, il alla s'installer à Amsterdam, vivre avec la veuve d'un ami italien négociant en instruments de musique. Il s'initia lui-même à ce commerce et s'occupa de l'édition d'une partie de ses propres compositions, tout en enseignant la musique. Son enseignement et ses œuvres eurent beaucoup de succès. Ses œuvres les plus appréciées, jusqu'à nos jours, sont des sonates et concertos pour violon.

Compositeur : **Albert LORTZING**

Date et lieu de naissance / mort :
23 octobre 1801 (Berlin) / 21 janvier 1851 (Berlin)

Vie et œuvres :

Son père avait épousé une jeune femme d'origine française, et le couple avait une passion pour le théâtre. Aussi, après avoir cédé une petite affaire familiale, les parents d'Albert Lortzing consacrèrent leur vie à monter et jouer des pièces de théâtre, souvent itinérant, et le petit Albert participait en tenant des rôles d'enfant. Il s'agissait fréquemment de comédies musicales, et l'enfant chantait très bien, mais montrait aussi un grand talent pour improviser des chants, puis composer tout le spectacle.

Parallèlement à cela, Albert Lortzing avait pris des leçons de musique : le piano, la composition, mais aussi le violon et autres instruments!

En 1823, il épousa une actrice, et cette union donnera 11 enfants.

Malgré ses succès durant les 25 ans qui suivirent, Lortzing dut lutter toute sa vie pour subvenir aux besoins de sa famille nombreuse.

Epuisé et pratiquement sans ressources, Lortzing mourut d'un arrêt cardiaque à 49 ans.

Les œuvres de Lortzing sont essentiellement des opéras et des comédies musicales. Son premier opéra fut *"Ali Pascha von Janina"* (1824); mais ses meilleurs opéras sont *"Der Pole und sein Kind"* (1831), et *"Undine"* (1845).

Compositeur : **Andrea LUCHESI**

Date et lieu de naissance / mort :
23 mai 1741 (Motta di Livenza, Italie) / 21 mars 1801 (Bonn, Allemagne)

Vie et œuvres :

Luchesi (s'écrit parfois Lucchesi) était une famille de la noblesse italienne. Andrea, qui était le onzième enfant de cette famille, reçut une bonne éducation générale, puis à partir de 16 ans, il poursuivit à Venise des études musicales avec les plus grands maîtres, notamment avec Galuppi.

Ses talents d'organiste et de compositeur furent rapidement reconnus. Et son premier opéra *L'isola de la fortuna* (1765) eut un très grand succès à Venise, mais aussi à Vienne et à Lisbonne!

Mozart, lors de sa tournée en Italie, en 1771, eut grand plaisir à rencontrer Andrea Luchesi et apprécia particulièrement un de ses concertos pour clavecin.

A la fin de cette même année, il accepta une invitation du prince électeur de Bonn, en Allemagne, à venir participer à la vie musicale de sa ville. Et en 1774, il devint maître de chapelle (Kapellmeister) de la cour de Bonn, prenant la succession du grand-père de Beethoven qui venait de décéder.

En 1775, il épousa la fille d'une personnalité de Bonn et s'installa définitivement dans cette ville jusqu'à la fin de sa vie.

Lors d'une absence de Bonn, en 1783, il n'hésita pas à confier son rôle d'organiste de la chapelle au jeune Beethoven qui n'avait alors que 12 ans.

Parmi les compositions de Luchesi, on note :

- au moins 9 opéras (composés de 1775 à 1784)
- Oratorio, requiem, messe et autres œuvres sacrées
- nombreuses œuvres pour orgue
- sonates pour clavecin et violon
- concertos pour clavecin
- des symphonies

Le répertoire tenu par Luchesi de ses œuvres ayant été égaré, ainsi que beaucoup de ses œuvres, on ignore le nombre exact de ses compositions. Ses œuvres sont généralement attachantes et souvent de grande qualité.

Compositeur : **Vincenzo MANFREDINI**

Date et lieu de naissance / mort :

22 octobre 1737 (Pistoia, Italie) / 16 août 1799 (St.-Petersbourg, Russie)

Vie et œuvres :

Son père, Francesco, violoniste et compositeur, lui enseigna le clavecin et la musique en général. A 20 ans, Vincenzo Manfredini accompagna la troupe de Locatelli lors d'une représentation à Saint Petersbourg, où il se maria et décida d'y rester car on lui proposa de devenir maître de chapelle.

Durant les 20 années suivantes, il composera 8 opéras, 5 ballets, mais aussi un requiem, une messe, 6 symphonies, un concerto et des sonates pour clavecin. Mais une grande partie de ses œuvres sont introuvables. C'était également un théoricien apprécié, avec la publication d'importants traités sur la musique.

Compositeur : **Heinrich MARSCHNER**

Date et lieu de naissance / mort :

16 août 1795 (Zittau, Allemagne) / 14 décembre 1861 (Hanovre)

Vie et œuvres :

Né de parents aimant beaucoup la musique, Heinrich Marschner montra des talents pour la musique dans le cadre de la chorale de l'école de cette petite ville de Zittau, située près de la frontière tchèque.

Après avoir composé avec succès quelques chants et un ballet, il décida de se perfectionner en suivant des études musicales, parallèlement à des études de droit qu'il abandonna rapidement pour se consacrer entièrement à la musique.

En 1816, il devint professeur de musique au service du comte Zichy, à Bratislava (anciennement Pressbourg). C'est là qu'il commença à s'intéresser à l'opéra et en composer lui-même.

Marschner était pour un style d'opéra purement allemand. Il se heurta donc souvent au courant opposé privilégiant la présence obligatoire d'une influence italienne dans le domaine de l'opéra.

Son succès se confirma lorsqu'il s'installa à Berlin, puis à Hanovre où il accepta un poste de direction d'orchestre en 1830.

Marschner se maria trois fois, et fut trois fois veuf!

De son vivant, Marschner était un compositeur et un chef d'orchestre très connu. On continua à jouer ses œuvres pendant quelques années encore après sa mort, avant que celles-ci ne disparaissent des répertoires.

Parmi ses opéras, on notera : *Lukretia* (1826), *Der Vampyr* (1827), *Der Templer und die Jüdin* (1829), *Des Falkners Braut* (1830), *Hans Heiling* (1833), *Das Schloss am Ätna* (1836), *Kaiser Adolph von Nassau* (1845).

Marschner composa également des singspiel, deux symphonies, un concerto pour piano, deux ouvertures, de la musique de chambre (notamment des trios avec piano), des sonates, et de nombreuses autres petites œuvres diverses.

Compositeur : **John MARSH**

Date et lieu de naissance / mort :

1752 (Dorking, Angleterre) / 1828 (Chichester, Angleterre)

Vie et œuvres :

Sa date de naissance, le 31 mai, se transforma en 11 juin lorsque la Grande Bretagne adopta le calendrier Grégorien en 1752.

John Marsh était l'un des fils d'un capitaine de la marine. Dès son jeune âge, il s'intéressait aux sons : les cloches de l'église, l'orgue, etc.. Mais son père pensait que des leçons de musique l'auraient distrait de ses études classiques.

Ce n'est qu'à 15 ans, à la fin de sa scolarité, que son père lui offrit un violon. L'apprentissage de cet instrument, et de l'écriture musicale, furent étonnamment rapides. Un an plus tard, il se lançait même dans la composition.

Et parallèlement à cela, il suivit les conseils de son père et s'engagea chez un notaire.

Mais la musique devint sa passion. Il faisait partie des orchestres et avait aussi le talent pour organiser des concerts très réussis, et plus particulièrement durant les 35 dernières années de sa vie lorsqu'il vivait à Chichester (près de Portsmouth).

Comme compositeur, Marsh connaissait un grand succès, notamment en Angleterre. Il composa un grand nombre d'œuvres, dont environ 39 symphonies, mais toutes n'ont pas été éditées. Ainsi, nous connaissons seulement 9 de ses symphonies.

Son style fait penser à Haydn, compositeur pour lequel il avait une grande admiration.

Compositeur : **Vicente MARTIN Y SOLER**

Date et lieu de naissance / mort :

2 mai 1754 (Valence, Espagne) / 30 janvier 1806 (Saint-Petersbourg)

Vie et œuvres :

Ce compositeur espagnol passa de longues années en Italie, puis s'installa en Russie. Il composa essentiellement des opéras et des ballets.

Son opéra *Una Cosa Rara* composé et représenté à Vienne en 1786 eut un immense succès, ce qui est un phénomène très étonnant sachant que cet opéra arrivait peu de temps après un autre grand succès, les *Noces de Figaro* de Mozart, que les Viennois eurent tendance à oublier momentanément! Mais le temps finit par remettre les choses à leur place; l'enthousiasme du public pour l'opéra de Martin ne durera qu'une saison alors que l'opéra de Mozart restera une référence, au moins jusqu'à nos jours.

Compositeur : **Padre MARTINI (Giovanni BATISTA)**

Date et lieu de naissance / mort :

1706 (Bologne, Italie) / 3 août 1784 (Bologne)

Vie et œuvres :

Giovanni Batista est plus connu sous le nom de Padre Martini car, après avoir appris la musique par son père, musicien, il décida à 15 ans, qu'il avait la vocation de devenir prêtre.

A son retour du monastère, il devint à 20 ans maître de chapelle et responsable de l'orgue à Bologne. Il consacra son temps essentiellement à l'enseignement musical et à la composition, atteignant très vite une renommée qui se diffusa dans toute l'Italie et ailleurs en Europe.

Il recevait beaucoup de lettres de ses élèves ou autres musiciens et compositeurs, mais aussi de responsables politiques ou religieux, et il répondait à toutes ces lettres. On lui écrivait de partout.

Lui-même voyageait peu, ayant une santé fragile, bien qu'il ait vécu jusqu'à 78 ans. Sa réputation était telle qu'on venait le voir à Bologne et souvent suivre ses cours, comme l'a fait Mozart à 14 ans. Le Padre Martini avait alors déjà 64 ans.

Ses jeunes élèves l'estimaient beaucoup malgré une évolution importante du style musical de leur temps que le vieux maître ne suivait plus. Et c'était aussi un homme très cultivé, qui s'était constitué une bibliothèque impressionnante ainsi qu'une collection de portraits de musiciens célèbres. Lui-même publia plusieurs livres et articles sur la musique.

Les œuvres musicales composées par padre Martini sont nombreuses: quatre oratorios, des dizaines de messes, une centaine de sonates, notamment pour clavier, des concertos pour divers instruments, des sinfonias et de la musique vocale.

Après sa mort, sa bibliothèque impressionnante fut transformée en musée.

Compositeur : **Etienne Nicolas MEHUL**

Date et lieu de naissance / mort :

22 juin 1763 (Givet, Ardennes) / 18 octobre 1817 (Paris)

Vie et œuvres :

Ses premières leçons de musique furent celles de l'organiste de Givet. A 10 ans, il avait déjà une telle maîtrise de l'orgue qu'on le nomma organiste dans un important couvent de la région.

A l'âge de 16 ans, il reçut une aide pour aller à Paris afin de perfectionner sa formation musicale. Il eut l'occasion de faire la connaissance de Gluck et de ses opéras.

Méhul avait aussi des dons de compositeur, et il publia à 20 ans ses premières sonates pour piano-forte.

A cette période, il devint franc-maçon, comme beaucoup de compositeurs de l'époque.

Gluck l'encouragea à écrire un opéra. Méhul trouva alors un bon livret intitulé *Euphrosine ou Le tyran corrigé* du librettiste François-Benoît Hoffman. Cet opéra fut représenté en 1790 et eut un immense succès.

Le succès continua avec *Stratonice* (1792), et *Mélidore et Phrosine* (1794). Et à la même époque, il composait aussi des chants révolutionnaires, dont le très célèbre *Chant du départ*, sur un poème de Marie-Joseph Chénier (frère d'André Chénier).

Son opéra *Joseph* (1807) fut très apprécié, y compris de Napoléon.

En 1811, il mit fin à sa carrière de compositeur après l'échec de son opéra *Les Amazones*. D'ailleurs, il était fatigué par la maladie, la tuberculose, qui finit par l'emporter à l'âge de 54 ans.

Méhul fut essentiellement un compositeur d'opéras, une trentaine, dont trois en collaboration avec des compositeurs contemporains.

Mais il composa également des sonates pour piano, des ouvertures et 6 symphonies (dont deux égarées), ainsi qu'une messe et de nombreux chants.

Compositeur : **Felix MENDELSSOHN**

Date et lieu de naissance / mort :

3 février 1809 (Hambourg) / 4 novembre 1847 (Leipzig)

Vie et œuvres :

Felix Mendelssohn-Bartholdy est issu d'une famille juive allemande ayant participé activement à la lutte pour l'égalité des droits des juifs et autres minorités d'Allemagne durant le dix-huitième siècle. Son père Abraham (1776-1835) travailla quelques années dans une banque à Paris où il rencontra Lea Salomon qu'il épousa en 1804. Le couple s'installa ensuite à Hambourg et eut quatre enfants, deux garçons (dont Felix) et deux filles. Dans cette famille de banquiers, la culture et la musique en particulier tenaient une place importante.

En 1816, Abraham Mendelssohn fit baptiser ses quatre enfants, probablement par défi dans sa lutte acharnée contre les excès des fanatismes religieux pratiqués alors par certains juifs. Six ans plus tard, Abraham se convertit lui-même au Christianisme et décida d'ajouter Bartholdy à son nom de famille.

De toute évidence, Felix était un enfant précoce, apprenant la musique et plus particulièrement le piano à une vitesse remarquable. A neuf ans, il fut impressionnant lors d'un premier concert. A onze ans il commença à composer des œuvres très variées, produisant dans la même année des sonates, des chants, un trio, un opéra comique!

Sa musique de chambre et ses 13 petites symphonies (ou sinfonias) de cette période, se terminant par une symphonie pour orchestre complet (symphonie n°1, de 1824), sont des compositions d'un enfant qui apprend à composer comme les grands maîtres avant lui. Il admirait déjà Bach et Mozart, mais aussi Goethe avec lequel il eut, par la suite, plusieurs rencontres.

A seize ans, en 1825, alors que ses œuvres, notamment un octuor (op.20), révélaient une originalité et personnalité musicale différente, il fit un voyage à Paris, avec son père, et y rencontra de nombreux musiciens et compositeurs célèbres qui s'y trouvaient. Puis la famille passa quelques années à Berlin où le jeune Felix occupa très vite une place importante dans la vie musicale de cette ville riche en possibilités culturelles. Il s'intéressa à la lecture d'une traduction des œuvres de Shakespeare et s'en inspira pour composer en 1827 (donc à 18 ans) l'une de ses œuvres les plus connues : l'ouverture *Le songe d'une nuit d'été*. Il est important de préciser aussi qu'à ce chef-d'œuvre de jeunesse, Mendelssohn ajouta en 1842 de nombreuses parties pour en faire une musique de scène incluant notamment la célèbre *Marche nuptiale*. La version complète est rarement interprétée de nos jours, mais on interprète souvent l'ouverture, suivie de quelques extraits de la suite, dont, bien entendu, la célèbre marche nuptiale.

En 1829, il fit un long séjour à Londres, puis en Ecosse, où il eut le début d'inspiration pour sa symphonie écossaise composée plusieurs années après. Les voyages se poursuivirent durant les années suivantes dans plusieurs villes européennes où il dirigeait avec grand succès les orchestres, interprétant ses œuvres et autres, en particulier de Mozart et Beethoven. Il fit beaucoup pour faire connaître les compositeurs relativement récents, mais aussi à faire redécouvrir des œuvres oubliées du siècle passé, comme celles de Bach. Parallèlement à ses voyages, il dirigea durant plusieurs années l'orchestre Gewandhaus de Leipzig, amenant cet orchestre à un niveau de grande réputation.

Felix Mendelssohn était très lié à son père, partageant ses opinions et écoutant toujours ses conseils. Il fut donc bouleversé par sa mort subite en 1835.

En 1837, il épousa une fille de Francfort, Cécile Jeanrenaud (1817-1853). Le couple eut par la suite trois garçons et deux filles.

A part des maux de tête qui commençaient à le gêner à partir de 1838, Mendelssohn eut une vie relativement agréable et aisée; il était très apprécié comme pianiste, interprète exceptionnel des concertos de Mozart et de Beethoven, mais aussi comme grand chef d'orchestre et grand compositeur dont les œuvres commençaient à être connues partout en Europe et jusqu'en Amérique, des œuvres qui plaisaient d'autant plus qu'elles restaient dans un style déjà connu, d'inspiration partant de Bach et Haendel, jusqu'à Beethoven.

Mendelssohn composa beaucoup de musique de chambre et de lieder, jusqu'à la fin de sa vie, ainsi que deux oratorios : *Paulus* (1836) et *Elias* (1846).

A part les quelques opéras de jeunesse, il commença en 1847 l'écriture d'un opéra "Loreley", qu'il dut abandonner lorsqu'arriva l'agonie de ses derniers jours.

Le concerto pour violon : Mendelssohn avait écrit un premier concerto pour violon en 1822 (le *concerto en Ré mineur*), certes une œuvre de jeunesse, mais très intéressante. Un début d'un étrange mélange d'influences à la fois de Haydn et de Bach et un dernier mouvement très mélodieux et accrocheur. Vingt ans plus tard, vers la fin de sa vie, il travailla longuement sur un *deuxième concerto (en mi mineur, op.64)* qui fut présenté en 1844 à Leipzig. Le style de ce concerto est manifestement influencé par Beethoven. Ce deuxième concerto pour violon, qui est le chef-d'œuvre de Mendelssohn, deviendra avec celui de Beethoven, les concertos pour violon les plus connus et interprétés dans le monde.

Mendelssohn composa aussi deux concertos pour pianos, datant de 1831 et 1837. Un 3è concerto pour piano fut commencé à cette époque, repris et avancé vers 1840, mais jamais terminé, et ne laissant pratiquement pas d'indications pour le 3è mouvement. En 2006, le chef d'orchestre Marcello Bufalini compléta l'orchestration et le dernier mouvement. Ainsi, on peut maintenant écouter un troisième concerto pour piano attribué à Mendelssohn d'après Bufalini.

Trois de ses cinq symphonies sont souvent au répertoire des orchestres : la troisième, dite "*Ecossaise*" (1842), la quatrième, dite "*Italienne*" (1833) et la cinquième, dite "*Réformation*" (1832). Ces deux dernières n'ayant été publiées qu'après sa mort, la numérotation chronologique n'a pas été respectée.

A noter que la sœur aînée de Mendelssohn, **Fanny**, décédée quelques mois avant lui, était également une excellente pianiste. Elle composa beaucoup pour le piano, mais aussi des lieder et de la musique de chambre, ainsi que d'autres œuvres non publiées.

Compositeur : **Saverio MERCADANTE**

Date et lieu de naissance / mort :
Septembre 1785 (Altamura, près de Bari, en Italie) / 17 décembre 1870 (Naples)

Vie et œuvres :

Mercadante nous a laissé quelques concertos intéressants nous rappelant les œuvres de Haydn. A également écrit une soixantaine d'opéras dont certains connurent un grand succès, mais furent vite oubliés.

Compositeur : **Joseph MERCK**

Date et lieu de naissance / mort :
18 janvier 1795 (Vienne, Autriche) / 16 juillet 1852 (Vienne)

Vie et œuvres :

Enfant, il manifestait des dons exceptionnels pour le violon. Mais après une malheureuse morsure d'un chien, il ne pouvait plus monter sa main gauche suffisamment pour continuer à jouer le violon. Il adopta donc le violoncelle, qu'il put maîtriser rapidement, ce qui lui permit de s'intégrer dans un orchestre de chambre, avant d'être engagé, en 1816, comme premier violoncelliste de l'orchestre de l'opéra de Vienne.

Il fut aussi un professeur de violoncelle très apprécié et a publié de nombreux livres et exercices pour cet instrument qu'il dominait en virtuose.

Ses compositions sont évidemment autour du violoncelle : un concerto composé vers 1826, puis de nombreuses variations et ouvres diverses composées jusqu'à la fin de sa vie.

Compositeur : **Giacomo MEYERBEER**

Date et lieu de naissance / mort :

5 septembre 1791 (près de Berlin) / 2 mai 1864 (Paris)

Vie et œuvres :

Fils d'un riche négociant de Berlin qui appréciait la musique et recevait chez lui beaucoup de musiciens et compositeurs, Giacomo Meyerbeer montra très tôt des aptitudes exceptionnelles pour la musique et était bon pianiste dès l'âge de 11 ans. Il compléta ses études musicales à Berlin où il apprit aussi la composition. Il commença à composer des opéras, mais qui n'eurent pas de succès. On l'appréciait beaucoup, cependant, comme grand pianiste.

Pour ce qui concerne l'opéra, on lui conseilla d'aller en Italie. En effet, c'est durant son séjour en Italie, en 1816, qu'il assimila bien l'art de l'opéra et composa lui-même des opéras qui, dès lors, eurent beaucoup de succès.

On l'apprécia aussi à Londres, puis à Paris, où il décida de s'installer à partir de 1825, et ses nouveaux opéras, notamment ceux avec la collaboration du librettiste Eugène Scribe, eurent un immense succès.

Ses succès contribuerent à augmenter encore considérablement sa fortune personnelle.

Après sa mort à Paris, Meyerbeer fut inhumé dans le caveau familial de Berlin.

Parmi ses nombreux opéras, on retiendra plus particulièrement un de ses premiers grands succès, *Sémiramide* (1819), et bien sûr *Les Huguenots* (1836).

Compositeur : **Jean-Joseph Casanés de MONDONVILLE**

Date et lieu de naissance / mort :

Déc. 1711 (Narbonne) / Octobre 1772 (Belleville, Paris)

Vie et œuvres :

Né de père musicien, il montra très tôt des talents de violoniste et de compositeur. En 1739, il s'installa à Paris et fut engagé comme violoniste à la cour. On apprécia sa manière nouvelle de jouer les harmoniques au violon. Et déjà, ses motets gagnaient une grande réputation, ainsi que ses sonates pour clavecin. Mondonville composait peu, mais des œuvres de grande qualité. En raison de leur succès, ses quelques opéras et musique de ballet étaient fréquemment interprétés.

En 1748 il épousa une musicienne; ils eurent un fils.

A noter aussi que Mondonville avait un jeune frère que l'on nommait **Jean "le jeune"**, également violoniste et ayant composé quelques sonates pour violon.

Compositeur : **Pierre-Alexandre MONSIGNY**

Date et lieu de naissance / mort :

17 octobre 1728 (Fauquembergue, Pas de Calais) / 14 janvier 1817 (Paris)

Vie et œuvres :

Education à Saint Omer où on lui enseigna aussi le violon. Son père mourut lorsqu'il avait 19 ans et il dut trouver un travail à Paris afin de vivre et apporter un soutien à ses nombreux frères et sœurs. Après quelques années, il suivit aussi des cours auprès d'un musicien de l'opéra de Paris. Il se passionna alors pour l'opéra et commença à composer lui-même des opéras-comiques, à partir de 1759, ainsi qu'un opéra, *Aline reine de Golconde* (1766).

Ses opéras-comiques étaient appréciés pour leur originalité, mais son plus grand succès semble avoir été la comédie lyrique *Félix ou l'enfant trouvé* (1777) après quoi il ne composa plus durant les 40 années qui lui restaient à vivre.

Après quelques années difficiles durant la révolution, il occupa des fonctions administratives, et bien que ne composant plus, il bénéficiait du respect des autres compositeurs pour ses œuvres anciennes qui restaient encore bien connues à l'époque.

Compositeur : **Hélène de MONTGEROULT**

Date et lieu de naissance / mort :

mars 1764 (Lyon) / 20 mai 1836 (Florence)

Vie et œuvres :

Née Hélène de Nervo (ou, selon certains, Nervod ou Nervode), sa famille déménagea à Paris peu de temps après sa naissance. Elle prit des leçons de piano dés son jeune âge, puis se perfectionna avec Muzio Clementi et Jan Ladislav Dussek.

A 20 ans elle épousa le marquis de Montgeroult, qui avait 28 ans de plus qu'elle. Elle devint donc marquise et eut l'occasion de fréquenter les salons parisiens où elle brillait par son jeu extraordinaire du piano.

Elle fut considérée comme la plus grande pianiste de Paris à cette époque. Les grands musiciens d'alors, y compris Viotti, l'appréciaient et prenait plaisir à interpréter de la musique avec elle.

Vint ensuite la Révolution. Le couple de Montgeroult fut persécuté en 1793 ; le mari fut mis en prison où il trouva la mort. Elle même ne put échapper à la guillotine que grâce aux arguments du fondateur du tout récent Conservatoire de Paris qui expliqua au tribunal qu'il serait inadmissible de perdre un aussi grand talent, d'autant plus qu'elle était prête à se mettre au service de l'enseignement de la musique au Conservatoire. Il paraît même que le tribunal exigea qu'on apporte un instrument à clavier pour qu'elle puisse prouver son talent. Et, en effet, elle leur joua, parait-il, la Marseillaise, avec de brillantes variations ; et elle fut acquittée.

Hélène de Montgeroult aimait jouer du Mozart, du Haydn ; puis du Bach, après avoir découvert ses œuvres probablement lors d'un voyage en Allemagne.

Elle a elle-même composé trois sonates pour piano seul (1795), puis trois avec violon (1807). Il y eut trois autres sonates pour piano en 1811. Et pour l'enseignement du piano, elle a édité un cours complet et impressionnant, avec des centaines d'exercices et 114 études très intéressantes. Son style montre une évolution importante, et dans le sens qu'allait entreprendre Beethoven à la même époque.

Compositeur : **Ignaz MOSCHELES**

Date et lieu de naissance / mort :

23 mai 1794 (Prague) / 10 mars 1870 (Leipzig)

Education, vie et œuvres :

Lors de son enfance, passée à Prague, il apprit le piano. A 14 ans, il devint un admirateur de Beethoven et alla à Vienne poursuivre son éducation musicale, notamment avec Salieri, qui lui enseigna la composition.

A partir de ses 20 ans, Vienne l'adopta comme un pianiste exceptionnel. Ainsi, après six ans d'efforts pour approcher Beethoven, celui-ci finit par le remarquer et l'accepter comme assistant musical, tâche indispensable au grand compositeur qui n'avait pas beaucoup de patience ni d'ordre. Sa collaboration fut particulièrement précieuse pour la préparation de la deuxième version de Fidelio.

Après plusieurs années de collaboration avec Beethoven, Moscheles épousa une jeune Allemande, en 1825, et le couple s'installa à Londres, où ils vécurent jusqu'en 1846.

Moscheles fut longtemps chef de l'Orchestre Philharmonique de Londres.

Compositeur : **Leopold MOZART**

Date et lieu de naissance / mort :

14 novembre 1719 (Augsbourg, Augsburg en allemand) /1787 (Salzbourg, Salzburg en allemand)

Enfance et éducation :

Fils aîné d'une famille modeste d'Augsbourg, en Allemagne, Léopold Mozart fut aidé dans ses études par son parrain, un ecclésiastique, qui espérait voir le jeune garçon adopter aussi une carrière au sein de l'Eglise. Il reçut donc une bonne éducation de base et apprit également la musique, notamment le chant et le violon.

Vie adulte :

Leopold Mozart arriva à Salzbourg à 18 ans pour y étudier la théologie, études qu'il abandonna rapidement pour entrer au service de la cour comme violoniste. Il montra également des dons de compositeur. Ses premières œuvres, des sonates, furent publiées en 1740. Plus tard, il composa d'autres œuvres et publia en 1756 une méthode pour l'enseignement du violon, ouvrage dont le succès dépassa les frontières de Salzbourg.

Il épousa Anna-Maria Pertl en 1747 et ils eurent sept enfants, dont cinq moururent en très bas âge. Il ne leur resta qu'une fille, Maria-Anna, dite Nannerl (1751-1829) et le dernier, un fils, Wolfgang-Gottlieb, ce fils qui allait devenir l'un des plus étonnants génies de la musique.

Malgré l'abandon des études de théologie, Léopold Mozart était resté très croyant. Il remerciait souvent Dieu de lui avoir donné un fils aussi prodigieusement doué pour la musique. Lorsque celui-ci eut six ans, il estima le moment venu pour aller présenter ses enfants, si prodigieux, à la cour d'Autriche, à Vienne, où la musique était hautement appréciée.

En début 1763, au retour du voyage à Vienne, Leopold Mozart fut nommé vice-Kapellmeister, ce qui lui permit d'avoir une fonction officielle à Salzbourg comme il le souhaitait depuis longtemps.

La cour de Salzbourg avait engagé également Michaël Haydn pour la direction de l'orchestre de la ville, et les deux hommes se lièrent d'une grande amitié.

Léopold, étant toujours très fier et ambitieux pour ses enfants, un long congé lui fut alors accordé à partir de juin 1763 afin qu'il puisse se rendre à Londres et à Paris avec sa famille pour faire connaître ses merveilleux enfants.

Le voyage commença le 9 juin, faisant des escales dans plusieurs villes allemandes, puis Bruxelles. A chaque étape, Léopold faisait toutes les démarches nécessaires auprès de la cour ou des personnes influentes de la ville afin de pouvoir présenter ses enfants dans les meilleures conditions et organiser éventuellement un récital public.

Les frais du voyage étant en partie avancés par Johann-Lorenz Haguenauer, riche propriétaire du logement de la famille Mozart, Leopold Mozart tenait à informer celui-ci régulièrement du déroulement de ce long voyage.

Ces lettres, souvent détaillées, ont largement contribué à notre connaissance du déroulement de ce voyage, à travers l'Allemagne, puis jusqu'à Paris puis Londres.

Presque partout, le succès des enfants Mozart fut considérable. Wolfgang, petit garçon de 7 ans, étonnait par sa précocité musicale, ses improvisations et compositions. Sa sœur Nannerl n'était pas douée pour la composition, mais à 12 ans, elle maîtrisait le clavecin avec une virtuosité exceptionnelle.

Et avant de quitter la ville visitée, la famille Mozart était souvent obligée d'attendre encore plusieurs jours pour recevoir enfin la récompense financière promise, car il était alors d'usage que l'on récompense les talents musicaux, après les auditions, par un cadeau en espèce, en plus, dans ce cas, des petits cadeaux offerts aux enfants.

Pour Léopold, ces récompenses étaient nécessaires pour financer les frais du voyage. Il regrettait, souvent avec amertume et ironie, que tous les baisers dont les princes et princesses couvraient ses enfants ne se transformaient pas en pièces d'or ...

Après 5 mois de voyage à travers l'Allemagne et la Belgique, ils arrivèrent enfin à Paris fin novembre. Ils furent chaleureusement accueillis et hébergés par l'ambassadeur de Bavière à Paris. Léopold et ses amis commencèrent leurs démarches pour obtenir une audition des enfants à la cour à Versailles. Mais à la cour de France, les procédures sont longues.

La famille Mozart est reçue une première fois en décembre par Madame de Pompadour. Puis, la famille est invitée au grand déjeuner du 1er janvier (1764) à la cour. Le petit Wolfgang amuse beaucoup la cour, en particulier la Reine avec laquelle la conversation pouvait se faire directement en allemand.

Grâce aux lettres de Léopold, nous avons des récits plus ou moins détaillés du voyage de la famille Mozart, ainsi que de ses impressions personnelles. Il trouve que Versailles est une merveille. Il regrette cependant que les belles dames qu'il y croise se maquillent et s'habillent d'une manière exagérée et trop uniforme, comme influencée (déjà!) par un phénomène de mode qu'il n'avait constaté dans aucune autre ville.

Il est aussi intéressant de noter son impression de tristesse lorsqu'il visite Paris, car il y trouve partout un nombre incalculable de malheureux et de mendiants, en particulier aux abords des églises.

Il est probable qu'une partie de cette misère soit due au fait que la France sortait de la guerre des Sept Ans, guerre épuisante qui lui a valu la perte du Canada et de quelques autres colonies. Une partie des richesses du pays avait disparu et une partie de la noblesse se trouvait ruinée ou en difficulté.

Dans ces conditions, les cadeaux et rétributions pour les talents des enfants Mozart furent maigres et très décevants, du moins au début du séjour.

Deux mois plus tard, Léopold pouvait se montrer plus optimiste. La famille royale avait fini par bien rétribuer ces musiciens talentueux, puis des concerts organisés à Paris donnèrent de bons résultats.

Après un séjour finalement très satisfaisant, Léopold et sa famille quittent Paris le 10 avril 1764 et arrivent à Londres le 23 avril. Ils sont reçus très chaleureusement par le roi George III et la reine, seulement quatre jours après leur arrivée, soit le 27 avril. Ils quittent la cour non seulement avec une bonne récompense, mais aussi avec une invitation d'y revenir trois semaines plus tard. La deuxième visite, très intime et musicale, allait durer quatre heures!

Mais la saison musicale touchait à sa fin. Déjà à l'époque, l'activité musicale cessait à Londres durant les mois d'été. La famille Mozart passa donc six semaines chez des amis, au calme et à la campagne à Chelsea, (aujourd'hui un quartier de Londres). Ne disposant pas de clavier dans la maison qui les accueillait, le petit Mozart travailla beaucoup à la composition d'une première symphonie.

A la rentrée en octobre, la famille Mozart fut reçue de nouveau à la cour. L'activité musicale avait repris, mais l'enthousiasme initial provoqué par les merveilleux enfants Mozart s'était considérablement estompé. Léopold s'efforça d'organiser deux concerts durant cet hiver, mais les recettes furent maigres. Il est probable que le public amateur était alors davantage attiré par les nouvelles créations de la saison, comme par exemple un nouvel opéra (*Adriano in Siria*) de Jean-Chrétien Bach présentée en janvier 1765.

Après un an et trois mois de séjour en Angleterre la famille Mozart quitta Londres le 24 juillet 1765.

Une semaine plus tard, après la traversée Douvres-Calais, la famille se dirigea vers la Hollande où une princesse avait demandé à voir et écouter Wolfgang. Mais Wolfgang et son père tombèrent malade et cela obligea la famille de rester un mois à Lille.

Puis le voyage se poursuivit à travers la Flandre. Wolfgang se plaisait à essayer les orgues des églises et cathédrales des villes traversées. Quant à Léopold, il admirait les peintures des grands maîtres que l'on pouvait y voir.

Ils arrivèrent enfin à La Haye le 11 septembre et furent aussitôt reçus par la princesse de Weilburg, puis par le prince d'Orange. Un concert public fut organisé le 30 septembre et fut assuré par Wolfgang seul, car sa sœur était alors très malade.

La congestion pulmonaire de Nannerl était tellement grave que le médecin, n'ayant plus de remède à proposer, n'avait laissé aucun espoir de guérison. Malgré cette profonde détresse, la maladie fut finalement vaincue durant le mois de novembre. Mais c'est alors, à la mi-novembre, que Wolfgang fut pris d'une fièvre soudaine et tomba dans le coma pendant huit jours, puis son état resta très grave jusqu'à la fin du mois sans que l'on sache exactement ce qu'était cette maladie, ni de quoi cela pouvait provenir.

Dans une lettre datée du 12 décembre, Léopold Mozart écrit que les malades sont maintenant totalement guéris, mais que Wolfgang a beaucoup maigri et se sent encore extrêmement faible. Il fait dire des messes pour remercier Dieu d'avoir permis la guérison de ses enfants. Il peut alors reprendre l'organisation des concerts.

Il y aura trois concerts, à Amsterdam, fin janvier, fin février et mi-avril. Puis ils se rendent à Paris pour un deuxième séjour du 10 mai au 9 juillet 1766.

Léopold espérait de ce séjour des rentrées financières importantes car les longues périodes de maladie de ses enfants avaient entraîné une situation financière très difficile. La famille fut reçue chaleureusement par les amis parisiens. Mais l'été arriva bientôt, ce qui interrompit les activités parisiennes de la haute société. La famille Mozart décida donc de rentrer enfin à Salzbourg, mais en passant par la Suisse. En chemin, ils s'arrêtèrent d'abord à Dijon où ils passèrent 15 jours et y donnèrent un concert. Ils passèrent ensuite quatre semaines à Lyon et trois semaines à Genève, puis d'autres villes suisses et allemandes, avec souvent des concerts où les enfants montraient leurs talents de musiciens exceptionnels. Enfin, à Munich, ils furent de nouveau très bien reçus par le prince Maximilien.

Ils arrivèrent enfin à Salzbourg fin novembre 1766, soit près de trois ans et demi après leur départ pour ce grand voyage à travers l'Europe.

La situation financière était alors satisfaisante car les concerts des six derniers mois avaient été bonnes en recettes, couvrant et dépassant les frais du voyage. Léopold Mozart, toujours très croyant, ne manquait pas de rendre grâce à Dieu de lui avoir permis de réaliser ce long voyage avec sa famille. Il était rassuré également par l'accueil de Salzbourg où il craignait qu'à son retour le prince-archevêque ne lui reproche d'avoir tant prolongé son congé.

Certains ont reproché à Léopold Mozart d'avoir trop exploité ses enfants durant ce long voyage. Mais, en réalité, ces enfants exceptionnels adoraient la musique plus que toute autre chose et ils ne semblent à aucun moment avoir donné des concerts par contrainte ou obligation. Il faut, au contraire, admirer les capacités de cet homme d'avoir pu organiser et financer un aussi long voyage, manifestement très coûteux, et qui a eu un apport considérable dans la formation, l'éducation et l'épanouissement de ses enfants.

Il semblerait, toutefois, que le succès exceptionnel de ses enfants et le très long voyage qu'il a bien réussi à mener aient accentué chez Léopold Mozart les ambitions et le goût démesuré des déplacements.

Aussi, à peine 9 mois après leur retour, à la fin de cette année 1767, la famille Mozart fait un nouveau séjour à Vienne, mais une épidémie de variole frappe la ville. Avant de rentrer chez elle, la famille voulait passer par Olmütz pour rendre visite à un ami. En arrivant dans cette ville, la maladie se déclare chez Wolfgang et sa sœur, et la famille Mozart doit y rester près de deux mois. Puis, au lieu de rentrer chez eux, il retournent à Vienne, espérant quelques concerts et recettes indispensables car les finances sont alors au plus bas. Mais, les temps ont changé ; la cour ne s'intéresse plus beaucoup à la musique et, à 12 ans, Wolfgang n'a plus son aspect enfantin joyeux et ne soulève plus les passions comme autrefois.

Pourtant Léopold insistait et voulait mettre en avant les talents de compositeur de son fils. L'empereur suggéra alors à Wolfgang d'écrire un grand opéra. C'était un défi que Léopold et son fils acceptèrent, même si cela allait prolonger le séjour d'au moins six mois, malgré la situation financière très inquiétante de la famille Mozart en attendant la récompense espérée à la fin.

Après de longs mois de travail, Wolfgang Mozart achevait son premier opéra en juillet, mais le monde musical de Vienne s'opposa alors à sa représentation, sous divers prétextes, notamment qu'un garçon de 12 ans était trop jeune pour composer valablement un opéra. Les lettres de Léopold en cette période indiquent sa rage et son dégoût à l'égard des Viennois. Il décide, malgré tout, de rester à Vienne afin de ne pas partir sur un échec.

Ils ne rentreront à Salzbourg qu'à la fin de l'année, après que Wolfgang ait obtenu un grand succès par la première Messe écrite et dirigée par lui-même, exécutée solennellement en présence de la Cour le 7 décembre 1768.

Comme le prévoyait son contrat avec la cour de Salzbourg, Léopold retrouva son poste et son salaire de musicien dès son retour. Mais, durant toute l'année 1769, il prépara encore un autre projet de voyage, une tournée en Italie, car il pensait que la visite de ce pays serait indispensable pour compléter la formation musicale de son fils.

Lorsque tout fut enfin prêt, il obtint autorisation du prince de s'absenter de nouveau, dans les conditions habituelles, pour un voyage en Italie.

Comme les voyages en famille coûtaient cher, il décida, cette fois, de voyager seul avec Wolfgang. D'ailleurs Nannerl avait maintenant dix-huit ans et gagnait sa vie en donnant des leçons de clavecin. Il est évident, d'autre part, qu'en dehors du but de parfaire la formation de son fils, Léopold tirait aussi une certaine gloire et satisfaction à l'idée de faire admirer son enfant prodige en Italie, car il dit lui-même que ce voyage devait se faire sans tarder, avant que son enfant devienne grand et que le phénomène n'impressionne plus ...

Le voyage en Italie commença en décembre 1769. Ce fut un voyage très agréable à travers ce pays que Léopold et son fils trouvèrent magnifique. Le succès de Wolfgang Mozart était immense, dépassant tout ce que Léopold pouvait espérer. Sa fierté atteignit son apogée lorsque le pape les reçut à Rome et accorda à son fils de 14 ans l'honorable titre de chevalier. Et le séjour se prolongea car à Milan on commanda à Wolfgang Mozart un grand opéra. Mais avant que le livret de l'opéra soit fixé, Léopold et son fils eurent le temps de continuer leur tournée triomphale de l'Italie.

En octobre 1770 on revint à Milan où le travail pouvait commencer pour composer cet opéra. Il fut achevé fin décembre et reçut un accueil triomphal.

Finalement, ce voyage en Italie durera beaucoup plus longtemps que prévu. Léopold et son fils rentrent à Salzbourg après 15 mois d'absence! Mais, il faudra bientôt retourner à Milan pour exécuter une commande d'une musique que Wolfgang doit composer pour un mariage princier.

Le deuxième voyage en Italie, avec son fils Wolfgang, sera plus court, environ 4 mois, durant le deuxième semestre de 1771, et sera également très satisfaisant.

Au retour à Salzbourg, la vie devint plus difficile pour Léopold, car son protecteur prince-archevêque venait de décéder. Son successeur H. Colloredo ne fut désigné qu'en mars 1772. Celui-ci, après son intronisation en avril, décida de ne pas reconduire les habitudes de son prédécesseur. Ainsi, il engagea un maître de chapelle italien et Léopold dut se contenter d'une place de musicien plus modeste.

Léopold obtint quand même une autorisation de s'absenter pour accompagner son fils afin d'honorer encore une demande de Milan pour un nouvel opéra. Ce troisième voyage en Italie commença en octobre 1772. Le nouvel opéra de son fils fut représenté fin décembre, avec grand succès. De là, il espérait une invitation de Venise, mais ne l'obtenant pas, ils rentrèrent à Salzbourg en mars 1773.

Durant l'été, le prince-archevêque devait s'absenter et, à cette occasion, il accorda un congé à ses musiciens. Léopold en profita pour amener son fils à Vienne dans l'espoir que cette grande ville pourrait accorder à Wolfgang un poste plus important qu'à Salzbourg. Mais la période était mal choisie pour de telles démarches. Ils rentrèrent à Salzbourg fin septembre et Léopold était déçu d'avoir dépensé inutilement autant en frais de voyage.

Léopold et Wolfgang Mozart s'étaient tellement habitués à voyager que dès leur retour à Salzbourg, ils eurent envie de repartir. Mais le prince exigera désormais que ceux-ci accomplissent plus sérieusement leurs devoirs en tant qu'employés de la cour. Ils leur accordera cependant une dérogation fin décembre 1774 pour que père et fils se rendent à Munich durant trois mois suite à une demande pressante du prince Maximilien III.

Après cela, Léopold et Wolfgang Mozart essayèrent en vain d'obtenir un congé en 1776. Léopold renouvela sa demande en 1777, peut-être encouragé par une invitation ou incitation venue de Paris, mais le prince, irrité par la persistance des demandes de Léopold lui refusa catégoriquement toute absence. Il ajouta que Wolfgang Mozart pourrait voyager seul s'il le souhaitait, sans qu'il soit nécessaire de l'accompagner.

Or d'après Léopold, son fils, malgré ses 21 ans, était trop distrait pour être capable de voyager seul. Il demanda donc à sa femme d'accompagner Wolfgang à Paris.

Le 23 septembre 1777, Wolfgang Mozart et sa mère quittèrent Salzbourg.

Dès leur départ, Leopold commença à s'inquiéter sérieusement, car il connaissait très bien toutes les difficultés des voyages et toutes les démarches incessantes pour avoir droit à un concert ou pour être reçu par les princes et autres personnalités influentes, sans oublier les inévitables et énormes soucis financiers pour couvrir les frais de voyage et de subsistance. Ses lettres à son fils et à sa femme témoignent toutes ses angoisses. Il ne cesse de donner des conseils, s'inquiète et se désole des maigres résultats obtenus pas son fils.

Et la réalité dépassa même la teneur de ses inquiétudes, car sa femme tomba malade et mourut à Paris.

Quant à son fils, il ne connut pratiquement aucun succès important et se trouva obligé de quitter Paris après un séjour désespérant qui aura duré six mois.

Après beaucoup d'efforts, Léopold réussit à obtenir du prince Colloredo la réintégration de son fils au service de la cour.

Mais le répit sera de courte durée, car deux ans plus tard, lors d'un déplacement à Vienne du prince, accompagné de musiciens, dont Wolfgang Mozart, la querelle d'insoumission éclata de nouveau jusqu'à entraîner la rupture définitive entre Wolfgang et le prince, au grand désespoir de Léopold, qui envoya à son fils des lettres remplis de colère et de reproches.

Avait-il raison de vouloir empêcher son talentueux fils de 25 ans de vouloir prendre sa liberté et rompre avec son employeur qui le traitait comme un domestique? N'oublions pas que c'était une époque où la notion de liberté était encore mal admise. Peut-être savait-il aussi que le génie de son fils, avec son goût d'indépendance, l'entraînerait très probablement dans la misère alors que chez le prince il était assuré d'un salaire.

Lorsque son fils quitte Salzbourg pour s'installer définitivement à Vienne, Léopold Mozart a 61 ans. Dès lors, il semble enfin se détacher de son fils. Il ira une seule fois lui rendre visite à Vienne, quatre années plus tard. Il mourra à 67 ans, à Salzbourg, probablement d'une crise cardiaque.

Oeuvres :

Léopold Mozart a composé de nombreuses œuvres, mais on retient aujourd'hui pratiquement qu'une seule, devenue célèbre, la *Symphonie des Jouets*.

Compositeur : **Wolfgang Amadeus MOZART**

Date et lieu de naissance / mort :

27 janvier 1756 (Salzbourg) / 5 décembre 1791 (Vienne, en Autriche)

Enfance et éducation :

Fils de Léopold Mozart, musicien (1719 -1787) et Anna-Maria Pertl (1720-1778), Wolfgang fut baptisé le lendemain de sa naissance avec les prénoms Johannes-Chrisostomus-Théophilus-Wolfgang. Quelques jours plus tard, Léopold préféra remplacer Théophilus par sa traduction en allemand, ce qui devint Gottlieb. On l'appellera dès lors Wolfgang-Gottlieb. (Ce détails a toute son importance puisque, 14 ans plus tard, lors d'une visite en Italie, les italiens traduisirent Gottlieb en Amadéo, qui deviendra Amadeus).

Salzbourg était alors une petite ville, mais bien structurée, dans une petite principauté indépendante entre la Bavière (Allemagne) et l'Autriche. La région de Salzbourg ne fut rattachée à l'Autriche que bien des années plus tard, après les guerres napoléoniennes, donc après la mort de Mozart. En toute rigueur, c'est donc une erreur de dire, comme cela se fait habituellement, que Mozart était Autrichien. Salzbourg était à l'époque considérée comme une ville allemande, indépendante. De ce fait, il n'y a rien d'étonnant à ce que Mozart se disait Allemand.

Son père, Léopold Mozart, né à Augsburg, également ville libre d'Allemagne, était arrivé à Salzbourg à 18 ans, comme étudiant en théologie, études qu'il abandonna rapidement pour entrer au service de la Cour comme violoniste. Il épousa Anna-Maria Pertl en 1747 et eurent sept enfants, dont cinq moururent en très bas âge. Il ne leur resta qu'une fille, Maria-Anna, dite Marianne, ou Nannerl (1751-1829), et le dernier, un fils nommé donc Wolfgang.

Lorsque Léopold Mozart commença a enseigner le clavecin à sa fille, le petit Wolfgang n'avait que trois ans, mais il écoutait attentivement les leçons de sa sœur, puis s'installait lui-même au clavecin cherchant et jouant longuement des notes et des accords remarquablement harmonieux!

Aussi, dès l'année suivante, le petit Mozart commença lui-même à avoir des leçons de musique avec son père. C'était un enfant intelligent et adorable. Pour lui, les leçons de musique étaient un plaisir, comme un jeu d'enfant. Aussi, les progrès au clavecin furent très rapides, et à 6 ans il maîtrisait déjà bien cet instrument.

A 4 ans, il essayait même de composer. Et à 6 ans, en 1762, il composait déjà des menuets et autres pièces pour clavecin. Mais étant trop jeune et ne sachant pas encore écrire, c'est son père qui l'aidait à noter sur papier à musique ses premières compositions.

Dès lors, le père lui consacra beaucoup de temps pour lui enseigner la musique, mais aussi à lui apprendre à écrire et à compter. Voyant ses aptitudes, il lui apprit aussi le violon, comme deuxième instrument. Tout cela se faisait sans peine car Wolfgang Mozart possédait une capacité de concentration remarquable. Cela lui permettait d'apprendre et de comprendre tout très vite.

Cette même année, Léopold décida que ses enfants jouaient suffisamment bien pour pouvoir les présenter en public et à la haute société. Il les amena à Munich pour les présenter au prince-électeur de cette grande ville la plus proche de Salzbourg.

Léopold décida ensuite de présenter ses enfants à Vienne, ville où la musique était un art très apprécié. Il partirent de Salzbourg le 18 septembre 1762 et après un concert public en chemin, à Linz, ils arrivèrent à Vienne le 6 octobre.

Très vite le bruit se répandit à Vienne qu'un enfant de six ans, jouant prodigieusement le clavecin et le violon, venait d'arriver dans cette ville.

Quelques jours plus tard on invitait déjà la famille Mozart à se présenter à l'impératrice Marie-Thérèse au château de Schönbrunn. L'enfant Mozart émerveilla la cour par son talent, réussissant même un défi que l'empereur lui lança, celui de jouer sans voir le clavier (ses mains étant recouvertes d'un drap que l'on posa sur l'instrument). Ce même exploit sera ultérieurement répétée de nombreuses fois lors des grands voyages du jeune prodige.

Malgré tout son talent et tant d'éloges, le petit Mozart ne montrait aucune fierté particulière. C'était un petit ange adorable et obéissant. Il exprimait seulement un petit agacement lorsqu'il fallait jouer devant des personnes qui manifestement ne comprenaient rien à la musique. Sinon, l'enfant appréciait les remarques ou critiques que les connaisseurs pouvaient lui faire. Il savait déjà reconnaître et avoir de l'estime pour les bons musiciens.

Après l'audition à Schönbrunn, les petits Mozart furent invités partout, mais une semaine plus tard Wolfgang tomba malade. La scarlatine contraint la famille Mozart à renoncer aux concerts et présentations en public. Un mois sans recettes, cela commençait à inquiéter fortement Léopold. Car les recettes des premiers succès permettaient d'espérer au moins de couvrir entièrement les frais du voyage.

Mais ce ne fut pas du temps perdu puisque Léopold en profita pour apporter à Wolfgang un complément dans son enseignement de la musique. Ils rentrèrent à Salzbourg le 5 janvier 1763, après trois mois d'absence.

A 7 ans Mozart voulait se perfectionner au violon. Il s'y exerçait tous les jours et en quelques mois son jeu devint comparable, dit-on, à celui d'un violoniste adulte!

De plus, il était maintenant capable de composer et écrire sa composition lui-même, sans avoir besoin de l'aide de son père.

Premier grand voyage : Paris, Londres, Lille, Bruxelles, La Haye, Francfort, ...

En juin 1763, Léopold entreprit avec sa famille un très long voyage à travers l'Europe afin de présenter ses deux enfants, notamment à la cour de Londres et de Paris. Le voyage se déroulait avec de nombreuses escales dans des villes allemandes, puis à Bruxelles. Pratiquement partout, les enfants Mozart remportaient un très grand succès. Wolfgang et sa sœur jouaient déjà comme des virtuoses le clavecin et le piano-forte .

A Francfort, Goethe, âgé alors de 14 ans, assista à l'un de ces concerts. Il en fut très impressionné et aura dès lors envers Mozart une admiration immense jusqu'à la fin de sa vie.

A Versailles, l'enfant Mozart remporta beaucoup de succès. Il se sentit bien auprès de la famille royale, d'autant plus que la reine lui parlait directement en allemand (puisque l'épouse du roi Louis XV, Marie Leczinska, d'origine polonaise, parlait parfaitement l'allemand).

Durant plusieurs mois, Wolfgang Mozart aura l'occasion de rencontrer à Paris de nombreux compositeurs, notamment Schobert, dont l'influence est manifeste dans les sonates composées par Mozart à cette période. L'enfant étonnait tous ces compositeurs par la rapidité avec laquelle il pouvait déchiffrer et interpréter leurs sonates, mais encore plus étonnant, il était capable de faire aussi rapidement la transposition ou l'orchestration de ces œuvres!

La famille Mozart quitta Paris après cinq mois de séjour très fructueux. Elle traversa la Manche et arriva à Londres le 23 avril 1764 après 12 jours de voyage.

Quelques jours après leur arrivée, ils furent reçus très chaleureusement par le roi George III et la reine. Ils furent de nouveau invités à la cour trois semaines plus tard. La deuxième visite, très intime et musicale, allait durer quatre heures!

A Londres, la famille Mozart découvrit une vie musicale très intense. A 8 ans, Mozart eut ainsi l'occasion de compléter considérablement ses découvertes et ses connaissances en Musique. Il se lia d'une grande amitié avec un compositeur qui avait alors 21 ans de plus que lui, Jean-Chrétien Bach (1735-1782), installé à Londres depuis peu, après avoir vécu longtemps en Italie. JC Bach était donc en mesure d'initier Mozart à la musique italienne et, surtout, à l'opéra, art musical et dramatique inventé en Italie vers l'année 1600 et qui occupait maintenant une place très importante dans la vie musicale européenne. Mozart trouva cela très intéressant et commença dès lors à composer lui-même des airs dans le style de l'opéra italien et il les chantait fort bien, parait-il.

Les capacités musicales de l'enfant Mozart étonnaient beaucoup, jusqu'à provoquer l'intérêt de la société savante, la Royal Society de Londres, car on n'avait jamais vu un tel phénomène. Un garçon de 8 ans capable de déchiffrer et interpréter instantanément et parfaitement des œuvres difficiles qu'il ne connaissait pas auparavant, ce qui est pratiquement impossible même pour un musicien adulte confirmé! Par ailleurs, en dehors de la musique, il s'agissait d'un enfant tout à fait normal, aimant aussi, par moments, les jeux d'enfants, presque comme tout enfant de son âge.

Quelques mois plus tard, cet enfant phénomène intéressa également le British Museum qui décida de conserver quelques œuvres de Mozart et un portrait de cet enfant avec sa famille.

En été l'activité musicale à Londres s'interrompait car, déjà à l'époque, beaucoup de citadins passaient la belle saison à la campagne. La famille Mozart passa donc six semaines chez des amis, au calme et à la campagne (en fait, à Chelsea, qui à l'époque était la campagne proche de Londres). Ne disposant pas d'un clavier dans la maison qui les accueillait, le petit Mozart passait beaucoup de temps à la composition d'une *première symphonie*.

Puis, en octobre, il écrivit *6 sonates* dédiées à Sa Majesté Charlotte, reine de Grande-Bretagne.

Mais durant tout l'hiver, les enfants Mozart ne furent pas très sollicités. La vie musicale londonienne s'intéressait alors aux créations du moment, notamment un nouvel opéra de Jean-Chrétien Bach.

Départ d'Angleterre et série de maladies :

Après un an et trois mois de séjour en Angleterre la famille Mozart quitta Londres le 24 juillet 1765. De là, la famille se rendit en Hollande où une princesse avait demandé à voir et écouter le petit génie Wolfgang. En route, Wolfgang et son père tombèrent malade et la famille se trouva contrainte de rester un mois à Lille. Puis le voyage continua à travers la Flandre. Wolfgang se plaisait à essayer les orgues des églises et cathédrales des villes traversées.

Ils arrivèrent enfin à La Haye le 11 septembre et furent aussitôt reçus par la princesse de Weilburg, puis par le prince d'Orange. Un concert public fut organisé le 30 septembre et Wolfgang assura le concert à lui seul, car maintenant, c'était sa sœur qui était malade.

En fait, la maladie de Nannerl était une congestion pulmonaire extrêmement grave, et après quelques jours de traitement, le médecin plongea la famille dans un profond désespoir, déclarant ne plus pouvoir sauver la petite. Malgré cela, après quelques semaines terriblement angoissantes, la maladie fut finalement vaincue.

Mais c'est alors, à la mi-novembre, que Wolfgang fut pris d'une fièvre soudaine et tomba dans le coma pendant huit jours, puis son état resta très grave jusqu'à la fin du mois. Là encore, la guérison arriva, mais cette fois sans que l'on sache exactement ce qu'était cette étrange maladie ni de quoi cela pouvait provenir. Il fallut attendre plusieurs semaines avant que le jeune Mozart ne retrouve ses forces et puisse reprendre ses activités en public.

Puis la famille Mozart retourna à Paris pour y rester du 10 mai au 9 juillet 1766, où elle fut de nouveau très bien reçue.

Après ce très long voyage, la famille décida enfin de rentrer à Salzbourg, mais en prenant son temps. Deux semaines à Dijon, quatre semaines à Lyon, trois semaines à Genève, puis Lausanne, Berne, Zurich, avec organisation de concerts. La famille Mozart était devenue célèbre et la presse suivait l'itinéraire, leur arrivée dans une ville était annoncée par la presse locale.

Ils rentrèrent enfin à Salzbourg fin novembre 1766 après trois ans et demi d'absence !

Ainsi, à presque 11 ans, Wolfgang Mozart, petit garçon d'origine modeste, avait eu l'extraordinaire avantage et expérience d'avoir été déjà reçu par les plus grandes cours européennes et d'avoir rencontré les plus grands musiciens de l'époque. Tout cela, grâce à son immense talent précoce, son caractère d'enfant docile et agréable, et aussi grâce à son père qui a su bien organiser ce long voyage malgré les difficultés financières et toutes les démarches nécessaires pour obtenir les rencontres, les auditions, les concerts, etc... Quel aurait été l'avenir et la grandeur du génial Mozart sans cette grande expérience? Aurait-on été privé des grandes œuvres de Mozart si à la place de ces fabuleux voyages et rencontres Wolfgang Mozart avait été à l'école comme d'autres enfants de son âge? N'aurait-il pas été alors mieux préparé à affronter les réalités de la vie, comme nous le verrons plus tard lorsqu'il a fallu vivre sa vie adulte sans la protection de son père? Questions que l'on se posera plus loin, vers la fin de sa vie, sans pouvoir évidemment apporter de réponse...

De retour à Salzbourg, l'enfant Mozart continua à étudier la musique, mais il recevait aussi quelques commandes pour des compositions, à savoir, une première partie d'un *oratorio*, puis la musique pour une comédie. Il composa également une *symphonie (sa sixième!) - K43*.

A la fin de cette année 1767, la famille Mozart fit un nouveau séjour à Vienne, mais une épidémie de variole frappa la ville. Avant de rentrer chez elle, la famille voulait passer par Olmütz pour rendre visite à un ami. En arrivant dans cette ville, la maladie se déclara chez Wolfgang et sa sœur et la famille Mozart dut y rester près de deux mois. Le médecin qui les soigna était franc-maçon et il est fort probable que ses propos en faveur de la franc-maçonnerie aient influencé le jeune Mozart. Car, en remerciement des soins, Mozart lui adressa, pour sa fille qui avait une jolie voie, une ariette dont les paroles étaient d'un texte maçonnique.

A 12 ans, à Vienne, Mozart écrit un premier opéra et une messe qu'il dirige lui-même :

Au lieu de rentrer chez eux, ils retournèrent à Vienne, en janvier 1768, espérant quelques concerts et recettes indispensables car les finances de la famille étaient au plus bas. Mais, les temps avaient changé; la cour s'intéressait moins à la musique qu'autrefois et, de plus, à 12 ans, Wolfgang ne soulevait plus les mêmes passions et la surprise que lorsqu'il était un petit enfant.

Cependant, la vie musicale à Vienne était bien vivante et riche en créations. Léopold essaya donc de mettre en avant les talents de compositeur de son fils. L'empereur suggéra alors à Wolfgang d'écrire un grand opéra, du même genre que l'opéra *l'Alceste* que Gluck venait de créer à Vienne.

Pour relever ce défi et écrire cet opéra, qui s'intitulera *la finta Semplice*, sur un livret de Marco Coltellini, le séjour à Vienne de la famille Mozart allait se prolonger de plusieurs mois. Le jeune Mozart y travailla avec toute sa passion, demandant parfois des conseils à deux excellents chanteurs de la ville. Presque six mois plus tard, l'opéra était achevé.

Mais des obstacles furent dressés empêchant la mise en scène de cet opéra. En effet, le monde musical de Vienne s'opposa à sa représentation, sous divers prétextes, notamment qu'un garçon de 12 ans était trop jeune pour composer valablement un opéra. En plus, ce garçon prétendait vouloir diriger lui-même son opéra! On considéra cela insensé... Tant d'obstacles qui empêchèrent la représentation de cette opéra. De toute manière ce n'était plus la bonne saison; il fallait attendre que passent les mois d'été. Les lettres de son père écrites à des amis à Salzbourg en cette période sont pleines de rage et de dégoût à l'égard des Viennois.

Wolfgang Mozart fut très affecté par ce rejet. Cependant, la passion de créer était chez lui bien supérieure aux soucis et problèmes de succès. Car voici qu'il entame aussitôt l'écriture d'une musique de scène sur un livret (d'origine française) intitulé *Bastien et Bastienne,* travail commandé par un riche Viennois voulant organiser un spectacle pour ses amis le 1er octobre.

Après cette représentation, il composa une première *Messe*, qui fut exécutée le 7 décembre en présence de la cour. On admit cette fois que le jeune compositeur dirige lui-même l'œuvre. Ce fut un grand succès. Et la famille put enfin rentrer à Salzbourg, réconforté par cette satisfaction et ayant obtenu une petite récompense de la cour.

Début 1769, Mozart à maintenant 13 ans et découvre les plaisirs de la lecture. Il améliore progressivement ses connaissances et sa culture générale. Il fait également des progrès en latin et en italien.

Avec le soutien de la cour, son opéra (composé à Vienne) fut enfin représenté le 1er Mai, à Salzbourg, avec le rôle de Rosine tenu par une jeune cantatrice de cette ville que venait d'épouser Michaël Haydn.

Puis Mozart écrivit plusieurs œuvres de circonstance, notamment une Messe solennelle (*Messe n°3 - K66*) pour une célébration à Salzbourg. Dès lors, on le considèra déjà (à 13 ans) comme le grand compositeur de la ville.

Cependant, son père était persuadé que la formation musicale du jeune Mozart serait incomplète sans un séjour en Italie. Il organisa donc un séjour dans ce pays avec son fils, et le voyage commença en décembre 1769.

Voyage de 15 mois en Italie :

Pendant ce voyage en Italie, Mozart écrivait souvent à sa sœur et à sa mère, exprimant sa joie et son enthousiasme d'adolescent, d'autant plus qu'il obtenait partout un accueil chaleureux et un immense succès.

A Vérone, c'était alors la saison du carnaval; on se communiquait à travers des masques et on utilisait des surnoms, ce qui amusa beaucoup le jeune Mozart et le marqua profondément.

Et le journal local publia un article très élogieux, article dans lequel apparaît pour la première fois le prénom Amadeus ou Amadeo (traduction en Italien du prénom Gottlieb).

Quelques jours plus tard, à Mantoue, le succès fut encore immense. Le journal local publia aussi un article très élogieux, mentionnant le nom du jeune compositeur W.A.Mozart.

Le jeune Mozart, qui s'amusait de toutes les nouveautés rencontrées, adopta lui-même ce nouveau prénom que les Italiens lui donnaient. Dès lors, il prit plaisir à signer Wolfgang Amadeo, Amadé ou Amadeus Mozart. Et dans la dernière partie de sa vie, il signait simplement W.A.Mozart.

Cette adjonction rapide et, dès lors systématique et définitive, de Amadé ou Amadeus par le jeune Mozart, correspond peut-être à son envie à être aimé de tous, comme il l'avait déjà dit à plusieurs occasions.

Son père avait eu raison de l'amener en Italie. Toutes les villes visitées réservaient au jeune compositeur un accueil et des acclamations dépassant ceux connus dans les autres pays précédemment visités. Là encore, le contact avec tant de musiciens et compositeurs célèbres fut très enrichissant pour la formation du jeune Mozart de 14 ans.

A Milan, on insista à ce que Mozart écrive un opéra. Ainsi, le séjour en Italie devait se prolonger de plusieurs mois, d'autant plus qu'il fallait d'abord choisir le sujet, le livret. En attendant que cela se précise, ils continuèrent ce voyage, agréable et réussi, à travers d'autres villes, avec des concerts et des réceptions, y compris par le pape à Rome, qui l'éleva au rang de chevalier. Mozart se sentit très honoré par cette distinction.

Durant la chaleur de l'été ils passèrent 5 semaines à Bologne, chez le riche compte Pallavicini, dont le fils unique et très cultivé était du même âge que

Mozart et les deux garçons s'entendirent à merveille. Il termina sa *11è symphonie (K.84),* commencée à Milan, et dans laquelle l'influence de l'Italie est très marquée.

A Bologne, il eut aussi l'occasion de fréquenter très souvent le padre Martini, considéré alors comme le grand maître et spécialiste de la musique de cette ville.

Durant cet été, son père remarqua que son fils avait beaucoup grandi et avait perdu la jolie voix de son enfance.

Ils quittèrent Bologne en octobre et se rendirent à nouveau à Milan, comme cela était convenu, afin de travailler sur l'opéra qu'on lui avait commandé et dont on avait maintenant fixé le sujet : *Mitridate* (ou plus exactement *Mitridate Re Di Ponto*).

L'écriture d'un opéra est une tâche immense, surtout pour un garçon de 14 ans. Durant près de trois mois, Mozart travailla presque jusqu'à l'épuisement, oubliant ses plaisanteries habituelles, s'énervant du manque de sérieux de quelques interlocuteurs et de tous ceux qui le croyaient incapable, à son âge, d'écrire un bon opéra.

La première représentation de cet opéra eut lieu le 26 décembre 1770, et ce fut un très grand succès. Il sera même représenté vingt fois durant cette saison.

En février 1771 ils quittèrent enfin Milan pour aller à Venise où ils furent chaleureusement reçus par toute la noblesse et y passèrent un mois très agréable. Puis, sur la route du retour, Mozart fut acclamé dans toutes les villes qu'il traversait.

Ils arrivèrent à Salzbourg le 28 mars 1771 et Mozart retrouva sa mère et sa sœur après 15 mois d'absence!

Ainsi, à 15 ans, Mozart connaissait déjà une gloire sans précédent. Le voyage en Italie lui apporta aussi une expérience et un enseignement inestimables. De plus, il revenait avec de nombreuses commandes qu'on lui confia avant de quitter l'Italie. Il faudrait donc bientôt retourner à Milan.

Mais en attendant, Mozart compose à Salzbourg quatre *symphonies (K. 73, 74, 75 et 110)*. Il compose aussi quelques œuvres religieuses, comme la *létanie (K.109)* et un *offertoire (K.72),* qui marquent une évolution dans ce genre de musique.

Par ailleurs, il entre dans un âge où les amies de sa sœur commencent à l'intéresser.

En août 1771, Mozart reprend la route avec son père, pour se rendre à nouveau à Milan où il avait promis de mettre en musique une *«sérénade théâtrale, Ascanio in Alba» (K111)* à l'occasion d'un mariage princier le 15 octobre.

Le lendemain du mariage devait être présenté un opéra de Hasse «Ruggiero» et le surlendemain la sérénade «Ascanio in Alba». Mozart remporta un tel triomphe qu'il fallut organiser au moins cinq autres représentations. Le vieux Hasse ne témoigna aucune rancune ni jalousie envers le jeune Mozart dont il apprécia sincèrement le talent extraordinaire. Tous deux furent reçus ensemble à la cour et furent bien récompensés.

Le travail ayant été accompli avec succès, Mozart et son père rentrèrent à Salzbourg fin décembre, juste avant Noël.

1772 fut encore une année très créative. On notera plusieurs œuvres pour petits ensembles, appelées divertimento, en trois mouvements, et plus particulièrement le K.136 qui fait partie des courtes œuvres très célèbres de Mozart.

1772 à Salzbourg, sous le nouveau prince-archevèque Colloredo :

La succession du prince-archevêque de Salzbourg, récemment décédé, fut difficile, notamment du fait que la ville voulait éviter la nomination d'un prince trop proche de l'Autriche et qui compromettrait l'indépendance de cette ville autonome. Finalement on désigna le comte Hieronymus Colloredo, homme de 40 ans, et pour célébrer son intronisation le 29 avril 1772, on demanda à Mozart de composer une sérénade théâtrale d'après un poème de Métastase : *Il sogno di Scipione (K.126)*.

A 16 ans, Mozart reçut alors le titre officiel de maître de concert de la cour, auquel était associé un salaire digne de cette fonction.

On ne sait pourquoi, à partir de cette période, la famille Mozart commença à employer, par moment, un langage codé dans leurs écrits personnels, surtout utilisé par Mozart ou son père lorsqu'il s'agissait d'une phrase concernant le prince et la cour en général, ainsi que dans de nombreuses phrases dans les lettres durant le voyage suivant. Les biographes de Mozart ont pu décoder ce langage par la suite, sans que cela ne dévoile d'importants secrets!

De février à août, Mozart composa aussi un grand nombre de *symphonies (n° 15 à n° 21)*.

Il est possible que cette création intense fut incitée par une grande activité musicale à Salzbourg en cette période. Le nouveau prince-archevêque se disait amateur de musique et favorisait les concerts, mais lui-même avait une préférence trop marquée pour la musique italienne.

En octobre de cette année, Mozart entreprit avec son père un troisième et dernier voyage en Italie, car Milan lui demandait un nouvel opéra : *Lucio Silla*. Mais cette fois, dans ses lettres à sa sœur, on ne trouve plus les phrases d'enthousiasme des deux voyages précédents. Mêmes ses compositions durant ce voyage sont plus tristes ou intimes. Il écrit une série de *quatuors à cordes*, tout en travaillant sur son nouvel opéra.

A Milan se trouvait alors le castrat Rauzzini, qui était un chanteur très apprécié et aussi un bon professeur de chant. C'était encore l'époque où l'Italie produisait des castrats et certains d'entre eux avaient beaucoup de succès en Italie et étaient aussi très demandés par plusieurs opéras en Europe. Rauzzini fut parmi les chanteurs approchant Mozart lors de la préparation de son opéra. Mozart découvrit alors la voix et le talent exceptionnel de ce chanteur et il finit par accepter sa demande de lui attribuer un rôle principal dans *Lucio Silla.*

La première de *Lucio Silla* eut lieu à Milan, le 26 décembre 1772, avec un bon succès, et fut suivie d'une vingtaine de représentations dans cette ville.

C'est durant le mois suivant que Mozart composera, à l'attention de Rauzzini, son très célèbre motet *Exultate Jubilate*.

Mozart et son père rentrèrent à Salzbourg le 13 mars 1773. Il s'en suivit une période de grande création : 5 *symphonies portant les numéros 22, 23, 24, 26 et 27.*

Profitant d'un congé accordé par le prince-archevêque, Mozart se rendit à Vienne durant l'été, où son père espérait lui trouver un poste plus important que ce qu'il pouvait espérer dans leur petite ville de Salzbourg.

Les démarches à Vienne furent sans succès, mais Mozart y rencontra des musiciens intéressants et découvrit les nouveaux quatuors de Joseph Haydn. Ces quatuors, appelés quatuors du soleil, apportaient des éléments nouveaux qui impressionnèrent Mozart. Il se mit à composer lui-même une série de 6 *quatuors à cordes (nos. 8 à 13, K.168 à 173)*. Mais, ces quatuors, dits *quatuors de Vienne*, écrits sans doute trop rapidement, furent une déception pour ses admirateurs. On peut supposer que Mozart voulait simplement faire des essais sur les idées inspirées par Joseph Haydn, comme une réflexion personnelle, et il est fort probable que ce travail n'était pas destiné à être publié ni même exécuté en public.

Le jeune frère de Joseph Haydn, Michaël, était installé à Salzbourg depuis 1762 comme musicien à la cour. Mozart se lia d'une grande amitié avec Michaël Haydn, son aîné de 19 ans, dont il apprécia les œuvres et s'en inspira notamment pour la composition de ses trois symphonies suivantes.

L'année 1773 se poursuivit à Salzbourg avec une activité créative importante pour Mozart, notamment : des *variations pour piano sur un air de Salieri (K.180)*; la *symphonie n°28 (K200)*, qui marque une maturité dans le développement des œuvres de Mozart; un drame lyrique *Thamos, Kœnig in Aegypten (K.345)*, commandé par le poète Franc-Maçon Gebler et le *Concerto n° 5 pour Piano (K.175)*, qui est en fait le premier vrai concerto de Mozart, sachant que les quatre précédents étaient de petites œuvres qui avaient été composées par Mozart enfant pour une exécution personnelle lors de ses concert publics.

La *Symphonie n°29 (K201)* mérite une mention spéciale. Une symphonie en La, joyeuse, très agréable, pouvant déjà figurer parmi les grandes symphonies de Mozart.

Ces œuvres, en particuliers les trois symphonies 25, 28 et 29, marquent une réelle transition où l'enfant Mozart, phénomène exceptionnel qui mérite bien à lui seul toute une biographie, cède définitivement la place au Mozart adulte, le grand Mozart que nous connaissons.

Ainsi s'achève une enfance exceptionnelle, riche en voyages, contacts et expérience. Cette expérience était-elle réellement nécessaire pour aboutir au grand Mozart? Cela fait partie des questions que l'on aime se poser, sachant très bien, cependant, qu'il n'y aura pas de réponse!

Vie adulte :

En tant que musicien et compositeur de la cour de Salzbourg, Mozart, devait, à 18 ans, remplir certaines obligations. Le prince-archevêque, qui était donc son employeur, devenait plus exigeant et n'autorisait plus les absences. Il fit cependant une exception à la fin de cette année 1774, permettant à Mozart d'aller à Munich, avec son père, pour terminer et représenter un opéra, *«La Finta Giardiniera»*, commandé par l'influent électeur de Bavière, Maximilien III, lui-même bon musicien.

Début janvier 1775, les répétitions de l'opéra étaient satisfaisantes. Nannerl vint les rejoindre et assister à la fête (car c'était aussi la période du carnaval de Munich).

Le 13 janvier on donna la première de *La Finta Giardiniera*, et ce fut un très grand succès.

Soulagé et satisfait, Mozart put alors profiter pleinement du carnaval de Munich. Le jeune homme appréciait beaucoup l'ambiance d'un carnaval.

Après plusieurs représentations de *la Finta Giardiniera*, ils mirent fin à leur séjour à Munich le 6 mars et rentrèrent à Salzbourg.

Le prince demanda alors à Mozart de composer la musique d'une fête théâtrale *«Il Re Pastore»* sur un poème de Métastase. Parallèlement à cela, Mozart composa un *premier concerto pour violon (K.207)*. Curieusement, il poursuivit cette expérience pour composer en quelques mois cinq *concertos pour violon*! Expérience très réussie puisque ces concertos sont de véritables chefs-d'œuvre!

L'année 1776 fut pour Mozart une année inhabituelle car sans voyage. A 20 ans, il était bien considéré dans la haute société de sa ville natale et recevait de celle-ci des commandes. La *Sérénade Haffner (K.250)* est sans doute l'œuvre la plus connue de cette période. Elle fut composée à l'occasion du mariage de la fille Haffner, riche commerçant de la ville.

Mais, vers la fin de l'année, une lassitude gagna le jeune Mozart, ne trouvant à Salzbourg que de maigres perspectives musicales et pratiquement aucune possibilité de rencontres de haut niveau dans son domaine comme il en avait pris l'habitude lors de ses voyages des années précédentes.

En janvier 1777, la visite à Salzbourg d'une excellente pianiste française, Mlle Jeunehomme, donna l'occasion à Mozart d'écrire le *«concerto Jeunehomme»*, autrement dit le *concerto pour piano n°9 (K.271)*, œuvre qui marquait, avec la récente série des concertos pour violon, un tournant important dans la conception des concertos. Le nom exact de cette demoiselle, pianiste, n'était probablement pas Jeunhomme comme l'a inscrit Mozart qui, on le sait, aimait bien les jeux de mots; il est possible que son nom s'écrivait plutôt Genomé.

Le contact avec cette française redonna à Mozart une envie très forte de se rendre de nouveau à Paris et de s'évader un peu de l'étroitesse de Salzbourg où, de surcroît, le prince-archevêque Colloredo lui était manifestement hostile, rappelant et insistant, par exemple, sa préférence au compositeur italien Fischietti qu'il avait nommé à la direction musicale de la cour depuis 1772.

Pour Colloredo, Mozart était un musicien à son service. Il ne lui demandait pas de composer, mais de jouer de la musique en tant que bon exécutant. Cette situation devenait insupportable pour le créateur exceptionnel qu'était Mozart.

Après plusieurs tentatives infructueuses d'obtenir un congé de Colloredo, Mozart décida en août 1777 de présenter officiellement sa démission du poste de musicien à la cour de Salzbourg. Le prince, exaspéré par une telle audace.., accepta la démission et autorisa Mozart à aller chercher fortune ailleurs! Mozart pouvait donc aller à Paris ou ailleurs chercher un environnement plus favorable.

Mais Leopold Mozart n'ayant pas obtenu du prince l'autorisation de s'absenter, il demanda donc à sa femme d'accompagner Wolfgang qu'il jugeait trop distrait pour voyager seul, malgré ses 21 ans. La famille s'arrangea avec des amis pour emprunter et réunir les fonds nécessaires pour cette nouvelle expédition.

1777-1778 - voyage avec sa mère; mort de sa mère à Paris :

Le 23 septembre 1777, Wolfgang Mozart et sa mère quittèrent Salzbourg très tôt le matin. Il éprouva un grand soulagement de ne plus être sous l'emprise de Colloredo. En arrivant à Munich, il proposa ses services au prince Maximilien III. Celui-ci le reçut chaleureusement mais lui répondit qu'il n'avait aucun poste à lui proposer dans l'immédiat.

Mozart ne réalisait pas qu'à 21 ans il ne susciterait plus l'immense intérêt que toutes les cours d'Europe avaient témoigné à son égard lorsqu'il était enfant, d'autant plus que sa célébrité en tant que compositeur n'était pas encore suffisante pour que les cours soit incitées à faire un effort pour le retenir. De plus, il ne voulait pas croire non plus que le fait qu'il venait de se brouiller avec un prince voisin inspirait en fait des réticences majeures de la cour de Munich à son égard.

Après trois semaines à Munich, où Mozart fut bien reçu par beaucoup d'amis, mais sans aucun espoir d'y gagner sa vie, sa mère et lui reprirent la route et passèrent quelques jours à Augsburg, ville natale de son père, où vivait encore son oncle avec sa famille, dont la fille, Anna Maria Thekla Mozart, devint une grande amie de Wolfgang. Ils se trouvèrent des points communs, prenant grand plaisir à faire des plaisanteries très osées, vulgaires (détail qui nous étonne car contrastant totalement avec l'élégance de la musique de Mozart). Ils échangeaient aussi beaucoup de jeux de mots si chers à Mozart. De telles plaisanteries, ils continuèrent à en échanger par correspondance durant de longues années.

Poursuivant le voyage, Mozart et sa mère passèrent un temps à Mannheim, ville où la musique avait une bonne place, avec un opéra et un excellent orchestre. Mozart espérait une commande d'opéra du prince Karl-Theodor qui lui témoigna beaucoup d'intérêt et le reçut régulièrement durant ce séjour à Mannheim, organisant des séances de musique, notamment pour sa famille. Mais il n'y eut ni commande ni récompense financière, ce qui obligea Mozart à emprunter, non sans difficulté, afin de régler ses frais de séjour.

Ainsi, pour la première fois, Mozart comprit que le génie ne suffisait pas pour gagner sa vie. Il comprit aussi l'inquiétude grandissante qui ressortaient dans les lettres de son père depuis déjà fort longtemps, lui donnant des conseils et le pressant d'obtenir des commandes ou un poste de musicien à la cour.

Il faisait très froid cet hiver. Dans ces conditions, il était hors de question de quitter Mannheim alors pour poursuivre le voyage. Mozart continuait ses démarches auprès de ses bons amis et du prince, et donnait quelques leçons, pendant que sa mère restait dans une maison glaciale, ne pouvant se permettre que quelques heures de chauffage par jour. Mozart prenait ses repas chez des amis et pouvait également y trouver logement s'il n'y avait pas sa mère, obligée de rester dans cette ville, à s'ennuyer et à grelotter dans ce logement froid, mais elle était au moins satisfaite de respecter les instructions de son mari.

Après le refus définitif de Karl-Theodor de l'engager, probablement influencé politiquement par le refus des deux autres princes (Salzbourg et Munich), Mozart se tourna davantage vers ses amis et personnalités de la ville et finit par obtenir quelques revenus (petites commandes, leçons) en attendant de pouvoir prendre la route vers Paris.

Mais en même temps, certains amis commencèrent à l'exaspérer. Dans une des nombreuses lettres à son père, il écrit qu'il s'agit de personnes sans religion, vivant d'une manière moralement inacceptable. Malgré ses plaisanteries et une certaine joie de vivre, Mozart n'était donc pas homme à renoncer aux principes de moralité hérités de ses parents.

En janvier 1778, il montra un intérêt grandissant pour la famille Weber, famille modeste et nombreuse. Le père, Fridolin Weber, était copiste de musique. (Il aura en 1786, en second mariage, un fils : le futur compositeur Karl-Maria von Weber). L'une des filles de Fridolin Weber, Aloysia, avait alors 17 ans, jouait bien du piano et avait une très belle voix de cantatrice. Très vite naissait en Mozart un grand amour à l'égard de cette talentueuse et adorable jeune fille. Elle avait aussi des sœurs que Mozart appréciait bien, notamment l'aînée, Josepha, également cantatrice, et Constanze, dont on reparlera plus tard. Auprès de cette famille, Mozart se sentait donc très heureux et il décida de renoncer à l'idée d'aller à Paris, mais d'aider à lancer Aloysia dans sa carrière de cantatrice et de la faire connaître par exemple en Italie.

Son père apprenant cette liaison, qu'il estima très néfaste pour l'avenir de son talentueux fils, lui écrivit aussitôt une très longue lettre, retraçant les événements et les erreurs dans les démarches de son fils tout au long de ce voyage et enfin la dernière des erreurs du jeune homme qui consisterait à sacrifier sa propre carrière pour cette fille Weber, et qu'il serait, de toute manière, incapable d'aider réellement pour toutes sortes de raisons, donnant plusieurs exemples pour démontrer que ce genre de démarche conduit inévitablement à des échecs.

Les lettres très sévères de son père, rappelant les sacrifices et les dettes familiales contractées pour ce voyage, finirent par convaincre Mozart de renoncer à son idée de parcourir l'Italie avec Mlle Weber, mais d'aller, avec sa mère, à contre cœur, chercher le succès en France. Aussi, en février 1778, sa mère et lui quittèrent Mannheim en direction de Paris.

Ce père qui s'était trop occupé de lui jusque là voulait encore le guider en permanence, n'acceptant pas que son fils, à 22 ans, ait une envie, un besoin et un droit de décider maintenant de son propre destin. Il lui était difficile aussi d'accepter que la présence de la mère durant tout ce voyage entraînerait, en fait, des difficultés supplémentaires pour son fils.

Les 9 jours de voyage, de Mannheim à Paris, parurent très longs. La séparation de ses amis de Mannheim fut une grande épreuve pour Mozart. Par un heureux hasard, il rencontra à Paris des personnes connues à Mannheim et qui lui proposèrent quelques travaux musicaux lui permettant d'avoir une occupation temporaire, des repas et quelques petits revenus. Mais ses amis remarquaient qu'il était triste. Manifestement, Aloysia lui manquait beaucoup.

Très rapidement, Mozart fut présenté à Gossec, franc-maçon et compositeur alors très connu à Paris et qui, en cette période, était directeur de l'opéra. On lui donna aussi des recommandations pour se rapprocher de la noblesse, mais celle-ci ne s'intéressa pas à lui. Cette même noblesse qui avait adoré le merveilleux enfant Mozart ne trouva rien de passionnant chez l'homme de 22 ans qu'il était devenu, et on ne lui trouva aucun charme et encore moins de grâce. De plus, Mozart n'avait pas les moyens d'être conduit en voiture; il arrivait donc souvent avec des vêtements souillés par la saleté et la boue qui envahissaient alors les rues de Paris.

La déception de Mozart était immense. Il était découragé.

Un ami musicien à Versailles lui proposa de postuler pour un poste vacant d'organiste à la cour. Le salaire était plutôt modeste, mais le contrat lui aurait laissé environ six mois par an de liberté. Mais, cette perspective le laissa indifférent et il ne donna aucune suite à cette proposition.

Un rare moment agréable fut la composition du *concerto pour flûte et harpe (K.299)* commandé par le duc de Guisnes, lui même bon flûtiste et dont la fille jouait de la harpe. Mais, malheureusement, pour une raison obscure, Mozart ne reçut pas le paiement du montant de la commande. Bien que Mozart ait tenu compte des spécificités quant à la taille réduite de l'orchestre et la relative facilité de la partition de la harpe, il semblerait que Mlle de Guisnes, peu douée, ait eu quelques difficultés à tenir son rôle et que le duc, en réalisant cela, ait décidé d'oublier totalement son engagement vis-à-vis de Mozart! Encore une œuvre gratuite, pour la postérité.

Il fut plus heureux avec la commande d'une symphonie : *la symphonie n°31, dite de Paris (K.297)*. Composée au printemps, elle fut exécutée début juillet 1778; elle eut un grand succès et fut considérée par ses amis comme la meilleure symphonie jamais écrite jusque-là. Il en était lui-même très content et annonçait sa grande satisfaction à son père, dans une lettre écrite avant même l'exécution, ajoutant que cela devrait enfin plaire, même à un certain nombre d'ânes!

A cette période survint un malheur. La mère de Mozart, Anna-Maria, souffrait depuis mi-juin, d'une infection intestinale. Le mal s'aggravait régulièrement, mais elle refusait toujours de voir un médecin. Sans doute voulait-elle éviter d'engager des dépenses supplémentaires en ces temps difficiles. Finalement Mozart amena un médecin le 24 juin. Celui-ci donna des médicaments et lorsqu'il revint le 29, il annonça qu'il ne pourrait pas la sauver. Trois jours plus tard, les amis de Mozart envoyèrent un autre médecin, mais il n'y avait plus rien à faire pour la guérir. Arriva donc un confesseur pour les derniers sacrements.

Ainsi, Anna-Maria Mozart mourut à Paris le 3 juillet 1778.

On ne saura jamais si l'infection intestinale fut la vraie cause du décès, ou bien était-ce plutôt les suites d'une épidémie de typhoïde, qui paraît être une explication également vraisemblable.

Mozart écrivit aussitôt une lettre à son père le préparant indirectement à la triste nouvelle et écrivit également à un abbé proche de la famille, à Salzbourg, le priant de rendre immédiatement visite à son père pour lui faire part du décès de vive voix.

Des obsèques très simples eurent lieu le lendemain.

Au registre de l'église Saint-Eustache, à Paris, on a noté le 4 juillet 1778 l'inhumation de Marie-Anne Pertl, 57 ans, en présence de son fils Wolfgang Amadé Mozart et du trompettiste François Heina.

Elle fut probablement enterrée dans le cimetière près de cette église, mais ce cimetière a été supprimé peu de temps après.

Quelques jours plus tard, Mozart écrivit à son père et à sa sœur une lettre de consolation, disant que la volonté de Dieu était ainsi et qu'il fallait s'y résigner. Il annonça qu'il s'installait chez des amis (Mme d'Epinay et M. Melchior Grimm) qui lui mettaient une chambre à sa disposition. Le baron Grimm, écrivain bavarois, vivant à Paris depuis 1748 et amant de Mme d'Epinay, s'était lié d'amitié avec la famille Mozart et leur avait été très utile lors de leur séjour à Paris en 1764.

Alors que Mozart rêvait toujours d'Aloysia, comme on a pu le constater par ses lettres à elle et à son père, Fridolin Weber, à Mannheim, il s'activait aussi à donner des leçons pour gagner sa vie. C'est sans doute pour ses élèves qu'il écrivit quelques variations faciles, comme par exemple *Ah, vous dirais-je, maman (K.265)*.

Fin du séjour à Paris :

Outre la récente mise à disposition d'un logement à Mozart, le baron Grimm lui avait consenti un prêt pour couvrir les frais occasionnés par la maladie, puis le décès de sa mère.

Mais entre Grimm et Mozart, les relations se détériorèrent très rapidement. Ce baron, qui était resté avec le merveilleux souvenir de Mozart enfant, commençait à trouver que Mozart adulte ne présentait aucun intérêt pour lui. Il écrivit donc à Léopold Mozart que la présence de son fils à Paris était inutile et que, de plus, cela lui coûtait cher! Poursuivant sa lettre, il indiquait à Léopold sa décision de l'obliger à partir, fin septembre, acceptant de lui payer les frais de diligence jusqu'à Strasbourg, puis ce serait à Léopold de prendre en charge le rapatriement de son fils!

Il faut savoir que le monde musical parisien était alors trop occupé avec les querelles entre partisans de Piccinni (donc l'opéra et la musique italienne) et ceux de Gluck! De plus, Grimm s'était rangé du coté des premiers, ce qui expliquerait encore mieux le rejet vis-à-vis des compositions de Mozart.

Un moment agréable pour Mozart en ces temps difficiles fut l'arrivée de Londres de Jean-Chrétien Bach venu à Paris pour un court séjour. Ils passèrent quelques jours ensemble, chez des amis à Saint-Germain (près de Paris), où Mozart rencontra des personnalités qui lui étaient favorables. La rentrée musicale de Paris était proche et Mozart espérait maintenant que ses œuvres allaient être mieux accueillies que jusqu'alors.

Pendant ce temps, son père, influencé par le courrier catégorique de Grimm, faisait des démarches subtiles auprès du prince-archevêque Colloredo de Salzbourg afin que celui-ci accepte que son fils revienne à son service, d'autant plus que deux postes importants de responsables de musique de la cour se trouvaient subitement vacants. Leopold Mozart voulait donc saisir cette opportunité pour lui et pour Wolfgang. Et le prince finit par accepter cette demande.

Mozart hésita donc entre un succès qui lui paraissait désormais possible à Paris et l'attente urgente de son père dont un courrier annonçait une place assuré à Salzbourg, ce qui lui donnerait aussi la joie de retrouver sa famille. Pour le persuader définitivement, son père indiquait qu'il avait aussi obtenu du prince la liberté pour Wolfgang de se rendre à Munich ou à Vienne si ces deux villes proches venaient à lui commander un opéra. Pour compléter les attraits, il ajoutait aussi qu'il avait l'intention d'inviter Aloysia et son père pour quelques jours à Salzbourg!

Face à de tels arguments, Mozart se décida et prit la route le 26 septembre 1778 en direction de Salzbourg après les six mois difficiles et tristes passés à Paris.

Entre Mozart et les français de Paris, les relations n'avaient pas été chaleureuses. Mozart quittait donc Paris avec un sentiment d'échec, regrettant aussi d'abandonner définitivement des chances qui auraient peut-être pu aboutir ultérieurement dans cette importante capitale, et redoutant également ce retour à Salzbourg où il craignait l'ennui et l'impossibilité de s'épanouir. Mais, tant pis, la décision était prise.

Et le voyage fut encore plus pénible que prévu car son "protecteur" Grimm lui avait acheté le billet le moins cher possible, mettant 10 jours de Paris à Strasbourg, au lieu de 5 jours habituellement!

A Strasbourg, Mozart avait deux adresses où il pouvait trouver de l'aide auprès d'amis de son père. Là, il reçut du courrier lui apprenant que sa bien aimée Aloysia Weber venait d'être engagée dans d'excellentes conditions à l'opéra de Munich. Cela lui fit grand plaisir de savoir que la famille Weber sortirait ainsi de la misère.

Malgré les lettres de son père le pressant de rentrer rapidement à Salzbourg, Mozart resta un mois à Strasbourg, ville où le dialogue en allemand était possible, ce qui lui facilitait le contact et où il put donner trois concerts.

Après ce mois satisfaisant, il reprit la route, mais fit un détour par Mannheim, autre ville dont il conservait un excellent souvenir. Dans sa lettre à son père, il indique combien il fut très bien reçu par les amis de Mannheim, dont plusieurs insistaient à le loger chez eux. Il donna même des leçons de piano et reçut aussi une commande pour écrire la musique d'un mélodrame en allemand. Mais le projet de cette commande fut retardé; et son père le pressait de rentrer à Salzbourg au lieu de perdre son temps et de l'argent à Mannheim.

Après deux lettres extrêmement sévères de son père, Mozart se décida de quitter enfin Mannheim le 9 décembre 1778.

Une fois de plus, ce fut un départ sans joie et avec l'angoisse de retrouver la petite ville de Salzbourg, avec son prince Colloredo dont il gardait un très mauvais souvenir.

Le chemin de retour passait par Munich. En arrivant dans cette ville, il se rendit aussitôt chez les Weber, et là, il eut une immense déception. De toute évidence sa bien aimée Aloysia ne l'aimait plus! En quelques mois elle avait changé. Ce n'était plus cette jeune fille de 17 ans, totalement inconnue, qui était tombée en admiration devant le jeune Mozart, celui-ci ayant pu reconnaître en elle des talents très prometteurs de cantatrice et s'était aussitôt passionné pour elle. Maintenant qu'elle était bien lancée dans la profession, elle avait d'autres ambitions personnelles. De toute évidence, elle ne partageait pas les sentiments de Mozart à son égard. Le père de Mozart lui avait pourtant fortement conseillé de ne pas s'attacher à cette famille dont il avait remarqué l'amitié plutôt intéressée et superficielle, en particulier chez la mère.

Mozart écrivit à son père une courte lettre exprimant tout son chagrin. Au lieu de consolations, il reçut encore une réponse très sévère de son père le pressant de rentrer à Salzbourg où un poste rémunéré l'attendait, ce qui permettrait à la famille Mozart de pouvoir terminer le remboursement des dettes contractées l'année précédente pour financer le voyage et le triste séjour à Paris.

1779 - retour à la vie de Salzbourg :

Dès son arrivée à Salzbourg, mi-janvier 1779, Mozart écrivit au prince Colloredo pour accepter officiellement le poste d'organiste qui lui était proposé. La lettre se termine par «... le très humble et obéissant, Wolgang Amadé Mozart»!

Par conséquent, le 17 janvier, Mozart fut officiellement nommé organiste à la cour.

Pour Mozart, tout ceci était une terrible humiliation. Lui qui portait déjà un profond mépris ou sentiment d'exaspération à l'égard des Salzbourgeois et de leur prince, était maintenant contraint d'y travailler, pour un salaire plutôt misérable.

En cette année, sa fonction l'amenait à composer beaucoup de musique religieuse. On retiendra surtout la *messe du couronnement (K.317)*, écrite en mars et appelée ainsi car probablement exécutée à l'occasion du couronnement d'une statue de la Vierge.

Mais il composa également des œuvres non destinées à L'Eglise, notamment la célèbre *symphonie concertante pour violon et alto (K.364)*, un véritable chef-d'œuvre montrant la créativité et l'innovation apportées par Mozart.

Durant l'été 1780 le prince Karl-Theodor de Munich commanda à Mozart un opéra sur un livret très traditionnel, *Idomeneo, Re di Creta*. Mozart fut enchanté de pouvoir quitter Salzbourg en novembre afin d'organiser les répétitions à Munich. Conformément aux accords avec son employeur, le prince Colloredo, on lui accorda six semaines d'absence pour cette tâche.

A Munich, Mozart fut accueilli par de nombreux amis, sincères et fidèles, notamment le musicien et compositeur Cannabich et le chanteur Raff qui connaissaient tous deux Mozart depuis son enfance, l'ayant vu notamment à 10 ans à la cour de Versailles.

De plus, maintenant que les relations entre Mozart et le prince Colloredo étaient normalisées, la cour n'avait plus de raison "politique" de se méfier de ce compositeur, d'autant plus que ses œuvres étaient de plus en plus appréciées. Aussi, Mozart pouvait jouir d'un accueil favorable à tous les niveaux.

Toutes les conditions étaient réunies pour favoriser le travail acharné et sérieux qui le caractérisait à chaque fois qu'il s'agissait d'une création importante. Il attachait aussi une grande importance au livret, discutant et obtenant les modifications des passages qui ne lui paraissaient pas bons.

Le 1er décembre commencèrent les répétitions de cet opéra. Tous ses amis et musiciens furent émerveillés et complimentèrent Mozart. Son vieil ami, le chanteur Raff, était ravi d'avoir aussi un rôle important dans cet opéra. Il avait alors 66 ans et sa façon émouvante de chanter compensait, paraît-il, les difficultés de la voix dues à son âge.

La prince-électeur Karl-Theodor assista lui-même plusieurs fois aux répétitions et ne manqua pas d'exprimer sa grande admiration devant cette création de Mozart. La nouvelle de tous ces éloges se propagea jusqu'à Salzbourg, et toute cette ville se sentit enfin fier du succès de l'enfant du pays.

Tout cela renforçait la situation de Mozart qui, dès lors, ne songeait plus à l'échéance, en décembre, des six semaines de congés que le prince de Salzbourg lui avait accordés.

D'ailleurs, le prince Colloredo eut soudain d'autres préoccupations ; il dut se rendre à Vienne, auprès de la famille impériale, afin de présenter ses condoléances suite au décès de l'impératrice, et apporter son soutient et ses félicitations au fils, Joseph II, qui devenait dès lors le puissant empereur germanique. Rappelons que Vienne était le siège de la dynastie des Habsbourg qui régnait alors sur un grand nombre de petits états constituant une partie de l'Allemagne, en plus de l'Autriche.

Léopold Mozart profita lui aussi de l'absence de son maître pour se rendre à Munich, avec Nannerl, afin d'assister à la création de l'opéra *Idomeneo*.

La première eut lieu le 29 janvier 1781, sous la direction de Mozart. Pour la plupart des connaisseurs, les éloges avaient déjà été formulés lors des répétitions. Mais le grand public resta plutôt indifférent, ce qui réduisit la durée de vie de cette première série de représentations.

Cependant, Mozart était satisfait du travail accompli. Il venait d'avoir 25 ans et se sentait heureux, participant joyeusement au carnaval de Munich qui avait lieu en cette période.

Le séjour à Vienne du prince Colleredo se prolongea plusieurs mois. En mars, il se souvint que Mozart était toujours à Munich et lui envoya l'ordre de venir le rejoindre à Vienne.

La perspective d'aller à Vienne où la vie musicale était intense compensait les réticences de Mozart de retrouver le prince Colloredo, son employeur, qui manifestement le détestait.

Après tous les honneurs qu'il reçut à Munich, Mozart se retrouvait de nouveau au rang des serviteurs et domestiques du prince! Celui-ci, pour marquer son autorité, refusait systématiquement que ses musiciens acceptent de jouer dans des concerts autres que ceux qu'il organisait lui-même. Cependant, Mozart était maintenant suffisamment célèbre pour qu'on le réclame avec insistance. Le prince finit par céder, et sa haine envers Mozart ne faisait qu'augmenter. Il commença à regretter d'avoir demandé à Mozart de venir le rejoindre à Vienne.

Furieux de constater le succès des concerts de Mozart, le prince lui ordonna donc de quitter Vienne avant mi-avril, sinon il ne lui verserait plus son salaire.

1781 - rupture définitive avec Salzbourg et installation à Vienne :

Mozart, que l'on reconnaissait maintenant comme grand compositeur, se sentait capable de se passer du salaire que lui versait le prince, mais l'idée d'une nouvelle rupture avec Salzbourg et sa famille lui causait une grande peine. Il se rappelait aussi de la très mauvaise expérience suite à sa précédente rupture avec le prince. De plus, on était encore à une époque où on ne rompait pas avec son employeur. Mozart traversa alors une période très tourmentée, comme le témoignent ses nombreuses lettres à son père à Salzbourg, une partie de celles-ci étant en langage codé (en chiffres) puisqu'elles concernaient le prince. Il était conscient du fait que son père allait beaucoup souffrir devant une nouvelle rupture avec Colloredo après tant d'effort pour obtenir pardon et réconciliation deux années auparavant.

Le 28 avril, Mozart, ne pouvant plus rester chez le prince, s'installa dans une chambre louée chez Mme Weber, qui s'était installée à Vienne avec ses filles. Le 9 mai, le prince le convoqua pour lui dire sa grande colère, en y mêlant des injures personnelles, sur quoi Mozart s'impatienta et lui donna sa démission. Nous connaissons ces détails grâce aux lettres, bien que codées, par lesquelles Mozart tenait son père au courant.

Selon les lettres de Mozart à son père, beaucoup de Viennois le soutenaient dans sa lutte avec Colloredo. En réponse, son père, au contraire, lui adressait des lettres de reproches extrêmement sévères, voire insupportables.

On aurait tendance à trouver excessive et incompréhensible une telle sévérité du père à l'égard d'un fils majeur. Mais, n'oublions pas que ce père connaissait très bien son fils. Il savait bien que son fils, malgré tout son génie musical, n'avait pas le sens pratique pour gagner sa vie. D'où sa conviction que son fils n'avait d'autre choix que de faire, malgré tout, l'effort de ne pas contrarier le prince, car celui-ci lui avait au moins assuré un revenu mensuel.

D'un autre coté, Mozart, à 25 ans savait et avait prouvé qu'il était déjà le plus grand compositeur du moment. N'était-il pas alors normal de sa part de refuser à être traité comme un domestique du prince? Avec, en plus, l'énergie et l'optimisme de la jeunesse, il n'avait aucune raison de partager les craintes et le pessimisme de son père.

En juin, le prince rentra enfin à Salzbourg, sans plus s'intéresser à Mozart et sans avoir répondu à sa lettre de démission.

A partir de 1781, Mozart résidera donc à Vienne. Il est satisfait du logement loué chez la veuve Mme Weber. Aloysia n'y habite plus, puisqu'elle s'était mariée récemment, devenant Mme Lange. Mozart pouvait donc travailler l'esprit libre et y trouvait aussi d'agréables moments de détente avec les trois autres soeurs d'Aloysia. Elles aimaient la musique et chantaient bien, mais n'avaient pas la voix exceptionnelle d'Aloysia. A l'époque il ignorait, ou voulait ignorer, les défauts de Madame Weber, connue par ailleurs comme étant une femme très égoïste et trop intéressée.

Ainsi, Mozart commençait bien sa nouvelle vie à Vienne. Il était fréquemment invité par des amis et par la noblesse et espérait avoir des élèves afin de gagner sa vie en attendant l'organisation de concerts. Au début, il n'avait qu'un seul élève car, disait-il, son tarif était délibérément élevé. De plus, l'été était la saison morte pour la musique à Vienne. Les moyens de subsistance de Mozart restaient donc très maigres.

Durant ces mois difficiles, un espoir vint de son ami, responsable du théâtre de Vienne, Gottlieb Stephanie (1741-1800), que l'on nommait aussi Stephanie "le jeune" car il avait un frère aîné portant le même prénom! Celui-ci demanda à Mozart d'écrire un opéra.

Après beaucoup d'hésitations sur le livret à choisir, on s'orienta, en juillet, sur une adaptation de *Zaïde*, projet d'opéra inachevé de Mozart, et en s'inspirant aussi d'un livret similaire de Bretzner «Belmont et Constance ou Enlèvement au Sérail» qu'un compositeur de Berlin, Johann André, avait mis en musique en mai de cette même année 1781. Pour l'opéra de Mozart, le livret s'appellera *L'Enlèvement au Sérail*.

Travailler sur cet opéra fut un grand plaisir pour Mozart, d'autant plus qu'il s'agissait d'un opéra en allemand. L'opéra devait être terminé dans un délai très court puisqu'on devait être en mesure de le représenter à l'occasion de la visite d'un prince de Russie à Vienne prévue pour mi-septembre. Pourtant, en réalité, il aura fallu presqu'une année entière avant que cet opéra soit représenté!

Pendant ce temps naissait l'amour entre Mozart et Constanze, la troisième des quatre filles de la famille Weber. Elle avait alors 18 ans. Mme Weber avait donc encore trois filles à marier et observa favorablement cette relation naissante. D'ailleurs, depuis l'été 1781 on racontait à Vienne que Mozart entretenait des relations trop intimes avec les filles de sa logeuse. Ces rumeurs, parvenues jusqu'à Salzbourg, paraissaient déplaisantes au père qui demanda à son fils de quitter ce logement. Et comme en septembre, on annonça que la visite prévue du prince de Russie était retardée, Mozart eut ainsi le temps de trouver un nouveau logement, quittant donc le logement qui était la cause de beaucoup de rumeurs et d'indignations. Le nouveau logement restait tout de même très proche de la maison Weber.

A fin septembre, l'*Enlèvement* était à moitié terminé, mais le travail n'avançait plus car Mozart voulait apporter des modifications significatives sur la suite du livret, alors que son librettiste, Stephanie, était très pris par d'autres opéras. En effet, à cette période, on considérait plus urgent l'adaptation en allemand de plusieurs opéras, notamment de Gluck. La visite du prince de Russie eut finalement lieu en octobre, mais on ne parlait plus de l'opéra de Mozart. En attendant donc des moments plus favorables pour continuer l'*Enlèvement*, il composa une *sérénade (K375)* qui fut exécutée avec succès, ainsi qu'*une sonate pour deux pianos (K448)*. (Sonate, reprise 2 ans plus tard avec une nouvelle date inscrite par Mozart, d'où l'erreur de numérotation K!).

Dans une lettre à son père, datée du 15 décembre, Mozart explique que le moment est venu pour lui de se marier car il souhaite avoir désormais une vie stable et fonder une famille. Il annonce son intention d'épouser Constanze, qui, dit-il, est charmante, sans être belle, et qui est une personne douce, très différente de sa mère, Mme Weber, et de ses deux sœurs aînées, qui avaient toutes la réputation d'être plutôt égoïstes et grossières.

Ses lettres d'alors indiquent bien qu'il y avait un amour réciproque entre lui et Constanze et que le mariage fut une décision commune. Mais il n'en ressort pas clairement l'existence d'une grande passion amoureuse entre ces deux jeunes gens. Ils étaient, certes, en âge de songer au mariage. Constanze avait aussi, sans doute, hâte de quitter sa maison où sa mère et sa grande sœur n'avaient, semble-t-il, aucune gentillesse envers elle.

Malgré sa situation financière peu glorieuse, Mozart était, cependant, déjà un musicien prestigieux, connu et très apprécié de l'empereur. Mme Weber avait donc de bonnes raisons d'encourager sa fille Constanze à concrétiser le mariage projeté. Le père de Constanze étant décédé, elle dépendait aussi d'un tuteur, M. de Thorwart, et celui-ci ne s'opposa pas à ce mariage.

Comme d'habitude, l'enthousiasme et l'optimisme de Mozart furent ternis par les critiques sévères de désapprobation venant de son père, accusant sans ménagement Mme Weber et M. Thorwart de leur influence néfaste sur leur fils. Il faut dire qu'aucune de ces deux personnes ne jouissait d'une excellente réputation. Tout en étant à Salzbourg, Leopold Mozart était donc très bien renseigné.

En janvier 1782, Mozart avait trois élèves. Ses revenus s'étaient donc améliorés, mais demeuraient encore insuffisants. Il lui fallait absolument un quatrième élève ou peut-être un engagement à la cour.

Mozart participait régulièrement aux séances musicales organisées chez le baron Gottfried van Swieten, et aussi chez la comtesse Thun.

Son intérêt musical en cette période se porta sur Bach et Haendel; il découvrit et admira les fugues et en composa lui-même des adaptations pour musique de chambre ainsi que le *Prélude et Fugue pour piano (K.394).*

Encouragé par la comtesse Thun, Mozart continuera de travailler sur *l'Enlèvement au Sérail*, et l'opéra sera enfin achevé fin mai. Après de nombreuses répétitions, la première eut lieu au Théâtre National de Vienne (Burgtheater), le 16 juillet 1782.

Cette œuvre, la première des cinq opéras célèbres (et éternels?) de Mozart, fut pourtant diversement accueilli. Nombreux furent enthousiasmés, reconnaissant là un chef-d'œuvre. Mais il y eut aussi un grand nombre d'opposants, rejetant cette œuvre, trop différente, qui n'était pas dans la tradition de l'opéra classique à l'italienne.

L'idée même d'un opéra en allemand, donc compréhensible pratiquement par tous les citoyens, plaisait bien à l'empereur Joseph II. Mais, en même temps, une certaine catégorie importante de la haute société viennoise s'opposait farouchement aux tentatives de démocratiser l'opéra, jusque-là réservé à une certaine élite. Sous ces influences maléfiques, poussées aussi par ceux qui, comme Salieri, ne croyaient qu'à l'opéra italien, l'Empereur se sentit obligé de modérer son enthousiasme initial et de faire quelques critiques en écoutant les répétitions; il finit par dire à Mozart sa fameuse réflexion que cet opéra comportait "trop de notes"! A cela Mozart lui répondit poliment qu'il n'y avait pas une seule note de trop!

Bien que minoritaire, cette opposition se manifesta d'une façon déterminée lors de la première de *l'Enlèvement*. Mais, le grand public, dans sa majorité, apporta tout son soutien à Mozart et il fut possible de donner trois jours plus tard une deuxième représentation très réussie, où les critiques des opposants furent rapidement noyées et recouvertes par les applaudissements et les bis. Finalement, il y eut 12 représentations de cet opéra à Vienne durant cette année 1782.

Malheureusement à l'époque, les intérêts des auteurs et compositeurs étaient mal défendus. Ainsi, les retombées financières pour Mozart, sans être négligeables, furent dérisoires par rapport à l'immense succès de cet opéra.

1782 - le mariage avec Constanze :

Dès que l'opéra fut achevé, Mozart se rendit compte d'une forte dispute entre Constanze et sa mère, Mme Weber. Pour une raison que nous ignorons, Mme Weber était devenue extrêmement agressive à l'égard de Constanze et de son fiancé, Mozart. Voulait-elle ainsi précipiter le mariage? Ou pensait-elle à d'autres intérêts? La situation était tellement insupportable pour Constanze qu'elle dut fuir de chez elle et se réfugier chez une amie, la baronne Waldstädten.

Dès lors, Mozart se sentit obligé de précipiter le mariage afin de sauver Constanze de cette situation.

Malgré les lettres agaçantes de son père et sa surprenante indifférence aux récents succès de son fils, celui-ci conservait quand même beaucoup de respect pour son père et lui demanda donc l'autorisation de se marier. L'urgence de la situation l'avait même amené à fixer une date pour le mariage, le 4 août 1782.

Le mariage eut lieu à la date prévue, à la cathédrale Saint-Etienne, dans l'intimité, suivi d'un dîner chez la baronne Waldstädten. L'accord de Léopold Mozart à ce mariage n'arriva que le lendemain.

Quelques jours plus tard, Gluck assista à l'une des représentations de l'*Enlèvement* et félicita Mozart très chaleureusement pour cet opéra. Les nouvelles du succès arrivèrent jusqu'à Berlin où on demanda à Mozart des droits pour des représentations locales. Ajouté aux recettes des rares leçons qu'il donnait, cela lui permit d'aménager, en décembre 1782, dans un appartement un peu plus grand, maintenant qu'il avait une épouse et que celle-ci était déjà enceinte. Le mois suivant, le couple Mozart donna même un bal chez eux, recevant de nombreux amis. En cette période Mozart était très heureux et voulait communiquer son bonheur à son entourage et aux bons amis. Il donna de nombreux concerts et son succès devint considérable.

Le 17 juin 1783, Constanze Mozart donna naissance à un fils, que l'on nomma Raymond, et Léopold en deuxième prénom.

Pendant ce temps et malgré les succès de Mozart, Salieri augmentait son influence auprès de l'Empereur. Car en plus de ses talents musicaux Salieri savait très bien défendre ses intérêts, contrairement à Mozart, et utilisa donc ses talents de conviction pour persuader la haute société viennoise qu'un bon opéra n'était concevable qu'en italien. En quelques mois, Mozart comprit qu'il fallait suivre la mode et commença lui-même à chercher un livret possible en italien pour commencer à travailler sur un prochain opéra.

Lorenzo Da Ponte, conteur, poète et habile librettiste italien, se trouvait alors à Vienne et souhaitait collaborer avec les grands compositeurs de cette ville. Il établit donc de bonnes relations avec Salieri et avec Mozart, mais, très rapidement, il comprit la supériorité de la musique de Mozart et eu la sagesse de préférer associer son nom à Mozart pour aboutir quelques années plus tard aux deux plus grands chefs-d'œuvre du répertoire de l'opéra.

Pour l'heure, Mozart avait hâte de présenter son fils à son père Léopold et à sa sœur Nannerl et prépara donc un voyage à Salzbourg. Pourtant, pour une raison inconnue, il se rendit à Salzbourg fin juillet, finalement avec Constanze, mais sans le bébé. Ils l'avaient confié à une nourrice! Trois semaines plus tard, le couple apprenait que leur bébé était mort. Le séjour à Salzbourg se poursuivit tristement, pendant trois mois et le jeune couple ne reçut, parait-il, aucun réconfort de Léopold ni de Nannerl.

En apprenant, durant ce séjour, que son vieil ami Michaël Haydn était malade, Mozart lui rendait visite tous les jours et l'aidait à achever une œuvre que le prince Colloredo voulait avoir d'urgence et n'acceptait pas d'accorder le moindre délai supplémentaire à son compositeur malade.

Ce dernier séjour de Mozart dans sa ville natale s'acheva fin octobre. Il devait maintenant rentrer à Vienne car c'était le moment où reprenaient les activités musicales. En route, il reçut une invitation de s'arrêter à Linz, chez le comte Thun. Là le jeune couple fut accueilli très chaleureusement et, en remerciement, Mozart accepta de donner un concert dans le théâtre de la ville. Pour cette occasion, il écrivit en trois ou quatre jours la *Symphonie n°36, dite de Linz (K425)*. Le concert eut lieu le 4 novembre 1783. Finalement ils y restèrent encore quelques semaines avant de rentrer à Vienne fin novembre.

A Vienne, l'appartement où, il y a quelques mois, il avait trouvé le bonheur d'être père, lui paraissait maintenant bien triste. De plus, la banque lui réclamait une somme d'argent trop importante pour ses moyens, une dette contractée durant le voyage de retour de Paris, il y a cinq ans, et que les amis de son père avaient alors promis de régler, mais, apparemment, ne l'avaient pas fait.

Mozart et Constanze quittèrent cet appartement et aménagèrent dans l'immeuble appartenant à Madame von Trattner, une des fidèles élèves de Mozart.

Fin janvier 1784, Mozart a vingt-huit ans, Constanze est à nouveau enceinte. Puis commencent des mois d'une intense activité musicale.

Avec des amis musiciens, Mozart organise de nombreux concerts qui ont un grand succès. Et le public s'attend toujours à de nouvelles compositions, ce qui l'oblige à travailler presque nuit et jour, sachant que les matinées sont consacrées aux leçons et les soirées aux concerts. Certains de ces concerts sont lancés avec souscription, ce qui permet d'assurer aussi de bonnes recettes.

Souvent, il trouve même le temps de jouer au billard, chez lui, ou de faire de l'équitation!

Durant l'été 1784, Nannerl se marie, à 33 ans, avec un homme respectable des environs de Salzbourg et qui a une quinzaine d'années de plus qu'elle. Mozart ne se rend pas à Salzbourg à cette occasion mais écrit une gentille lettre de félicitations à sa sœur.

D'ailleurs Constanze va bientôt donner naissance, en septembre, à un nouveau garçon que l'on nommera Karl-Thomas. Cela, ajouté aux succès de Mozart qui améliorent sa situation financière, entraînent un nouveau déménagement pour un appartement beaucoup plus grand, situé au 846 Schulerstrasse. Là, Mozart pouvait inviter ses nombreux amis, notamment musiciens et chanteurs de grand talent, très nombreux à Vienne à cette époque, leur proposant une partie de billard ou une soirée musicale.

En cette période, quelques vieux amis Franc-Maçons rencontrés à Mannheim et ailleurs, se trouvent alors à Vienne et l'entraînent à adhérer lui-même à la franc-maçonnerie. Ce mouvement, paru une cinquantaine d'années plus tôt afin, semble-t-il, de réfléchir aux problèmes de l'humanité et à leurs solutions, trouvait beaucoup de succès et se répandait dans toute l'Europe.

1785 - Période faste pour Mozart; début de composition des Noces de Figaro :

Mozart est alors assurément dans une grande période de gloire, et les nouvelles de son succès se répandent aisément jusqu'à Salzbourg. Il signe ses œuvres Wolfgang-Amadeus Mozart et y ajoute parfois des commentaires. En février 1785, son père veut aller constater et goûter lui-même au plaisir de voir l'épanouissement de la carrière de son fils. Il obtient donc trois mois de congés du prince Colloredo et se rend à Vienne. De là, il écrit de nombreuses lettres à sa fille donnant un compte-rendu assez précis, ce qui nous permet de connaître assez bien la vie musicale et familiale de Mozart durant ces quelques mois.

A Vienne, Léopold Mozart oublie sa morosité et ses griefs des années précédentes. Au contraire, il s'émerveille du nombre de concerts donnés par son fils et de la qualité de ses œuvres. Il a grand plaisir à rencontrer les amis et personnalités que fréquentent son fils, y compris Joseph Haydn et autres musiciens, avec lesquels il a la grande joie de jouer de la musique de chambre.

D'autre part, la conviction de Mozart sur les vertus de la franc-maçonnerie entraîne aussi son père et Joseph Haydn à adhérer à ce mouvement.

En cette période, la maison de Mozart vivait dans un tourbillon perpétuel, avec le va-et-vient des élèves, des amis, les préparations de concerts, etc... Son piano trouvait rarement le calme; de plus, Mozart préférant jouer sur son piano, l'instrument était déménagé plusieurs fois par semaines dans diverses salles de concert !

Parallèlement à tout cela, Mozart écrivait une série de six quatuors à cordes (nos. 14 à 19) dédiés à Joseph Haydn. Ces quatuors furent achevés en janvier 1785 et, dès qu'ils furent édités, Mozart les envoya à Haydn avec une lettre lui exprimant toute sa reconnaissance et lui disant qu'il le considérait sincèrement comme étant le maître dans le domaine des quatuors à cordes.

Ces quatuors de Mozart présentent des avancées musicales tellement importantes qu'ils furent longtemps rejetés par bon nombre de musiciens estimant, par totale incompréhension, que la composition ou l'édition comportait beaucoup trop d'erreurs!

Par ailleurs, Mozart poursuivait également sa recherche pour un bon sujet d'opéra. Il abandonna plusieurs projets, ne les trouvant pas à son goût. Or, voilà que l'on parlait beaucoup d'une pièce de Beaumarchais, Le Mariage de Figaro, récemment donnée à Paris après deux ou trois années d'interdiction en raison des idées trop libérales pouvant inciter la population à la révolte. En effet, c'est une pièce où le valet est un personnage important, plus adroit que son maître, et qui se moque presqu'ouvertement, bien que gentiment, de son maître. Une telle dérision ne pouvait être admise par la classe dominante de l'époque, même si l'Europe occidentale se préparait déjà à quelques avancées libérales. La pièce ne fut finalement autorisée qu'en avril 1784, après de nombreuses péripéties et quelques révisions du texte. La Révolution Française éclatera cinq ans plus tard!

Un an après sa création, en 1785, la pièce obtenait toujours un très grand succès populaire. Même si certaines personnes pouvaient se trouver offusquées par l'intrigue, cette pièce de Beaumarchais était un véritable chef-d'œuvre. (D'ailleurs, les personnes qui aiment cet opéra de Mozart trouveront certainement un grand plaisir à lire aussi la pièce originale de Beaumarchais).

La pièce intéressa alors toute l'Europe et on la traduisit dans plusieurs langues. Mozart lut le texte en français et en allemand et trouva que cela ferait bien l'objet de son prochain opéra.

Or, l'empereur avait interdit la représentation de cette pièce à Vienne, surtout en allemand, langue du peuple, craignant qu'elle n'exerce directement une mauvaise influence sur le grand public, pouvant entraîner des désobéissances et un affaiblissement du pouvoir.

D'autre part, rappelons que la mode était alors à l'opéra italien. Mozart demanda donc à Da Ponte de faire un livret en italien en vue de transformer cette pièce en opéra, en espérant que dans cette version s'adressant à un public plus restreint, l'empereur ne s'y opposerait pas lorsque, dans quelques mois, il verrait cet opéra terminé et assisterait même probablement aux dernières répétitions.

Le compositeur et le librettiste ayant travaillé en bonne entente, l'écriture de l'œuvre fut pratiquement terminée en six semaines. Avant de commencer les répétitions, il fallait s'occuper des copies pour l'orchestre et, enfin, espérer persuader l'Empereur Joseph II de ne pas s'opposer à la représentation de cet opéra, alors qu'il avait interdit la pièce. C'est Da Ponte qui se chargea de cette démarche délicate en raison de son talent exceptionnel de persuasion. Il réussit finalement à infléchir Sa Majesté l'Empereur.

L'Empereur fut très vite fasciné par les extraits qu'il entendit du nouvel opéra en cours de répétition. Mais, la plupart des autres musiciens de la cour, menés par Salieri, firent leur possible pour empêcher la représentation de cet opéra, sans doute par jalousie et par crainte que leur propres créations ne soient écrasées et anéanties par le succès grandissant de Mozart. Le montage se trouva retardé. Toutefois, cela donna à Mozart beaucoup plus de temps pour répéter en détail avec chacun des chanteurs, mais aussi d'achever, début 1785, d'autres compositions telles que les *concertos pour pianos n°20 (K.466) et n° 21 (K.467)*, œuvres magnifiques et très importantes puisqu'elles marquent un tournant dans le style de ses concertos.

Quelques mois plus tard arriva le *concerto pour piano n° 22 (K.482)* et, début 1786, le magnifique *concerto n°23 (K488)*.

La première des Noces de Figaro fut finalement donnée le 1er mai 1786, au Burgtheater de Vienne. L'accueil fut tellement enthousiaste que les quelques tentatives de déstabilisation cédèrent vite la place aux ovations du public réclamant sans cesse des bis. De ce fait, chanteurs et musiciens étaient à la fin totalement exténués, mais ravis.

Durant cette année 1786 il y aura sept représentations à Vienne des *Noces de Figaro*.

Les recettes de l'opéra lui permirent de couvrir le loyer de son grand appartement pendant un an. Il calcula qu'il lui faudrait donc produire un nouvel opéra par an et, avec les recettes des leçons et des quelques concerts, il ne devrait plus avoir de soucis financiers.

Mais, malgré le grand succès de son opéra, le camp anti-Mozart (ou anti-libéral), de Vienne, ne désarmait pas, et finit même par lui enlever toute possibilité de mener dès lors une vie paisible dans cette ville !

Pour ce qui concerne les leçons qu'il donnait, c'était généralement sans plaisir, mais essentiellement par nécessité financière. Il y eut cependant quelques exceptions. Avec un de ses élèves, Mozart prenait plaisir à terminer la leçon par une partie de billard. Une autre élève, Franziska von Jacquin lui donna l'occasion de se lier d'amitié avec sa famille que Mozart prenait grand plaisir à fréquenter. Citons aussi son élève Hummel dont les talents musicaux, à huit ans déjà, émurent Mozart et il le garda chez lui durant presque deux ans. Il lui rappelait, sans doute, sa propre expérience d'enfant prodige.

En octobre 1786, Constanze donna naissance à encore un garçon que l'on nomma Johann-Thomas.

Pendant ce temps, des amis anglais lui proposèrent une tournée de concerts en Angleterre, ce qui l'enthousiasma car à Vienne toutes les portes lui étaient fermées dans l'immédiat. Ne voulant pas laisser sa femme et ses enfants seuls, il proposa à son père de passer par Salzbourg afin de lui laisser la garde des deux enfants durant le voyage en Angleterre où sa femme l'accompagnerait.

Mais le père refusa catégoriquement cette proposition.

Ce fut une grande déception pour Mozart, qui renonça, par conséquent, à son voyage en Angleterre. D'ailleurs, quelques jours plus tard, le bébé Johann-Thomas tomba malade et mourut.

En fin d'année, Vienne avait déjà oublié *Les Noces de Figaro* et s'enthousiasmait pour un nouvel opéra, *La Cosa Rara*, de Martin (Vicente Martin y Soler). On demanda alors à Mozart son avis sur ce "magnifique" opéra. Il répondit que malgré certains passage intéressants, l'œuvre tomberait complètement dans l'oubli en moins de dix ans! En disant cela, était-il persuadé que ses œuvres à lui seraient pour ainsi dire éternelles?

L'être humain paraît généralement plus sensible à la mode qu'à la qualité, ces deux notions sont d'ailleurs souvent contradictoires.

La gloire de Mozart, à Prague (en 1787) :

Une grande satisfaction arriva cependant de Prague. Mozart apprend fin décembre que son opéra Les Noces de Figaro vient d'être représenté à Prague avec un très grand succès. Il reçoit également une invitation pour un concert dans cette ville. En préparation de cette visite, Mozart écrit le *Concerto pour piano n° 25 (K.503)* et la *Symphonie n° 38, dite de Prague, (K.504)*.

Ainsi, Mozart se rend à Prague pour la première fois, en Janvier 1787, accompagné de Constanze. Dès son arrivée, il est acclamé par un public enthousiaste, car ses œuvres étaient déjà bien connues dans cette ville et particulièrement *Les Noces de Figaro* que l'on représentait régulièrement et dont les airs étaient chantés partout dans la ville.

Le concert où il présenta sa symphonie dite de Prague entraîna de nouveau un enthousiasme délirant. Ce fut in concert inoubliable pour lui, pour les musiciens et pour le public. Après la symphonie, Mozart, heureux et glorifié, se mit au piano et commença à interpréter des improvisations, terminant le concert par des airs du *Figaro* que le public lui réclamait. Les présents témoignèrent, longtemps après, qu'ils n'avaient jamais connu plus grand bonheur que durant ce concert.

Ceci permit à Mozart de retrouver, pendant une courte période, une aisance financière et de prendre aussi une commande pour un nouvel opéra en italien, sur un livret qu'il proposerait lui-même. D'autre part, le théâtre de Prague prendrait en charge ses frais de séjour lorsqu'il reviendrait pour la mise au point et les répétitions de l'opéra.

De retour à Vienne, Mozart retrouva les difficultés de la vie de tous les jours. Le groupe d'amis anglais, dont son élève très fidèle Attwood, quittait Vienne pour rentrer en Angleterre.

D'autre part, la période n'était pas favorable pour organiser des concerts. Mozart et Constanze trouvèrent plus raisonnable de déménager, prenant un logement moins fastueux, moins onéreux.

En avril, Mozart apprit que son père était gravement malade. Alors que les relations avec son père semblaient avoir été rompues depuis quelques mois, il lui écrivit une lettre très affectueuse, mais aussi très curieuse puisque tout en lui souhaitant un rétablissement rapide, la moitié de la lettre concerne la mort! Il parle surtout de sa propre mort qu'il dit être prêt à accepter, même jeune. Est-ce là le résultat de l'influence des pensées maçonniques? Ou bien, est-ce simplement une manifestation de sa tristesse après avoir appris récemment la mort d'un ami qui avait le même âge qui lui, c'est à dire, 31 ans.

En cette période arrivait à Vienne un jeune homme de 16 ans, nommé Beethoven, envoyé par la ville de Bonn pour prendre quelques leçons des maîtres Mozart et Haydn.

On ne connaît malheureusement pas grand chose de la rencontre entre Mozart et Beethoven car, apparemment, il ne s'est rien passé d'exceptionnel (du moins comme nous l'aurions souhaité!). Certains biographes ont prétendu, bien après la mort des deux grands musiciens, que Mozart aurait alors prédit la grandeur future de Beethoven. Mais la vérité paraît bien différente.

En effet, on sait que Mozart n'aimait pas beaucoup enseigner. Voilà qu'arrive chez lui, pour des leçons, un jeune musicien très doué. Or, il y avait autour de Mozart, à l'époque, déjà plusieurs musiciens très doués. Beethoven n'en était qu'un de plus. Et ses talents de compositeur n'étaient pas encore évidents. Mozart n'avait donc aucune raison de s'intéresser à lui plus qu'aux autres.

Il semblerait que Beethoven ait été très déçu de cette indifférence de Mozart et il ne resta pas longtemps à Vienne.

Y a-t-il eu une seule leçon, ou plusieurs séances, on ne le saura jamais. Beethoven écrit que ses entrevues avec Mozart furent de courtes durées et décevantes ou inutiles. Malgré cela, on sait que Beethoven gardera durant toute sa vie une grande admiration pour les œuvres de Mozart, et il devint d'ailleurs un excellent interprète de ses sonates et concertos pour piano, sans compter les nombreuses variations qu'il improvisait sur ses airs d'opéras devant un public ravi.

Le 29 mai, Mozart apprend que son père est mort subitement la veille. Ce père qu'il avait tant adoré durant son enfance, mais aussi ce père qui avait mal compris que les enfants grandissent, deviennent adultes et doivent mener alors leur propre existence et expérience. L'amour et l'admiration pour son fils exceptionnel s'étaient transformés, depuis une dizaine d'années, en reproches incessants, voire désobligeants et excessifs.

1787 - création de Don Giovanni :

Revenons à l'opéra que Mozart doit alors préparer pour Prague. Compte tenu de leur bonne collaboration pour les *Noces de Figaro*, il charge Da Ponte de choisir un nouveau sujet et préparer un livret. Celui-ci propose *Don Giovanni*, encore une histoire se déroulant à Séville, en Espagne, et reprise en France par Molière en 1665 sous le titre «Dom Juan ou le festin de pierre». Il s'agit donc d'un sujet plus ancien, moins révolutionnaire que Les Noces, bien que l'histoire concerne les intrigues mouvementées d'un seigneur, grand séducteur. Le sujet avait été réutilisé par plusieurs auteurs, puis pour un opéra de l'Italien Gazzaniga (livret de Bertati) donné en 1782 puis repris en début 1787.

Da Ponte, qui était lui-même, en quelque sorte, une personne aussi extraordinaire que les personnages de ses livrets, décida de travailler sur trois livrets à la fois : un pour Mozart, un pour Salieri et un pour Martin!

Mozart consacra l'été 1787 à la composition de *Don Giovanni*, toujours en bonne collaboration avec Da Ponte. Mais il composait, parallèlement, sa sérénade la plus connue, *une petite musique de nuit (K.525)*, et aussi la *sonate pour piano et violon en la (K.526)*.

A la fin du mois de septembre, Mozart se rendit à Prague, accompagné de sa femme, de nouveau enceinte. Il fallait maintenant terminer rapidement l'opéra y compris quelques retouches du livret, avec Da Ponte qui vint le retrouver à Prague pour une courte durée, et commencer aussi les répétitions. On ne lui accordait qu'environ un mois avant la première!

Il est intéressant de noter qu'en cette période se trouvait également à Prague le fameux séducteur Casanova, qui se lia d'amitié avec Mozart et lut avec grand intérêt le livret de *Don Giovanni.* On ne sait pas si Casanova fit des commentaires ou des suggestions sur ce sujet de grand séducteur qu'il connaissait bien...

Malgré toutes les facilités que la nature lui avait accordées, écrire un opéra comme *Don Giovanni* était, même pour Mozart, un travail immense. Il s'épuisa donc à travailler nuit et jour.

Même lorsque la musique était entièrement composée dans sa tête, fallait-il encore la transcrire sur papier afin que les copistes puissent préparer les partitions en temps voulu. Mais on sait que Mozart écrivait la musique à une vitesse étonnante, et il n'était pas nécessaire de prévoir du temps pour des corrections, car lorsque Mozart écrivait de la musique, il n'y avait pas de fautes!

Il paraît qu'il avait aussi le don de communiquer aux musiciens qu'il dirigeait une partie de son immense énergie et talent, obtenant ainsi de l'orchestre des prouesses étonnantes.

La première de *Don Giovanni* fut donnée le 29 octobre 1787, à Prague, sous la direction de Mozart.

Malgré la difficulté de cette œuvre et le peu de temps dont il avait disposé pour les répétitions, Mozart réussit cette première ainsi que plusieurs représentations qui suivirent, entraînant un très grand enthousiasme du public, et les connaisseurs reconnaissaient déjà en cet opéra un grand chef-d'œuvre.

Deux siècles plus tard, *Don Giovanni* reste encore, pour beaucoup de mélomanes, le chef-d'œuvre des chefs-d'œuvre de la musique!

A la fin du 20è siècle, on a malheureusement trop souvent assisté à des mises en scène modernes (souvent insensées et lamentables) des opéras de Mozart, contrastant étrangement avec le souci de plus en plus grand, par ailleurs, de respecter scrupuleusement l'authenticité de la musique.

Le succès de *Don Giovanni* permit à Mozart de séjourner encore quelques semaines à Prague et de savourer pleinement les honneurs qui lui étaient faits. Les amateurs éclairés de Prague lui étaient très reconnaissants de l'immense plaisir qu'il avait pu leur procurer par son art.

A leur retour à Vienne, en décembre, Gluck venait de décéder. L'empereur Joseph II nomma Mozart le successeur de Gluck comme compositeur impérial et lui accorda un salaire correspondant à cette fonction. Le montant était honorable par rapport à d'autres musiciens, bien qu'à peine moitié de ce qui était auparavant accordé à Gluck. Mozart fut satisfait de cette nouvelle plutôt rassurante, mais il devra patienter trop longtemps avant que le premier versement ne lui parvienne.

En attendant, il trouva un petit logement de loyer plus raisonnable en rapport avec ses possibilités financières limitées et, aussitôt, avant la fin du mois de décembre, Constanze donna naissance à une petite fille, Thérèse.

Le célèbre *Concerto pour piano n°26 (K.537)*, dit du couronnement date de cette période. Cette œuvre de grande virtuosité, Mozart l'interprétera l'année suivante lors de concerts à Dresde et à Leipzig, mais elle ne sera publiée qu'après sa mort. Et comme Mozart avait parfois l'habitude de jouer de tête la partition du piano avant même qu'elle ne soit complètement écrite, il subsista ainsi des trous importants que l'éditeur dut compléter, d'une façon que nous ignorons, avant la publication de ce concerto en 1794.

1788 - difficulté de la vie; création des dernières symphonies :

Après le succès de *Don Giovanni* à Prague, l'empereur demanda à Mozart que l'on présente cet opéra aussi à Vienne. Mais le prince dut s'absenter juste avant la première représentation à Vienne le 7 mai 1788. Les critiques furent d'une terrible violence! Comment expliquer cela? Pour quelle raison *Don Giovanni* fut extrêmement critiqué et mal accueilli dans cette ville, du moins durant les premières représentations, alors qu'il venait d'enthousiasmer Prague? C'est plus particulièrement la bourgeoisie viennoise qui jugea le sujet beaucoup trop scandaleux et qui, par cette bêtise contagieuse, n'était même plus en mesure d'apprécier un des plus grands des chefs-d'œuvre de la musique!

Joseph Haydn fut alors pratiquement le seul à Vienne à soutenir l'œuvre et clamer la grandeur inégalée de Mozart. Or, Haydn était à l'époque un musicien très respecté à Vienne. Par conséquent, son appréciation sans équivoque finit par calmer la virulence des critiques et permit alors au chef-d'œuvre de Mozart de poursuivre son existence à l'opéra de Vienne. Ainsi, l'empereur put assister quelques mois plus tard à la dernière représentation d'une série de 14, ce qui lui permit de déclarer son accord avec le jugement de Haydn, ajoutant qu'il venait d'assister au plus grand opéra écrit jusqu'à ce jour.

Un tel encouragement apporta un certain réconfort à Mozart qui souffrait beaucoup de tant de critiques, d'incompréhension et du peu d'enthousiasme du public viennois. A Prague, on l'avait glorifié; à Vienne, on voulait l'oublier. Etrange! Aurait-il dû rester à Prague? N'aurait-il pas eu là une fin de vie plus heureuse qu'à Vienne?

Délaissé par le public de Vienne et voyant ses dettes augmentées par les frais médicaux importants en raison de la santé préoccupante de sa femme depuis le dernier accouchement, Mozart décida d'aller s'installer dans un logement encore plus modeste, un peu en dehors de la ville. Il adressa des lettres pathétiques à un ami, Puchberg, riche commerçant à Vienne, auquel il demanda encore un prêt important. Cet ami, qui lui avait déjà accordé plusieurs prêts, refusa la nouvelle somme demandée par Mozart, mais l'aidera quand même un peu en lui versant quelques petites sommes.

Cette année 1788 fut donc particulièrement douloureuse pour Mozart. De plus, le 29 juin sa fille Thérèse mourait, alors qu'elle avait seulement six mois!

Mozart venait de terminer ses trois ultimes symphonies : *Symphonie n° 39 (K.543), Symphonie n° 40 (K.550) et Symphonie n°41, dite Jupiter (K.551).*

On ne connaît pas pour quelle circonstance Mozart composa ces dernières symphonies, une série de chefs-d'œuvre, un trésor inestimable pour nous, mais qui fut pratiquement ignoré alors.

1789 - Année plus paisible ; Le Messie de Haendel revu par Mozart ;

Alors qu'aujourd'hui nous cherchons plutôt l'authenticité des œuvres, cela pourrait nous paraître très étrange que Mozart ait fait une nouvelle version du *Messie de Haendel* ! L'histoire de cette adaptation est la suivante : Le baron van Swieten, grand mélomane et musicien amateur viennois d'origine néerlandaise, avait fondé à Vienne, depuis quelques années, une association pour la reprise d'œuvres de J.S. Bach, de Haendel et d'autres grands compositeurs que l'on avait tendance à oublier ou à ne plus programmer aux concerts. Plusieurs concerts furent organisés par cette association et Mozart accepta d'en diriger un certain nombre.

Cependant, cette association estimait qu'il faudrait, à cette occasion, donner aux orchestrations d'origine une sonorité plus moderne à laquelle le public était maintenant habituée. Van Swieten chercha en Angleterre la partition originale du Messie, œuvre initialement très longue, que l'on interprétait même en Angleterre sous diverses versions, avec des suppressions selon les circonstances. Van Swieten se sentit donc libre de vouloir en présenter encore une autre version.

Il demanda donc à Mozart de revoir quelques passages de l'orchestration, ajoutant des instruments modernes tels que les clarinettes, adaptant certaines façons de vocaliser qui n'étaient plus à la mode, supprimant aussi l'orgue, instrument difficile à trouver dans toutes les salles de concerts. Mozart fit donc cette adaptation partielle, mais refusant souvent une modification demandée s'il pensait trahir l'idée de Haendel dont il admirait le génie.

A cette occasion le texte en anglais fut remplacé par une traduction allemande. Mais, beaucoup plus récemment, cette adaptation fut reprise, en remettant de nouveau le texte original en anglais et avec certaines parties reprenant l'écriture initiale de Haendel. Voila donc ainsi encore une nouvelle version du Messie de Haendel!

En avril, un élève et ami, le prince Karl von Lichnowsky proposa à Mozart de l'accompagner à Berlin, ce qu'il accepta volontiers, d'autant plus qu'aucun engagement ne l'obligeait à rester à Vienne en cette période. C'était la première fois depuis son mariage qu'il partait en voyage sans Constanze. Mais il pensait manifestement beaucoup à sa famille durant ce voyage et écrivait de très gentilles lettres à sa femme.

Sur la route, ils firent escale à Dresde, où Mozart fut chaleureusement accueilli, et la cour de Dresde le reçut et organisa un concert à l'issu duquel on le récompensa de cadeaux et d'une rémunération.

A Potsdam, près de Berlin, le roi Frédéric-Guillaume apprécia beaucoup Mozart et le rétribua bien après le concert qui y fut organisé. Cependant, le séjour prévu à Berlin était de courte durée; en effet, le prince que Mozart accompagnait n'était venu que pour une semaine. Ils quittèrent donc Berlin le 2 mai et s'arrêtèrent de nouveau à Leipzig sur le chemin du retour. Mozart y donna un concert, très apprécié, mais sans grande retombée financière. On dit que Mozart, avec sa générosité habituelle, aurait demandé à ce que l'on distribue beaucoup trop d'entrées gratuites!

Ce voyage, jusque là très réussi, aurait dû apporter une amélioration appréciable à la situation financière de Mozart, sans un malheureux incident avec le prince qu'il accompagnait. Le prince, ayant dépensé beaucoup plus d'argent que prévu, prit la moitié des recettes des concerts de Mozart, se fâcha avec son compagnon et rentra seul à Vienne! On ne connaît pas les détails de cette rupture, mais on sait que bien des années plus tard, ce même prince se fâchera cette fois avec Beethoven! Aurait-il eu avec Mozart la même attitude hautaine qui avait causé la rupture avec Beethoven ? Car malgré leur situation financière souvent très difficile, ces deux compositeurs avaient leur fierté, n'acceptant jamais d'être totalement soumis à un prince.

Quant à Mozart, il passa quelques semaines agréables, entouré d'excellents amis. Puis il se rendit à Berlin dans l'espoir de donner quelques concerts et de ramener au foyer, tout de même, un peu d'argent, d'autant plus qu'il fallait encore payer le trajet de retour.

A Berlin, les admirateurs de Mozart étaient nombreux, mais il ne réussirent pas à organiser les concerts nécessaires et il fut obligé de rentrer à Vienne sans avoir amélioré sa situation financière.

A peine de retour à Vienne, début juin (1789), sa femme, de nouveau enceinte, fut encore une fois gravement malade. Mais, cette fois, il s'agissait d'une infection au pied, très inquiétante et qui nécessita des soins fort coûteux. Le voila donc obligé d'implorer un nouveau prêt à son ami Puchberg.
Malgré la lettre émouvante et pathétique de Mozart, Puchberg ne lui accorda que le tiers de la somme demandée.

Durant cette maladie, Mozart et Sophie, la jeune sœur de Constanze, firent tout leur possible pour la guérison de Constanze. A la fin juillet, son état de santé fut considérablement amélioré, mais le médecin prescrivit une cure à Baden, près de Vienne, qu'il estimait absolument nécessaire à faire le plus rapidement possible et à refaire durant plusieurs années.

Pendant le séjour à Baden, Constanze retrouva rapidement une santé suffisamment bonne pour commencer même à avoir quelques fréquentations galantes, dont les échos déplurent à Mozart, comme il le lui fit savoir gentiment par lettre. Car lui-même, après avoir accompagné sa femme à Baden, dût rentrer à Vienne où on lui demandait de préparer une reprise de la représentation des Noces de Figaro que l'on n'avait pas joué depuis trois ans.

La reprise des *Noces de Figaro*, fin août, fut un grand succès et qui sera cette fois durable. Les graves problèmes financiers de Mozart se trouvèrent donc momentanément allégés.

De plus, Mozart reçut commande d'un nouvel opéra. C'est l'empereur qui en choisit le sujet : une histoire récente (à l'époque), venant d'Italie, traitant d'une façon un peu humoristique, voire même très exagérée, les intrigues et infidélités en amour. Et le titre de l'opéra fut décidé : *Cosi fan tutte*. Notons que cette phrase existait déjà dans *Les Noces de Figaro*.

Une fois de plus, Da Ponte prépara le livret rapidement.

Tout cela agaçait Salieri, qui ne cachait pas son hostilité à ce projet et à Mozart d'une manière générale, craignant toujours que ce talentueux concurrent ne lui porte préjudice.

Tout en travaillant sur le nouvel opéra, Mozart composa un magnifique *quintette pour clarinette et quatuor à cordes (K.581)* pour son ami et grand clarinettiste Anton Stadler. C'est une période où Mozart attache beaucoup d'importance à cet instrument de grande chaleur et sensibilité. C'est d'ailleurs la première fois que l'on associait une clarinette à un quatuor à cordes.

En novembre, Constanze, de retour de Baden, mit au monde, difficilement, une petite fille qui, hélas, mourra le jour même de sa naissance. Constanze en fut de nouveau très affaiblie, moralement et physiquement.

Le dernier jour de 1789, Mozart invita ses amis Joseph Haydn et Puchberg à venir écouter chez lui des extraits de son futur *Cosi fan tutte*. Ainsi, Puchberg, rassuré par les éloges de Haydn, fut donc encouragé à continuer de prêter de l'argent à Mozart.

1790 - Cosi fan tutte ; difficultés financières ; hiver difficile :

La première de *Cosi fan tutte* eut lieu le 26 janvier 1790. Cet opéra fut accueilli favorablement, sans déclencher d'enthousiasme délirant ni de critiques acerbes, donc rien de semblable aux réactions qui avaient suivi la présentation de ses opéras précédents. La presse fut élogieuse. On reconnaissait dans cette œuvre tout le génie de Mozart et la perfection atteinte par ce compositeur. D'autre part, le sujet n'avait rien de provocateur, d'autant plus qu'il avait été choisi par la cour.

Il y eut quatre autres représentations de *Cosi fan tutte* avant l'interruption forcée des activités théâtrales durant deux mois suite à la mort de l'empereur Joseph II, le 20 février 1790.

C'est Leopold II, frère de Joseph II, qui prit la succession du pouvoir. Il souhaita marquer aussitôt sa différence en apportant de nombreux changements à la cour. Ainsi, Salieri perdait son poste important à la cour, mais il était suffisamment rusé pour réussir à se maintenir proche de celle-ci. Mozart espéra profiter de ces événements pour accéder à une fonction mieux rémunérée accordée jusqu'alors à Salieri. Mais son espoir fut déçu.

Le nouvel empereur avait certes beaucoup d'estime pour Mozart, mais la Révolution en France et certaines prises de position de la Franc-Maçonnerie commençaient à inquiéter sérieusement le pouvoir et la noblesse en Autriche, comme dans les autres pays européens. Dans ces conditions, Mozart étant franc-maçon et ne s'en cachant pas, il n'y avait aucune raison qu'il soit favorisé par la cour. De plus, son nom était désormais lié aux *Noces de Figaro*, une histoire qui ridiculise le pouvoir et critique l'autorité et les privilèges de la noblesse, donc un sujet devenu soudain très sensible et insupportable pour ceux qui détenaient le pouvoir et les privilèges. Cela explique que Mozart soit en cette période écarté de la cour. L'empereur et la haute société viennoise voulaient manifestement l'ignorer.

Cette forme de disgrâce pèsera lourd en cette fin de vie de Mozart.

Une fois de plus, il implora une aide financière à son ami Puchberg et obtient un nouveau prêt. Car les recettes étaient maigres et rares, alors que les dépenses, bien que déjà réduites autant que possible, étaient toujours présentes, d'autant plus que Constanze, de santé encore très fragile, devait repartir à Baden pour une cure que le médecin estimait indispensable. Lui-même commençait à avoir de sérieux problèmes de santé, des maux de tête terribles, sans que l'on en connaisse l'origine exacte.

N'ayant plus rien à faire à Vienne, il alla rejoindre sa femme à Baden.

En Septembre, Mozart voulut, malgré sa disgrâce du moment, se rendre à Francfort/Main où la cour organisait une réception à l'occasion du couronnement de l'empereur, et de nombreux concerts y étaient prévus à cette occasion.

Pour faire ce voyage auquel il n'était pas invité, Mozart s'endetta très fortement, notamment auprès de son éditeur, s'engageant imprudemment à le rembourser sur ses futures compositions.

A Francfort, il retrouva quelques bons amis. Ils l'aidèrent à organiser un concert, mais celui-ci ne fut autorisé que le 15 octobre, après les fêtes officiels. Il y eut peu de monde à ce concert et la recette fut très décevante.

Sur le chemin de retour, les escales de Mannheim puis de Munich sortirent Mozart de sa profonde détresse, car il y fut accueilli avec enthousiasme et constata, avec grand plaisir, que ces villes ne l'avaient pas mis en disgrâce comme à Vienne. Soudain, il redevint optimiste et sa créativité se remit en marche après plusieurs mois où il n'avait pratiquement rien composé.

Pendant ce temps, à Vienne, Constanze s'occupa d'un nouveau déménagement, comme convenu, au 970, Rauhensteingasse, où Mozart habitera jusqu'à sa mort.

En rentrant à Vienne, Mozart trouva une lettre d'Angleterre, avec une proposition de contrat à Londres. Il ne pourra malheureusement pas accepter cette proposition, car non seulement il ne disposait pas d'argent pour se permettre un nouveau voyage, il devait aussi rester à Vienne pour s'occuper de sa femme et de son fils. De plus, accepter le contrat pour Londres voulait dire qu'il fallait renoncer au contrat qui le liait encore à la cour de Vienne et qui lui assurait, malgré tout, un petit revenu régulier, bien que très insuffisant.

C'est finalement son ami Joseph Haydn qui fera le voyage à Londres, car celui-ci se trouvait, à 58 ans, libéré de ses obligations suite à la mort du prince Esterhazy, et il voulait bien entreprendre, pour la première fois de sa vie, un grand voyage comme celui-ci.

Mozart s'inquiéta de voir «papa» Haydn se lancer dans un voyage aussi fatigant et en le voyant partir, il fondit en larmes, répétant plusieurs fois sa crainte de ne plus revoir son vieil ami. Craignait-il la mort de Haydn, ou pressentait-il déjà que lui-même allait bientôt mourir? En tout cas, il avait raison de craindre qu'il ne se reverraient plus jamais!

Durant ce mois de décembre 1790, Constanze tomba enceinte pour une sixième fois. De plus, c'était un hiver très froid; il fallut acheter beaucoup de bois pour le chauffage. Mozart devait donc faire tout son possible pour avoir de nouveaux revenus en composant de nouvelles œuvres, par exemple ce *Quintette à cordes* (K.593) commandé par un riche Franc-Maçon, négociant et aussi bon violoniste. Il donnait également quelques leçons.

1791 - Dernières œuvres magnifiques ; mais grande détresse :

En début de 1791, Mozart obtint aussi des commandes pour de petites compositions, de la musique de danse, notamment des menuets, des allemandes et des contredanses. Et sa musique devenait de plus en plus simple, mais aussi de plus en plus géniale! Car le génie est justement la possibilité de faire les choses les plus parfaites, ou savantes, le plus simplement possible.

En janvier 1791, Mozart fêta ses 35 ans dans une atmosphère un peu plus détendue. Il travaillait sur de nombreuses commandes de petites œuvres : encore des menuets et autres danses pour les bals du carnaval. Notons également la présence de Süssmayr, un élève très proche et qui lui sera bientôt très utile.

Le 4 mars, Mozart fut invité à participer à un concert organisé par le clarinettiste Joseph Bähr. Là il joua son récent et dernier *concerto pour piano (K.595).*

Ce sera aussi son dernier concert.

En cette période, Mozart commençait aussi à travailler sur son dernier opéra, *La Flûte Enchantée*, une féerie musicale en langue allemande, commandée par Emmanuel Schikaneder, directeur de théâtre, qui suggéra d'écrire lui-même le livret d'après une œuvre de Wieland. L'idée de composer sur une sorte de conte de fées fut pour Mozart une nouveauté qui le séduisit rapidement. D'autant plus que ce conte de fées comportait aussi une partie sérieuses vantant les mérites de la franc-maçonnerie. Le librettiste, Schikaneder, était lui-même franc-maçon.

Parallèlement à ce projet, il composa en avril, suite à une commande, un *quintette à cordes (K.614)*, sa septième et dernière quintette à cordes.

Puis, en mai, il composa un quintette particulier, *quintette avec harmonica, flûte, hautbois, alto et violoncelle (K.617),* écrit pour une musicienne aveugle maîtrisant parfaitement l'harmonica et qui deviendra célèbre à l'époque, en partie grâce à cette œuvre.

En juin, Constanze repartait pour Baden, avec son fils Karl. Aussitôt, Mozart congédia leur servante afin de faire des économies. Lui-même se contentait de très peu et prenait souvent ses repas chez des amis qui manifestement l'accueillaient avec plaisir.

Mozart écrivait fréquemment à sa femme, parfois même en français! Il pensait manifestement beaucoup à elle et s'inquiétait de sa santé, lui faisant des recommandations de prudence, d'autant plus qu'elle était de nouveau enceinte. Il envoya même son élève Süssmayr auprès d'elle au cas où elle aurait besoin d'aide.

Avec ses recommandations de prudence, il lui conseillait aussi de ne pas se faire du souci et d'être heureuse. Mais la pauvre manquait terriblement d'argent. De plus, son logeur la harcelait pour le paiement du loyer en retard. Le fidèle ami Puchberg fut de nouveau sollicité et vint une fois encore à l'aide de Mozart pour payer le loyer de sa femme à Baden.

Durant tout l'été, Schikaneder suivait de près le travail sur *La Flûte*. Lorsqu'il s'aperçut de la grande tristesse de Mozart, seul dans sa maison infestée de souris, il l'invita à faire un séjour dans un chalet se trouvant dans le jardin de son théâtre. Là, entouré d'acteurs et de musiciens, Mozart retrouva la joie de vivre qui faisait partie de son caractère naturel.

En juin, un théâtre concurrent avait monté rapidement une œuvre lyrique intitulée Kaspar le bassoniste, sur pratiquement le même sujet que *La Flûte Enchantée*. Cela inquiéta sérieusement l'entourage de Schikaneder. Mais après avoir assisté à l'une des représentations de Kaspar, Mozart les rassura, déclarant que cette œuvre concurrente n'était que du vide.

Vers le 10 juillet Mozart se rendit à Baden et ramena Constanze à Vienne car elle l'avait informé que l'enfant allait bientôt naître.

Le sixième enfant de Mozart est né le 26 juillet 1791. Il fut nommé Franz-Xaver.

De juillet à décembre 1791 - La Requiem et les dernière œuvres :

C'est en début de cette période que Mozart reçut une lettre d'un inconnu, portée par un messager mystérieux. L'inconnu lui demandait de composer une Messe des Morts, ou Chant de la Mort. Mozart devait donner sa réponse à ce messager et lui indiquer son prix. Après concertation avec sa femme, il accepta la proposition de l'inconnu, reçut une avance importante sur cette commande et se mit rapidement à travailler sur cette œuvre, qui deviendra plus tard le *Requiem*. Il accepta d'autant plus qu'il avait pratiquement terminé alors la composition de *La Flûte Enchantée*.

Cependant, il dut interrompre ses travaux car on lui commanda un nouvel opéra qui devait être prêt pour la suite des cérémonies du couronnement de Leopold II, cette fois à Prague, comme roi de Bohême. Le sujet était imposé, *La Clémence de Titus*, en italien La Clemenza di Tito. On lui proposait un prix honorable, mais on ne lui accordait que trois semaines, car il semblerait que Salieri, après avoir été initialement prévu pour composer cet opéra ait finalement décliné pour une raison inconnue. Peut-être était-il souffrant et ne voulait pas prendre le risque de ne pas pouvoir terminer la composition à temps.

Mozart accepta ce défi malgré un texte qui ne le passionnait pas, et malgré le fait qu'il ne pouvait plus compter comme autrefois sur l'aide de Da Ponte pour le livret, celui-ci ayant dû quitter le pays précipitamment à la suite d'une aventure douteuse et malheureuse.

Il est étonnant que Constanze, si peu de temps après avoir eu son dernier né, accompagne Mozart à Prague pour la préparation de cet opéra. Il amena aussi son élève Süssmayr, car celui-ci lui était très utile pour pouvoir terminer la composition et les répétitions de cet opéra en si peu de temps. D'ailleurs Mozart composa même durant tout le trajet qui dura trois jours.

Il arriva à Prague très fatigué, mais il eut l'immense plaisir d'être accueilli avec une grande ferveur. Les francs-maçons aussi lui firent un accueil particulièrement chaleureux.

La première de *La Clémence de Titus (K.621)* fut donnée à la date prévue, donc le 6 septembre 1791. Mozart s'était épuisé à l'élaboration de cet opéra, et cela pour un résultat qui ne lui apporta aucune gloire ni satisfaction. Il est vrai que ce sujet d'histoire ancienne n'avait rien de commun avec les sujets plus modernes qui avaient tant inspiré Mozart. C'est un sujet sérieux et antique qui, aujourd'hui encore, ne passionne pas le public. De plus, le premier acte est très décevant. Mais au deuxième acte, la musique de Mozart est souvent sublime. En effet, la Clémence de Titus comporte des moments où l'osmose entre la musique instrumentale et la voix atteint des sommets magnifiques d'une extrême pureté.

De retour à Vienne, Mozart se remit au travail sur le *Requiem*, malgré un état de fatigue extrême. Soudain il s'évanouissait et on devait le porter jusqu'à son lit. En cette période, il restait aussi quelques détails de *La Flûte* à terminer et d'en écrire l'ouverture.

Die Zauberflöte (K.620), que l'on nommera en France *La Flûte Enchantée*, (mais que l'on aurait peut-être mieux traduit par : La Flûte Magique), était maintenant enfin prête pour la première, fixée pour le 30 septembre 1791, au Théâtre impérial et royal Auf der Wieden, de Vienne. C'était un théâtre populaire très fréquenté, pratiquement des habitués du quartier, et toutes les places furent déjà prises pour cette première. Une grande majorité de ce public venait par habitude, ignorant peut-être qui était Mozart ni même ce qu'était un opéra.

Au début, ce public fut plutôt désorienté par une musique à laquelle il n'était pas habitué. Mozart qui dirigeait et tenait aussi le clavecin se sentit désespéré à la fin du premier acte. Mais au deuxième acte, la relation avec le public s'inversa progressivement jusqu'à aboutir à un enthousiasme général.

Aussitôt, certains critiques prétentieux ne manquèrent pas de dire et d'écrire qu'une œuvre sortant d'un théâtre aussi populaire et avec beaucoup de chanteurs inconnus ou médiocres ne pouvait manifestement pas mériter des commentaires élogieux, etc..

Mais malgré ces critiques négatives, aussi bien le public populaire que les amateurs de bonne musique ne cessaient de remplir ce théâtre durant tout le mois d'octobre, car on voulait assister à cette étrange dernière création de Mozart.

Après la troisième représentation, et compte tenu du succès, Mozart, épuisé mais satisfait, en confia la direction au chef d'orchestre Henneber.

Avec cette satisfaction et regain de confiance dans la famille Mozart, Constanze put alors repartir terminer sa saison de cure à Baden, en compagnie de sa sœur Sophie et de Süssmayr.

Resté seul à Vienne, Mozart écrivait souvent à sa femme, presque tous les jours, la rassurant sur sa santé, son appétit normal, son travail de composition jusqu'à l'heure d'aller, tous les soirs, faire un tour au théâtre et constater que le succès de son opéra continuait encore. Il n'y avait plus d'inquiétude financière immédiate (à part les dettes importantes, à rembourser plus tard).

Pourtant, il était en lui-même convaincu que ses forces s'épuisaient et il commençait à penser que sa fin pourrait être proche. Dans une lettre probablement écrite à Da Ponte avec lequel il avait conservé des relations sincères et amicales, Mozart lui aurait fait part de la commande de cet inconnu le pressant d'écrire le chant funèbre (c'est à dire le *Requiem*), commande très angoissante qu'il considérerait déjà comme annonçant sa propre mort. Mais l'authenticité de cette lettre, découverte beaucoup plus tard et dans une version recopiée, reste douteuse.

D'ailleurs, durant la première semaine d'octobre, Mozart composa le *Concerto pour Clarinette (K.622)*, comme il l'avait promis à son ami clarinettiste Anton Stadler, une œuvre magnifique qui contraste avec cette supposée angoisse et pressentiment d'une fin de vie imminente du compositeur en cette période. Mais, ce contraste peut aussi s'expliquer par le fait que la conception même de ce concerto était probablement née lorsqu'il composa en 1789 le *quintette avec clarinette (K.581)*, donc bien avant ce pressentiment de la mort. Et on sait que Mozart composait les œuvres dans sa tête bien avant de les écrire sur papier.

Dans ce concerto, on retrouve tout le génie et le perfectionnement des dernières œuvres de Mozart. On sent l'immense plaisir qu'il ressent à exploiter les possibilités de la clarinette, bien qu'à cette époque, il s'agissait encore d'un instrument rudimentaire, en pleine évolution et extrêmement difficile à jouer. Mais Stadler maîtrisait l'instrument d'une façon exceptionnelle. Ce qui permit, sans doute, à Mozart, d'imaginer un instrument parfait pour lequel il écrivit ce chef-d'œuvre.

La période de cure de Baden étant terminée, Mozart s'y rendit et ramena Constanze à Vienne le 16 octobre. C'est alors que Constanze s'inquiéta de voir l'état de santé de son mari et son épuisement au travail. Elle voulut donc le distraire en invitant souvent des amis. Mozart les recevait gentiment, mais cela ne lui apportait pratiquement aucune distraction puisque, après les avoir salués, il se remettait à composer, avec sa concentration caractéristique habituelle lorsqu'il travaillait, et rien ne pouvait alors le distraire ou le déranger dans son travail de composition.

Constanze avait de plus en plus raison de s'inquiéter. Maintenant Mozart était totalement persuadé de sa mort prochaine, et que ce *Requiem* commandé par un inconnu était un mauvais présage pour annoncer la fin de sa vie.

Les mystères du Requiem ; la mort de Mozart :

La légende selon laquelle Salieri aurait torturé moralement Mozart par cette affaire du *Requiem* afin de nuire ou d'éliminer son redoutable concurrent est totalement fausse. Le mystérieux commanditaire du *Requiem*, comme on l'a su plus tard, était le comte von Walsegg, grand amateur de musique, qui voulait offrir ce *Requiem* (qu'il appelait le chant de la mort) à la mémoire de sa femme qui venait de décéder. Il voulait que l'œuvre soit prête rapidement et harcelait Mozart à cette fin (par personne interposée). Sa commande devait rester un secret afin de pouvoir le cas échéant dire que lui, Walsegg, était le compositeur de cette grande œuvre dédiée à la mémoire de son épouse! Et pour que le secret soit bien gardé, il avait même accepté de payer d'avance le prix demandé par Mozart.

Mais, Mozart n'éprouvait manifestement aucune envie de travailler rapidement sur ce *Requiem*, car le projet l'angoissait profondément puisqu'il considérait

que cette commande était un signe annonçant sa propre mort. En plus, il avait déjà reçu une somme importante (sinon, aurait-il eut plus d'empressement ?). Toujours est-il qu'après avoir composé le début, notamment le Requiem aeternam, le Kyrie et des ébauches d'une moitié de cette œuvre, il mit ce travail de coté en novembre profitant d'une demande de composer deux chants maçonniques, la *Cantate maçonnique (K.623)* et le *Lied maçonnique (K.623a)*. Ces œuvres, qui seront les dernières compositions de Mozart, étaient destinées à la fête de l'Espérance de sa loge maçonnique à la mi-novembre. Mozart dirigea lui-même la Cantate.
Ce dernier Lied, dont les paroles sont également de Schikaneder, est étroitement lié aux idées maçonniques développées dans *La Flûte Enchantée*.

Pendant ce temps, le succès de la *Flûte Enchantée* ne cessait d'augmenter et de se répandre dans toute l'Europe. Les amis de Mozart en Angleterre le pressaient encore une fois de se rendre à Londres. Ailleurs, on lui promettait des concerts et des récompenses. Mais, hélas, Mozart était épuisé et ne pouvait plus envisager de voyager.

Le 19 novembre, Mozart rentra chez lui dans un tel état de fatigue que Constanze appela immédiatement un médecin. Celui-ci constata une enflure inquiétante des mains et des pieds et probablement un problème rénal grave. Mozart éprouvait même un début de paralysie. Il était obligé de rester au lit.

Pour apporter tous les soins nécessaires au malade, Constanze était aidée de sa sœur Sophie et de leur mère Mme Weber. Et Mozart leur montrait beaucoup de reconnaissance.

Le 28 novembre, le médecin traitant demanda l'avis d'un confrère, et les deux médecins tombèrent d'accord qu'il n'y avait aucun espoir de guérison pour ce malade. Mozart était lui-même conscient que sa fin était proche; pourtant, il voulait encore achever le *Requiem*, mais il n'en avait pas les forces et s'épuisait rapidement.

Il savait aussi que tous les soirs on jouait *La Flûte Enchantée*, et lorsque venait l'heure de la représentation, il suivait par l'imagination le déroulement de l'opéra comme s'il y assistait.

Et il se demandait pourquoi fallait-il mourir maintenant, au moment même où le succès lui semblait désormais durablement acquis.

Sophie lui rendait visite tous les jours. Le 4 décembre, en arrivant, elle constata avec Constanze l'extrême faiblesse de Mozart et elles conclurent que celui-ci vivait ces dernières heures. D'ailleurs Mozart, tout à fait conscient, demanda à Sophie de rester là cette nuit afin d'assister Constanze lors de sa mort !

Sophie alla avertir sa mère et fut chargée aussi, par Constanze, de chercher un prêtre, ce qui fût une tâche fort difficile en raison de la grande hostilité déclarée par l'Eglise en cette période à l'encontre de la franc-maçonnerie. Mozart savait bien qu'aucun prêtre ne viendrait l'assister dans ses dernières heures. Il était catholique, croyant, comme il le disait, mais sa foi était plutôt libérale, apparemment sans grande passion, et l'absence d'un prêtre à sa mort ne l'a probablement pas beaucoup chagriné.

Le soir, malgré de fortes douleurs à la tête, Mozart, dictait à son fidèle élève Süssmayr les derniers détails du *Requiem*.

Mozart décédera cette nuit, à une heure moins cinq, donc durant la première heure du vendredi 5 décembre 1791.

****

Problèmes immédiats après la mort de Mozart :

Malgré les succès remarquables de *La Flûte Enchantée*, la mort de Mozart laissait soudain sa famille dans une situation financière très difficile.

Constanze savait que son mari n'avait aucun sens de l'épargne et elle connaissait bien le montant des dettes importantes contractées par son mari pour leur subsistance quotidienne durant ces dernières années. Elle trouva donc très raisonnable les conseils de leur ami, le baron van Swieten, de ne pas aggraver la situation financière par des dépenses inutiles pour les funérailles. Il suffira d'une petite cérémonie, la moins chère possible, à la cathédrale Saint-Etienne, puis un enterrement de troisième classe !

La grande détresse de Constanze à ce moment peut expliquer en partie cette décision, mais rien ne permet de comprendre un conseil aussi misérable de van Swieten, à moins d'avoir été influencé aussi par les recommandations des autorités de l'époque qui favorisaient les enterrement dans les tombes communes.

Les obsèques furent ainsi organisés pour le lendemain, 6 décembre, dans l'après midi.

Pourquoi n'a-t-on pas prévenu aussitôt au moins quelque-uns des admirateurs de Mozart, ni d'ailleurs ses "frères" francs-maçons? Car auraient-ils accepté que ce génie de la musique, reconnu déjà comme le plus grand compositeur de l'époque, soit enterré pratiquement comme un inconnu dans la misère?

On sait que Constanze était réellement épuisée, et n'a pu assister à la cérémonie religieuse.

Il y avait peu de monde à la cathédrale; bien sûr, quelques membres de la famille et quelques rares amis les plus intimes. Par contre, on fut très surpris par la présence de Salieri, apparemment bouleversé par la disparition de ce "rival", mais dont il venait tout récemment de reconnaître officiellement le génie après avoir assisté à une représentation de *La Flûte Enchantée*.

Ensuite, il faisait, parait-il, trop froid pour accompagner le défunt jusqu'à la tombe. Faut-il croire aussi certains historiens qui affirment qu'il s'agissait là d'une pratique courante en cette période, d'autant plus que les autorités de l'époque dissuadaient d'accompagner les morts à l'intérieur du cimetière, en raison d'une épidémie, etc...? Des explications, mais qui ne nous donnent pas entière satisfaction, car on aurait tant voulu une inhumation plus fastueuse pour celui qui nous a laissé tant de merveilles.

Quelque temps après cela, lorsque des admirateurs voulurent ériger au moins une croix avec une plaque portant le nom de Mozart à l'endroit où il avait été enterré, ils durent y renoncer en apprenant que la fosse commune (ou tombe collective) avait été détruite peu de temps après l'enterrement de Mozart et le lieu était, depuis, complètement réaffecté.

Les détracteurs de Mozart, ceux qui n'appréciaient pas réellement ses chefs-d'œuvre, ou étaient toujours hostiles en raison des idées révolutionnaires exprimées dans Les Noces de Figaro, puis dans Don Giovanni, ou encore lui reprochaient amèrement son appartenance à la franc-maçonnerie, avaient répandu depuis quelque temps des rumeurs infâmes sur ses mœurs, exagérant terriblement le montant et les causes de ses dettes. Et ces fausses idées sur Mozart furent hélas reprises plus tard par certains journalistes ou biographes.

Ce génie exceptionnel du monde de la musique n'avait, il est vrai, pas de dons pour l'épargne, les négociations, les intrigues, voire même les simples démarches du monde matériel. Il avait un tempérament généreux et contrôlait mal les dépenses, alors que les paiements qu'il attendait pour les œuvres qu'on lui commandait étaient payées avec souvent des retenues et réductions inadmissibles. D'où les fameuses et regrettables dettes dont se sont servis les détracteurs comme preuves pour émettre des critiques grossières sur le mode de vie du compositeur.

S'il est vrai que Mozart n'était pas une personne triste et aimait la vie et les fêtes, et qu'il avait parfois des faiblesses et attirances extraconjugales, par exemple le faible qu'il pouvait avoir à l'égard de certaines élèves ou cantatrices, cela montre que malgré son génie et sa capacité extraordinaire de se consacrer au travail, c'était aussi un homme ayant des joies et des sentiments normaux. Il n'a jamais négligé sa femme et l'a toujours entourée de beaucoup d'affection. Et, depuis son mariage, gagner de l'argent pour faire vivre sa famille fut toujours son grand souci.

Avec les connaissances actuelles, des médecins pensent maintenant que les symptômes du mal décrits à l'époque par les proches de Mozart correspondraient à un empoisonnement au mercure, pris par petites doses contenues dans le fortifiant inventé à cette époque par un médecin ami de Mozart, fortifiant dont il appréciait l'utilité et il en prenait de plus en plus régulièrement, car depuis que les commandes affluaient, il était obligé de travailler souvent jusqu'à la nuit, et jusqu'à l'épuisement. Mozart serait donc mort par des effets secondaires ignorés à l'époque!

Achèvement du Requiem :

Comme elle l'aurait, parait-il, promis à son mari avant sa mort, Constanze voulut que le *Requiem* soit terminé et remis à celui qui avait commandé cette œuvre. Ainsi, après avoir consulté des amis musiciens, elle demanda finalement à Süssmayr de terminer l'œuvre, celui-ci ayant déjà une grande expérience de travailler avec Mozart et l'ayant déjà aidé dans la mise en forme ou l'instrumentation des dernières œuvres, notamment *La Clémence de Titus*. De plus, il connaissait bien les dernières intentions de Mozart pour terminer le *Requiem*.

Ainsi, il a pu achever l'écriture du *Requiem* de Mozart après la mort du compositeur, et le mystérieux commanditaire, en fait le comte Walsegg, put le faire exécuter dans sa chapelle, en décembre 1793, mais en omettant d'indiquer le nom du compositeur, prétendant ainsi que c'était son œuvre à lui.

Cependant, les éditeurs de Mozart ayant eu, par ailleurs, connaissance de l'œuvre, la publièrent aussitôt, et elle fut exécutée à Vienne. Mais, curieusement, cela n'entraîna aucune protestation du comte Walsegg qui avait, pourtant, indiqué à son intermédiaire de remettre la commande à Mozart confidentiellement en spécifiant que l'œuvre devait être exclusivement destinée à lui. Alors, cette publication et exécution ont-elles été à l'insu du comte Walsegg, ou bien a-t-il regretté d'avoir prétendu d'être lui-même l'auteur de ce Requiem !

D'autre part, Süssmayer ayant mis en forme l'œuvre dans sa totalité, recopiant aussi les manuscrits de Mozart, il y a eu au début une confusion facile puisque l'éditeur avait en mains un manuscrit entièrement de Süssmayer. Mais Constanze affirmait, au contraire, que l'œuvre était pratiquement entièrement de son mari.

Il s'engagea alors une polémique sur l'authenticité de cette œuvre, polémique qui durera une dizaine d'années avant que l'on procède à l'analyse détaillée des manuscrits de Mozart qui avaient été heureusement conservés.

On eut ainsi la preuve que sur la totalité, près de la moitié du *Requiem* était déjà entièrement écrite par Mozart, y compris les parties les plus célèbres de cette œuvre.

De nombreux autres fragments avaient été commencés ou dictés par Mozart, et on sait également qu'à la veille de sa mort, Mozart avait transmis à Süssmayr ses idées précises pour compléter l'œuvre.

Le travail de Süssmayr est, certes, loin d'être négligeable; il est même extraordinaire; mais il reste que cette œuvre est essentiellement de Mozart, et cela parait évident en l'écoutant.

Le Requiem s'inscrit d'ailleurs dans l'évolution constante des compositions de Mozart. Il est intéressant de noter ici que c'est probablement dans le chant choral et la musique religieuse que le don exceptionnel de Mozart, compositeur, apparaît de la manière la plus précoce. En effet, on peut remarquer qu'à 11-12 ans déjà sa musique sacrée avait un style particulier, surprenant, et dont on peut suivre aisément l'évolution jusqu'au *Requiem*. Peut-être l'enfant Mozart avait-il déjà profité pleinement de l'écoute des œuvres sacrées les plus belles de l'époque, lorsque son père l'amenait tous les jours assister à la messe à la chapelle royale lors de leur séjour à Versailles.

Puis à Salzbourg, il avait certainement connu le Requiem de Michael Haydn, compositeur que le jeune Mozart voyait souvent et dont il prenait, paraît-il, grand plaisir à étudier les œuvres. Certains passages du Requiem de Mozart font penser à ce Requiem composé vingt ans plus tôt.

Une autre particularité du *Requiem* de Mozart est sa capacité à émouvoir des auditeurs que d'autres grandes œuvres de Mozart laissent pourtant assez indifférents.

Ainsi, il s'est vendu des milliers d'enregistrements du *Requiem* après la diffusion du film Amadeus. Des milliers de personnes peu réceptives à la musique classique ont alors adoré cette œuvre et l'ont écoutée de nombreuses fois. On aurait pu croire que cela allait générer des milliers de nouveaux amateurs de musique classique. Or, apparemment, cela ne s'est pas produit!

La famille de Mozart après sa mort :

Peu après sa mort, déjà à la fin décembre, la situation de la veuve Mozart s'améliora considérablement. Un concert organisé à la mémoire de Mozart et au bénéfice de sa famille apporta un bon soutien. Puis, l'ami Puchberg qui était le principal créancier de Mozart annonça à Constanze qu'il effaçait la totalité des dettes que la famille Mozart lui devait. De plus, il accepta de devenir le tuteur des deux enfants, dont il s'occupera très bien par la suite, prenant en charge leurs frais de scolarité qui se déroulera apparemment sans problème.

Et à Londres, Joseph Haydn, bouleversé par la nouvelle de la disparition de Mozart, organisa des concerts pour faire connaître les dernières œuvres de Mozart et apporter aussi un soutien financier à sa veuve et à ses enfants.

En fait, les concerts organisés pour venir à l'aide de la veuve Mozart et de ses enfants furent nombreux.

De plus, Constanze prit des pensionnaires, comme sa mère l'avait fait auparavant. Parmi les pensionnaires de Constanze, il y eut le danois Georg von Nissen, diplomate de carrière et grand admirateur de Mozart. Il était donc bien placé pour s'intéresser de près aux œuvres de Mozart et écrire une biographie sur le compositeur. Il vécut de nombreuses années avec Constanze et finit par l'épouser en 1809, soit 18 ans après la mort de Mozart. Ensuite, ils vécurent à Copenhague où Nissen avait un poste jusqu'à sa retraite. Puis ils s'installèrent et terminèrent leur vie à Salzbourg! Il mourut en 1826, et elle en 1829.

Durant une dizaine d'années après la mort de Mozart, Constanze, conseillée par Nissen, s'occupa très activement de rassembler toutes les œuvres de Mozart. Elle négociait très longuement avec les éditeurs, et dans les moindres détails, pour vendre au mieux tout manuscrit qu'elle pouvait encore trouver de Mozart qui ne soit pas encore édité.

La publication des nombreuses lettres de Mozart à sa femme, et de sa correspondance avec son père sont des éléments très précieux pour les biographes et pour toute personne intéressée par la vie de Mozart, notamment de ses dix dernières années de vie.

Mais les premiers biographes de Mozart n'ont pas attendu la lecture de toutes ces lettres. En effet, deux ans après la mort de Mozart, un admirateur, Friedrich Schlichtegroll, publiait déjà une première biographie. Puis en 1798, Franz Xaver Niemetschek publiait à Prague une biographie plus complète, qui servit de base aux biographies successives publiée depuis.

Pour ce qui est de l'ensemble de la correspondance, les lettres écrites par Constanze à Wolfgang Mozart ont été détruites. Voulait-elle ainsi cacher sa vie intime, ou plutôt avait-elle honte de son écriture qui mettait en évidence sa mauvaise maîtrise de la langue écrite du fait de son éducation trop sommaire?

Sur les six enfants de Mozart, Karl et Franz Xaver furent les deux seuls à ne pas décéder en bas âge. Karl avait 7 ans à la mort de son père. Il n'avait pas de dons particuliers pour la musique. Il deviendra fonctionnaire et vivra jusqu'en 1858 (soit 74 ans).

Franz Xaver Mozart (1791 - 1844) avait de bonnes dispositions pour la musique. Après une formation musicale, notamment avec Salieri et Hummel, il adopta une carrière musicale, de pianiste, de chef d'orchestre, puis de compositeur, tout en enseignant la musique. On dit que Franz Xaver Mozart était un musicien trop prétentieux, donc tout le contraire de son père. Et n'ayant pas eu le succès escompté avec ses quelques compositions, il avait même tenté de s'attribuer certaines œuvres de son père, ou de signer Wolfgang Amadeus Mozart! Il mourut à 53 sans avoir connu un grand succès, et ses œuvres, notamment deux concertos pour piano et de la musique de chambre furent vite oubliées.

Les deux frères n'eurent aucune descendance; ils restèrent tous deux célibataires.

Quant à Nannerl, la sœur de Mozart, qui avait épousé un veuf en 1784, habitant ST Gilgen, elle est revenue s'installer à Salzbourg après la mort de son mari en 1801, accompagnée de ses deux enfants et des enfants de son mari. Elle y donnait des leçons de musique. Et durant toute sa longue vie, elle fut toujours prête à aider, avec beaucoup de plaisir et d'amabilité, les éditeurs qui sollicitaient son aide, notamment pour authentifier les œuvres de jeunesse, non signées, de son frère dont elle arrivait à reconnaître le thème, l'écriture ou le style.

Durant les 4 dernières années de sa vie, sa santé se dégrada et elle devint aveugle. Elle mourut en 1829.

****

Oeuvres de Mozart :

Mozart ayant commencé à composer dès sa très jeune enfance, c'est son père qui décida, très tôt, de tenir un registre de ses compositions. Ce registre fut ensuite continué par Mozart sous forme d'un catalogue, parfois imprécis et incomplet, de ses œuvres. Après sa mort, Johann Anton André acheta les manuscrits à Constanze, s'intéressa à la classification existante et y apporta de nombreuses précisions ou corrections.

Plus tard, le docteur Ludwig von Köchel s'intéressa aussi à la classification des œuvres de Mozart et déplora quelques erreurs dans les dernières classifications, comme l'attribution à Mozart d'œuvres d'autres compositeurs contemporains. D'autant plus qu'avec sa grande facilité d'écrire la musique, Mozart notait parfois une musique intéressante qu'il venait d'entendre (comme nous utiliserions un enregistreur de nos jours!). Il lui arrivait aussi de noter une idée pour une nouvelle composition, puis de l'abandonner.

Ainsi, lorsque tous ces manuscrits furent retrouvés après sa mort, cela donna lieu à des confusions.

Köchel s'efforça de rétablir la vérité, puis attribua aux œuvres une numérotation chronologique qui deviendra dès lors la référence universelle pour la classification des œuvres de Mozart. L'ouvrage initial de Köchel fut publié en 1862. Il y eut, depuis, plusieurs mises à jour. La 6ème édition date de 1964 et comporte aussi des extraits d'œuvres, constituant un ouvrage de plus de 1100 pages. Il existe également, depuis 1951, une version très simplifiée, de 142 pages, publiée sous la dénomination "Le Petit Köchel".

La numérotation Köchel va de 1 à 626.

La liste complète des œuvres de Mozart serait trop longue à détailler dans le présent ouvrage. Par conséquent, voici les œuvres les plus importantes ou significatives, par catégorie, à savoir :

- Premières œuvres,
- Messes et autres œuvres spirituelles
- Symphonies (et symphonies concertantes)
- Sérénades et diverses compositions pour orchestre
- Concertos
- Opéras
- Musique de chambre

■ Les premières œuvres

- Menuet pour clavecin en Fa majeur (K.2), 1762, à Salzbourg. Le petit Wolfgang Mozart avait tout juste 6 ans. Il avait sans doute déjà improvisé d'autres petites compositions à l'âge de 5 ans, mais ce menuet paraît être la première œuvre retenue et écrite.

- Allegro pour clavecin en Si bémol majeur (K.3), 1762, à Salzbourg

- Deux menuets pour clavecin en Fa majeur (K.4 et 5), 1762, à Salzbourg.

- Menuet pour clavecin en Sol majeur suivi d'un trio en Ut majeur, (K.1). Cette œuvre n'étant pas datée avec précision, elle a été classée K.1 par erreur. Une étude plus détaillée de la chronologie des manuscrits permet de conclure qu'elle a été composée à la fin de l'année 1762, probablement après le K.5.

- Quatre sonates pour clavecin accompagné d'un violon, (K.6, 7, 8 et 9), composées pour la cour de Versailles lors du séjour à Paris en 1764. La sonate K.6 s'inspire d'un menuet composé immédiatement après le K.5, mais qui ne porte pas de numéro Köchel.

- Six sonates pour clavecin accompagné d'un violon, (K.10 à 15), composées pour la cour d'Angleterre lors du séjour à Londres en 1764. Ces sonates, écrites par un garçon de huit ans, révèlent déjà les capacités exceptionnelles de composition qui seront développées plus tard.

■ Messes et autres œuvres spirituelles importantes ou intéressantes

- Les 17 sonates d'église, composées entre 1767 et 1780, essentiellement par obligation, par exemple, pour satisfaire aux demandes du prince Colloredo de Salzbourg, ainsi que les quelques œuvres de circonstance, purement maçonniques. Selon la tradition à cette époque, les sonates d'église étaient de très courtes compositions, pour quelques instruments, que l'on interprétait à certains moments de la messe.

- Motet pour chœur à quatre voix "God is our refuge" (K.20), 1765, à Londres.

- Kyrie pour quatre voix (K.33), 1766, à Paris.

- Die Schuldigkeit des Ersten Gebotes (Le devoir du premier Commandement), opérette spirituelle, (K.35), 1767, à Salzbourg.

- Musique pour le tombeau du Vendredi Saint (K.42), 1767, à Salzbourg

- Messe solennelle en Ut mineur, dite Messe n°4, (K.139), 1768, à Vienne. (Cette numérotation 139 qui paraît étrange est due au fait que lorsque l'œuvre fut retrouvée, on la considéra d'abord comme datant de 1772).

- Messe "brève" appelée Messe n°1, (K.49), 1768, à Vienne

- Messe "brève" (Messe n°2), (K.65), 1769, à Salzbourg

- Messe solennelle, (Messe n° 3), en Ut majeure, (K.66), 1769, à Salzbourg.

- Kyrie pour cinq sopranos, (K.89), 1770

- Oratorio "La Betulia Liberata" (K.118), 1771, à Salzbourg. C'était probablement une commande datant de sa récente visite en Italie, mais on ignore si l'œuvre est arrivée au destinataire.

- Litanies n°1 (K.109), 1771, à Salzbourg

- Offertoire (K.72), 1771, à Salzbourg

- Motet "exsultate-jubilate" (K.165) pour soprano (à l'origine pour un castrat), 1773, à Milan. Mozart a tout juste 17 ans. Son "exsultate-jubilate" est aujourd'hui parmi les plus connues de ses œuvres de jeunesse.

- Regina Coeli (K.127), 1772, Salzbourg.

- Messe solennelle, (Messe n°5), en Ut majeur (K.167), 1773, à Salzbourg.

- Litanies n°2 (K.195), 1774, à Salzbourg

- Messe brève, (Messe n°6) en Fa majeur (K.192), 1774, à Salzbourg.

- "Dixit" et "Magnificat" (K.193), 1774, à Salzbourg.

- Messe brève (Messe n°7) en Ré majeur (K.194), 1774, à Salzbourg

- Messe brève (Messe n°8) en Ut majeur, dite messe des moineaux (K.220), 1775, à Munich (sans doute destinée à Salzbourg, comme les précédentes messes brèves, selon les exigences du prince Colloredo). C'est une œuvre que Mozart a écrite trop rapidement et sans intérêt.

- Offertoire en Ré mineur (K.222), 1775, à Munich.

- Litanies du Saint Sacrement (K.243), 1776 à Salzbourg. C'est la deuxièmes des litanies de Mozart pour le Saint Sacrement (la première, K.125, écrite en 1772 étant peu intéressante, n'a pas été mentionnée plus haut).

- Grande Messe (Messe n°12) en Ut majeur (K.262), 1776, à Salzbourg. Par sa longueur et l'intérêt manifeste que témoigne Mozart lors de sa composition, il est peu probable qu'elle soit écrite à la demande du prince Colloredo. C'est vraisemblablement une commande venant d'ailleurs.

- Offertoire pour deux chœurs (K.260), 1776, à Salzbourg

- Messe solennelle, n° 9, dite Messe du Credo, (K.257), Messe brève, n°10 (K.258), Messe brève n°11 (K.259), 1776, à Salzbourg. De ces trois Messes en Ut majeur, les deux premières marquent une évolution intéressante de Mozart dans l'écriture d'œuvres pour l'Eglise, évolution qui semble avoir surpris ou irrité certains lors de la première audition.

- Graduel "Sancta Maria" en Fa majeur (K.273), septembre 1777, à Salzbourg.

- Messe brève n°13 en Si bémol majeur (K.275) et Offertoire en Fa majeur (K.277), septembre 1777, à Salzbourg. Ces deux œuvres ont vraisemblablement été écrites et exécutées pour une même occasion, par un Mozart enfin libéré (pour un moment) de l'humiliante période de soumission au prince Colloredo.

- Kyrie en Mi bémol majeur (K.322), 1778, à Mannheim

- Messe solennelle n°14 en Ut majeur, appelée *"Messe du Couronnement"* (K.317), 1779, à Salzbourg.

- Vêpres du dimanche, en Ut majeur (K.321), 1779, à Salzbourg

- Messe brève n°15, en Ut majeur (K.337), 1780, à Salzbourg

- Vêpres d'un confesseur, en Ut majeur (K.339), 1780, à Salzbourg

- Kyrie en Ré mineur, (K.341), 1781, à Munich

- Messe solennelle n°16, en Ut mineur (K.427), 1783, à Vienne. Cette Messe qui ne fut jamais totalement achevée, fut exécutée à Salzbourg en y ajoutant un extrait d'une Messe plus ancienne.

- Oratorio "Davidde Penitente" (K.469), 1785, à Vienne. Pour honorer rapidement cette commande, Mozart utilisa de larges extraits de la Messe K.427.

- Réinstrumentation du Messie de Haendel (K.572), 1789, à Vienne. Les circonstances de l'œuvre ont déjà été détaillées au chapitre précédent (bibliographie de Mozart - 1789).

- Motet "Ave Verum Corpus" (K.618). Court, très beau et très connu, Ave Verum, de Mozart, fut composé en juin 1791, sur une ancienne prière qui était récitée ou chantée depuis le Moyen-Age.

- Requiem (Messe n°17), en Ré mineur (K.626), 1791, à Vienne. Comme cela a été indiqué à la fin du chapitre précedent, cette œuvre est en grande partie de Mozart, complétée après sa mort par son élève Süssmayr. L'œuvre comprend les séquences suivantes: Requiem aeternam, Kyrie, Dies irae, Tuba mirum, Rex tremendae, Recordare, Confutatis, Lacrimosa, Domine Jesu Christe, Hostias et precis, Sanctus, Benedictus, Agnus Dei, Communio.

Les manuscrits prouvent que le Requiem aeternam et le Kyrie sont entièrement de Mozart.

Par contre, Sanctus, Beneditus, Agnus Dei sont vraisemblablement entièrement de Süssmayr.

Pour toutes les autres séquences, de nombreux fragments manuscrits de Mozart ont été retrouvés. Mozart a dû certainement expliquer à Süssmayr tous les détails concernant l'orchestration souhaitée, car même si le manuscrit final est de la main de Süssmayr, c'est manifestement du grand Mozart que l'on entend en écoutant pratiquement toutes les séquences.

■ Symphonies (et symphonies concertantes)

- Symphonies n°1 (K.16) et n°2 (K.17), 1765, à Londres. En fait, la n°2 avait été écrite quelques mois avant la n°1, mais rapidement oubliée d'autant plus que pour ce premier essai, le petit Mozart s'était essentiellement amusé à copier une œuvre du compositeur Abel.

- Symphonie n°4 (K.19), 1765, à Londres. Mozart composa une ou plusieurs symphonies entre celle-ci et la K.16, mais elles furent égarées. Toutes ces symphonies sont très courtes.

- Symphonie n°5 (K.22), décembre 1765, La Haye. Mozart commence déjà à avoir des inspirations personnelles lors de cette composition.

- Symphonie n°43 (K.76), 1767, à Salzbourg. Cette œuvre, plus élaborée, n'étant pas datée, fut considérée à un moment comme plus tardive, d'où l'erreur de numérotation.

- Symphonie n°6 (K.43), 1767

- Symph. nos 7 et 8 en Ré majeur (K.45 & K.48), 1768, à Vienne

- Symphonies nos 44, 45, 47 et 11, en Ré majeur (K.81, K.95, K.97 & K.84), 1970, en Italie. L'erreur de numérotation de ces symphonies est probablement dû, à l'origine, à un oubli de Leopold Mozart de les mentionner dans le cahier d'enregistrement.

- Symphonie n°10 en Sol majeur (K74), 1770, Milan

- Symphonies n°9 (K.73), n°54 (K.74g), n°42 (K.75) et n°12 (K.110), 1771, à Salzbourg. Cette étrange numérotation est encore une fois due au fait qu'à part la dernière, ces symphonies ne sont pas datées. Les recherches de Köchel et autres plus récentes ont permis de conclure que ces quatre symphonies ont été composées à la même période, à Salzbourg. A 15 ans, Mozart est encore sous l'influence de ses aînés, JC Bach et les frères Haydn.

- Symphonies n°13 (K.112), n°14 (K.114) et n°15 (K124), 1771, Milan.

- Symphonies n°15 (K.124), n°16 (K.128), n°17 (K.129), n°18 (K.130), n°19 (K.132), n°20 (K.133), n°21 (K.134), 1972, Salzbourg. On ignore pour quelle raison Mozart a écrit toute cette série de symphonies. Etait-ce en préparation d'un prochain voyage en Italie ou bien s'agissait-il d'un jeu d'exercices cherchant à trouver comment améliorer son style et apporter du nouveau dans ce domaine, comme dans la symphonie suivante.

- Symphonie n°46 (K.96), œuvre non datée, vraisemblablement fin 1772, Milan

- Symphonies n°22 (K.162), n°23 (K.181), n°24 (K.182), n°26 (K.184), n°27 (K.199), 1773, à Salzbourg. Encore une série de petites symphonies dont on ne connaît ni les circonstances de composition, ni même la date exacte.

- Symphonies n°25 en Sol mineur (K.183), n°28 en Ut majeur (K.200) et n° 29 en La majeur (K.201), fin 1773 - début 1774, Salzbourg. La première a été numérotée 25, par erreur, mais n'a de toute évidence aucun rapport avec la série précédente. Cet ensemble de trois symphonies marque clairement l'arrivée de la maturité de Mozart, pratiquement à l'âge de 18 ans. Sa musique sera désormais celle du grand Mozart. Avec la symphonie n°25, on a l'impression que Mozart veut démontrer qu'on peut composer une œuvre magnifique avec la plus grande simplicité possible. Les thèmes des 1er, 3è et 4e mouvements sont remarquables.

Symph. n°25 (K.183), 1er mouvement (Allegro con brio) :

Symph. n°25 (K.183), 3e mouvement (Menuetto) :

Symph. n°25 (K.183), 4e mouvement (Allegro) :

Symph. n°29 (K.201), 1er mouvement (Allegro moderato) :

Symph. n°29 (K.201), 2e mouvement (Andante) :

Symph. n°29, 3e mouvement (Menuetto) :

Symph. n°29 (K.201), 4e mouvement (Allegro con spirito) :

- Symphonie n°30 en Ré majeur (K.202), 1974, Salzbourg

- Symphonie concertante pour flûte (ou clarinette), hautbois, cor et basson, en Mi bémol majeur (K.297b), 1778, Paris. Le manuscrit de cette œuvre n'ayant pas été retrouvée, on ignore si la version pour clarinette est d'origine ou bien un arrangement fait ultérieurement. On sait que Mozart venait de découvrir le son très agréable de la clarinette. Il est donc possible que cet instrument ait été présent dès l'origine de cette composition, mais l'œuvre lui a été commandée par un flûtiste.

• Symphonie n°31 en Ré majeur, dite de Paris (K.297), 1778, Paris. Malgré le succès de la première audition, Le Gros, directeur des "Concerts spirituels", ayant commandé cette symphonie (en trois mouvements), trouva le deuxième mouvement, l'andante, pas à son goût et exigea que Mozart le recompose, ce qui fut fait pour la deuxième exécution. Mais aujourd'hui on préfère la version originale.

• Symphonie concertante (K.297b) pour quatre solistes à vent, 1778, Paris.

• Symphonie n°32 en Sol majeur (K.318), 1779, Salzbourg. En trois mouvements qui s'enchaînent, cette symphonie fait penser plutôt à une ouverture d'opéra.

• Symphonie n°33 en Si bémol majeur (K.319), 1779, Salzbourg. Mozart y a ajouté un troisième mouvement (Menuet) trois ans plus tard lors d'un concert à Vienne.

• Symphonie concertante pour violon et alto, en Mi bémol majeur (K.364), 1779, Salzbourg. Trois mouvements.

SyC K.364, 2e mouvement (Andante) :

SyC K.364, 3e mouvement (Presto) :

• Symphonie n°34 en Ut majeur (K.338), 1780, Salzbourg. Comme pour la symphonie précédente, un quatrième mouvement (Menuet, K.409) a été ajouté en 1782 pour une exécution à Vienne.

• Symphonie n°35 dite Haffner, en Ré majeur (K.385), 1782, Vienne. Composée à la demande de Siegmund Haffner, bourgmestre de Salzbourg, demande transmise à Mozart par son père Leopold. A l'origine, la demande était pour une sérénade, comme celle composée déjà pour Haffner en 1776 (K250). Mozart décida d'appeler cette nouvelle œuvre une symphonie.

• Symphonie n°36, dite de Linz, en Ut majeur (K.425), 1783, Linz.

Symph. n°36, 1er mouvement (Adagio) :

Symph. n°36, 2e mouvement (Poco adagio) :

Symph. n°36, 3e mouvement (Menuetto) :

Symph. n°36, 4e mouvement (Presto) :

- (Symphonie n°37, K.444). En 1783, à Linz, Mozart écrit, pour une raison inconnue, une introduction à une symphonie de Michaël Haydn. De ce fait, on considéra durant des années après la mort de Mozart qu'il s'agissait là d'une 37ème symphonie d[illegible]

- Symphonie n°38, dite de Prague, en Ré majeur (K.504), 1786, Vienne. Trois mouvements (seulement !).

Symph. n° 38, 1er mouvement (début Adagio) :

Symph. n° 38, 2e mouvement (Andante) :

Symph. n° 38, 3e mouvement (Presto) :

- Symphonie n°39 en Mi bémol majeur (K.543), 1788, Vienne.
  Symph. n°39, 1er mouvement (Adagio) :

Symph. n°39, 2e mouvement (Andante con moto) :

Symph. n°39, 3e mouvement (Allegro) :

Symph. n°39, 4e mouvement (Allegro) :

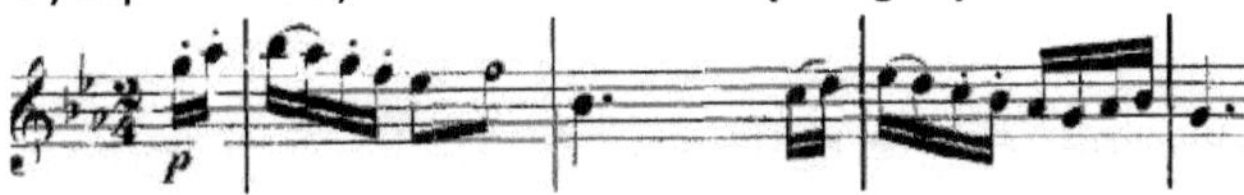

- Symphonie n°40 en Sol mineur (K.550), 1788, Vienne. C'est une des rares symphonies de Mozart écrite dans le ton mineur. Ecrite à la même période que la 39 et la 41, elle est pourtant si différente et fait penser plutôt à la sérénade "la petite musique de nuit".

Symph. n°40, 1er mouvement (Allegro molto) :

Symph. n°40, 2e mouvement (Andante) : le thème est introduit par l'alto, enchainé par les 2e violons, puis les 1er violons; l'exemple ci-après repro duit donc le début de ces trois instruments: 1er violon, deuxième violon, alto)

Symph. n°40, 3e mouvement (Menuetto - Allegretto) :

Symph. n°40, 4e mouvement (Allegro assai) :

- Symphonie n°41, dite Jupiter, en Ut majeur (K.551), 1788, Vienne.

  Symph. n°41, 1er mouvement (Allegro vivace) :

Symph. n°41, 2e mouvement (Andante cantabile) :

Symph. n°41, 3e mouvement (Allegretto) :

Symph. n°41, 4e mouvement (Molto allegro) :

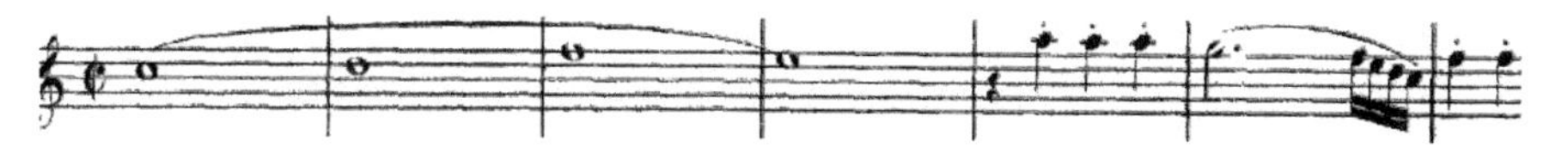

Ainsi, Mozart a composé environ 49 symphonies dont la dernière est numérotée 41 ! Les numéros au-delà de 41 ont été attribués à des œuvres de jeunesse (qui, en réalité, ne présentent qu'un intérêt limité).

■ Sérénades et diverses compositions pour orchestre

- Cassation n°1 en Sol majeur (K.63), 1769, Salzbourg. La cassation est un divertissement musical que l'on peut interrompre momentanément lors d'une fête, par exemple pour faire une annonce, etc.. Elle peut aussi intervenir pour marquer la fin d'une cérémonie. Les cassations étaient donc des œuvres commandées pour une circonstance donnée.

- Cassation n°2 en Si bémol majeur (K.99), 1769, Salzbourg.

- Sérénade n°1 en Ré majeur (K.100), 1769, Salzbourg. La sérénade se jouait généralement le soir, en plein air. Il s'agissait de commandes spécifiques pour une exécution à une occasion donnée.

- Divertimento n°1 en Mi bémol majeur (K.113), 1771, Milan. Ecrit pour un petit orchestre, mais comprenant déjà une clarinette, instrument que Mozart inclut pour la première fois dans ses œuvres.

- Divertimento n°2 en Ré majeur (K.131), 1772, Salzbourg. Mozart ne disposant pas encore de clarinettiste à Salzbourg essaie un arrangement différent du divertimento précédent. De plus, on a l'impression qu'il fait de nombreux essais intéressants dans cette nouvelle composition.

- Divertimentos quatuors (K.136), (K.137), (K.138), 1772, Salzbourg. Ces quatuors à cordes, en 3 mouvements, Mozart les a appelés "divertimento", on ne sait pas pour quelle raison. Le K.136 fait partie des œuvres très connues de Mozart.

- Divertimentos n°3 (K.166), n°4 (K.186), 1773, Milan. Deux œuvres écrites pour dix instruments à vent, dont deux clarinettes.

- Sérénade n°3 (K.185), 1773, Vienne.

- Divertimento n°5 (K.187), probablement début 1774 à Salzbourg.

- Divertimento n°6 (K.188). Erreur de numérotation probable; pourrait vraisemblablement être rattachée à la période 1776.

- Divertimento n°7 (K.205), 1773, Vienne.

- Sérénade n°4 (K.203), 1774, Salzbourg.

- Divertimento n°8 (K.213), 1775, Salzbourg.

- Sérénade n°5 (K.204), 1775, Salzbourg.

- Sérénade n°6 (K.239), 1776, Salzbourg.

- Divertimento n°9 (K.240), 1776, Salzbourg.

- Divertimento n°10 (K.247), 1776, Salzbourg. Cette œuvre composée pour la fête de la comtesse Lodron est particulièrement agréable et intéressante.

- Sérénade n°7, dite "Haffner", (K.250), 1776, Salzbourg. Commandée par le bourgmestre Haffner à l'occasion du mariage de sa fille, cette sérénade est beaucoup plus longue et plus riche en thèmes que les précédentes, les instruments sont aussi plus nombreux.

- Divertimento n°11 (K.251), 1776, Salzbourg. Composé pour le 25è anniversaire de sa sœur Nannerl.
- Divertimento n°13 (K.253), 1776, Salzbourg.
- Sérénade n°8 (K.286), 1777, Salzbourg.
- Divertimento n°14 (K.270), 1777, Salzbourg.
- Divertimento n°15 (K.287), 1777, Salzbourg, écrit pour la comtesse Lodron.
- Sérénade n°9 (K320), 1779, Salzbourg.
- Divertimento n°17 (K.334), 1779, Salzbourg, écrit pour la famille Robing.
- Sérénade n°10, appelée Gran Partita (K.361), 1781, Vienne, composée pour 13 instruments à vent (dont deux cors de basset, instrument que Mozart utilise pour la première fois).
- Sérénade n° 11 (K.375), 1781, Vienne, d'abord pour six instruments à vent. Mozart y ajoutera deux hautbois en 1782.
- Sérénade n°12 (K.388), 1782, Vienne, écrite pour huit instruments à vent. Transcrite pour quintette à cordes, par Mozart, quelques années plus tard (K.406).
- Sérénade n°13 "petite musique de nuit" (K.525), 1787, Vienne. Grande œuvre pour petite formation à cordes. Cette sérénade, de la même année que Don Giovanni, comportait à l'origine cinq mouvements dont le deuxième a été égaré.
- Divertimento "Puchberg" (K.563), 1788, Vienne.
- Six danses allemandes (K.571), 1789, Vienne. Mozzart avait déjà composé des danses et des contredanses, mais la K.571 est d'une autre catégorie, beaucoup plus intéressante.
- Douze menuets, douze danses allemandes et une contredanse (K.585, 586 et 587), 1789, Vienne.
- Douze menuets (K.599, 601, 604), treize danses allemandes (K.600, 602, 605) et neuf contredanses (K.603, 607, 609, 610), 1791, Vienne.

■ **Concertos** (dont les 27 pour piano et 5 pour violon, classés par ordre des n°K)

- Concerto pour piano n°5 (K.175), 1773, Salzbourg. C'est la première composition réelle d'un concerto par Mozart. Les concertos précédents avaient été écrits durant son enfance et ne présentaient pas d'intérêt d'autant plus qu'il s'agissait d'adaptations ou de variations sans originalité.

- Concertone pour deux violons (K.190), 1773, Salzbourg.
- Concerto pour basson en Si bémol majeur (K.191), 1774, Salzbourg.
- Concerto pour violon n°1 en Si bémol majeur (K.207), 1775, Salzbourg.
- Concerto pour violon n°2 en Ré majeur (K.211), 1775, Salzbourg.
- Concerto pour violon n°3 en Sol majeur (K.216), 1775, Salzbourg.

Conc. violon n° 3, 1er mouvement : Allegro

Conc. violon n° 3, 2e mouvement : Adagio

Conc. violon n° 3, 3e mouvement : Allegro

- Concerto pour violon n°4 en Ré majeur (K.218), 1775, Salzbourg, appelé également [illegible] concerto de Strasbourg par Mozar[illegible] (sans que l'on connaisse la raison exacte de cette appellation). Ce magnifique converto se termine de manière surprenante, discrètement, sans éclat.

Conc. violon n° 4, 1er mouvement : Allegro

Conc. violon n° 4, 2e mouvement : Andante cantabile

Conc. violon n° 4, 3e mouvement : Andante grazioso

- Concerto pour violon n°5 en La majeur (K.219), 1775, Salzbourg.

  Conc. violon n° 5, 1er mouvement : Allegro

  Conc. violon n° 5, 2e mouvement : Adagio

  Conc. violon n° 5, 3e mouvement : Tempo di menuetto

Ainsi s'achève la série de cinq concertos pour violon, tous des chefs-d'œuvre, que Mozart composa dans la même année, à 19 ans, guidé par une motivation étrange dont nous ignorons l'origine. Le violon solo est appelé "violon principal" et il intervient directement dès le début, sans introduction.
Ce seront les seuls concertos pour violon de Mozart (à part quelques ébauches abandonnées).

- Concerto pour piano n°6 en Si bémol majeur (K.238), 1776, Salzbourg.

- Concerto pour deux (ou trois) pianos dit "concerto pour piano n°7" (K.242), 1776 et 1777, Salzbourg. Composé pour les comtesses Lodron dont la plus jeune ne jouait pas très bien et sa participation était symbolique; ce qui permit à Mozart l'année suivante de supprimer sans conséquence la partie du troisième piano afin de jouer lui-même ce concerto avec un autre pianiste.

- Concerto pour piano n°8 en Ut majeur (K.246), 1776, Salzbourg.

- Concerto pour piano n°9 en Mi bémol majeur "concerto Jeunehomme" (K.271), 1777, Salzbourg, composé à l'occasion de la visite à Salzbourg de Mlle "Jeunehomme", excellente pianiste française (voir détails au chapitre précédent, paragraphe "En janvier 1777...."). Ce concerto marque un style nouveau probablement poussé par l'évolution musicale à Paris dont lui aurait fait part cette pianiste.

Voici les thèmes au début des premier et troisième mouvements :

Conc. piano n°9 (K.271), 1er mouvement (allegro) :

Conc. piano n°9 (K.271), 3e mouvement (presto) :

- Concerto pour flûte, en Sol majeur (K.313), 1778, Mannheim.

- Concerto (pour flûte), en Ré majeur (K.314), 1778, Mannheim. C'est une transposition par Mozart du concerto en Ut majeur pour hautbois (K271) composée l'année précédente.

- Concerto pour flûte et harpe en Ut majeur (K.299), 1778, Paris.

Conc. fl. et harpe, 1er mouvement (Allegro) :

Conc. fl. et harpe, 2e mouvement (Andantino) :

Conc. fl. et harpe, 3e mouvement (Allegro) :

- Concerto pour deux pianos (K.365), 1779, Salzbourg. (Appelé également concerto pour piano n°10). Voici le thème du 3è mouvement (Allegro) :

- Concerto pour piano n°11 en Fa majeur (K.413), 1783, Vienne.

- Concerto pour piano n°12 en La majeur (K.414), 1782, Vienne.

- Concerto pour piano n°13 en Ut majeur (K.415), 1782 (ou début 1783), Vienne. Ces trois concertos sont apparemment écrits sans grande passion mais dans un but de plaire afin de s'assurer des moyens de subsistance dans l'immédiat.

- Concerto pour cor n°2 en Mi bémol majeur (K.398), 1783, Vienne. Il porte le n°2 car Mozart avait écrit un an plus tôt le début d'un premier concerto pour cor, mais très vite abandonné.
- Concerto pour cor n°3 en Mi bémol majeur (K.447), 1783 (ou 1784), Vienne.
- Concerto pour piano n°14 en Mi bémol majeur (K.449), 1784, Vienne.
- Concerto pour piano n° 15 en Si bémol majeur (K.450), 1784, Vienne.
- Concerto pour piano n°16 en Ré majeur (K.451), 1784, Vienne. Mozart qualifie ce concerto et le précédant comme étant "difficiles" pour le pianiste.

- Concerto pour piano n°17 en Sol majeur (K.453), 1784, Vienne.

Conc. piano n°17 (K.453), 1er mouvement (Allegro) :

Conc. piano n°17 (K.453), 2e mouvement (Andante) :

Conc. piano n°17 (K.553), 3e mouvement (Allegretto) :

- Concerto pour piano n°18 en Si bémol majeur (K.456), 1784, Vienne.
- Concerto pour piano n°19 en Fa majeur "du couronnement"(K.459), 1784, Vienne.

Conc. piano n°19 (K.459), 1er mouvement (allegro):

Conc. piano n°19 (K.459), 3e mouvement (allegro assai):

- Concerto pour piano n°20 en Ré mineur (K.466), 1785, Vienne. Entre autres innovations, c'est le premier concerto de Mozart écrit en mineur.

Conc. piano n°20 (K.466), 1er mouvement (Allegro) :

Conc. piano n°20 (K.466), 2e mouvement (Romance) :

Conc. piano n°20 (K.466), 3e mouvement (Allegro assai) :

- Concerto pour piano n°21 en Ut majeur (K.467), 1785, Vienne. C'est probablement le plus connu des concertos de mozart, avec un deuxième mouvement divinement magnifique.

Conc. piano n°21 (K.467), 1er mouvement (Allegro maestoso) :

Conc. piano n°21 (K.467), 2e mouvement (Andante) :

Conc. piano n°21 (K.467), 3e mouvement (Allegro vicace assai) :

- Concerto pour piano n°22 en Mi bémol majeur (K.482), 1785, Vienne.

Conc. piano n°22 (K.482), 1er mouvement (Allegro) :

Conc. piano n°22 (K482), 3e mouvement (Allegro) :

- Concerto pour piano n°23 en La majeur (K.488), 1786, Vienne.

  Conc. piano n°23 (K.488), 1er mouvement (Allegro) :

  Conc. piano n°23 (K.488), 2e mouvement (Andante) :

et plus loin,

  Conc. piano n°23 (K.488), 3e mouvement (Presto) :

- Concerto pour piano n°24 en Ut mineur (K.491), 1786, Vienne.

  Conc. piano n°24 (K.491), 1er mouvement (Allegro) :

  Conc. piano n°24 (K.491), 2e mouvement (Larghetto) :

  Conc. piano n°24 (K.491), 3e mouvement (Allegretto) :

- Concerto pour cor n°4 en Mi bémol majeur (K.495), 1786, Vienne.

- Concerto pour piano n°25 en Ut majeur (K.503), 1786, Vienne. Ecrit en même temps que la symphonie n°38 "de Prague", sans doute destiné également pour une exécution personnelle lors d'une visite dans cette ville en janvier 1787.

  Conc. piano n°25 (K.503), 1er mouvement : Il est difficile de désigner un thème principal dans ce premier mouvement; on retient cependant cette "phrase" qui fait penser à un thème qui deviendra célèbre quelques années plus tard..., le début de la Marseillaise. On ignore s'il y a eut une transmission d'idée entre Mozart, Viotti, Cambini ou Rouget de Lille, tous ayant utilisé plus ou moins ce thème durant cette période.

Conc. piano n°25 (K.503), 2e mouvement (Andante) :

Conc. piano n°25 (K.503), 3e mouvement (Allegretto) :

- Rondo pour cor et orchestre en Ré majeur (K.514), 1787, Vienne.

- Concerto pour piano n°26 en Ré majeur (K.537), 1788, Vienne. Nommé plus tard "Concerto du Couronnement" puisqu'il fut joué en 1790 lors de la cérémonie du couronnement de l'empereur Léopold II à Francfort.

Conc. piano n°26 (K.537), 1er mouvement (Allegro) :

Conc. piano n°26 (K.537), 2e mouvement (Larghetto) :

Conc. piano n°26, (K.537), 3e mouvement (Allegretto) :

- Concerto pour piano n°27 en Si bémol majeur (K.595), 1791, Vienne.
  Conc. piano n°27 (K.595), 1er mouvement (Allegro);

  début du thème à la deuxième mesure :

Conc. piano n°27 (K.595), 2e mouvement (Larghetto) :

Conc. piano n°27 (K.595), 3e mouvement (Allegro) :

- Concerto pour clarinette, en La majeur (K.622), 1791, Vienne.
  Conc. clarinette, 1er mouvement :

Conc. clarinette, 2e mouvement : (part. transposée pour clarinette en la)

Conc. clarinette, 3e mouvement : (part. transposée pour clarinette en la)

■ Opéras (et autres spectacles)

A l'époque de Mozart, l'opéra était un spectacle très apprécié, et on en composait beaucoup. Il était donc normal que Mozart s'y intéresse et en compose également dès sa jeunesse. Mais les opéras de Mozart adulte dépassèrent de loin le niveau des opéras que présentaient tous ses contemporains, œuvres pour la plupart oubliées rapidement contrairement aux opéras de Mozart dont le succès continue de nos jours et qui seront représentés probablement jusqu'à la fin de notre civilisation...

• **Die Schuldigkeit des Ersten Gebotes (Le Devoir du Premier Commandement)**, opérette spirituelle (K.35), 1767, Salzbourg.
A onze ans, Mozart avait déjà composé de petites œuvres pour une ou plusieurs voix et orchestre, mais là il s'agit d'une première œuvre d'une relative importance. Livret de I.Weiser.

• **Apollo et Hyacinthus** (K.38), 1767, Salzbourg. Livret de Rufinus Widl.

• **La Finta Semplice**, opéra en trois actes (K.51), 1768, Vienne. C'est véritablement le premier opéra de Mozart. Livret en italien, de Coltellini (d'après Goldoni). Ce livret, sans grand intérêt, avait été imposé à Mozart lorsque son père, après une insistance longue et tenace auprès de la cour de Vienne avait finalement obtenu une commande, avec une rémunération d'avance, et par laquelle Leopold voulait montrer que son génie de fils était déjà capable d'écrire et de diriger un opéra. Mais Wolfgang Mozart n'avait que douze ans et il lui était encore difficile de s'imposer et de convaincre les directeurs d'opéra qu'un enfant de son âge puisse écrire valablement un opéra. Cet opéra, terminé à Vienne, ne sera représenté qu'un an plus tard, à Salzbourg.

• **Bastien et Bastienne**, opérette en un acte (K.50), 1768, Vienne. Le livret en allemand est inspiré d'une œuvre de Jean-Jacques Rousseau "Le Devin du Village". Une petite histoire d'amour revue par Mozart, enfant de douze ans, donc très simpliste et encore très loin des chefs d'œuvres qui vont suivre, malgré quelques timides indices. Cependant, on peut remarquer la qualité évidente de la musique de chambre qui accompagne cette œuvre. Le singspiel (du théâtre chanté) était un style à la mode à Vienne. Mozart commença cette composition demandée par une famille viennoise peu de temps après son arrivée lors d'un séjour dans cette ville. Puis, poussé par son père, la priorité fut donnée à la composition de La Finta Semplice. L'œuvre fut donc terminée après et représentée en privé, mais on n'a pas de détails sur cette représentation.

• **Mitridate Re di Ponto**, opéra séria en trois actes (K.87), 1770, Milan. Livret de Signasanti, inspiré de Mithridate, tragédie grecque écrite par Racine en 1673. Avec cette œuvre, Mozart montre qu'à 14 ans, il a déjà la capacité d'égaler ou de dépasser tous les célèbres compositeurs d'opéra de cette période. Le succès fut considérable à Milan.

• **Ascanio in Alba**, sérénade théâtrale, avec ouverture et deux actes, (K.111), 1771, Milan. Livret de Parini. Oeuvre très agréable montrant, ou confirmant qu'à 15 ans Mozart maîtrisait déjà bien la composition d'un opéra.

• **Il Sogno di Scipione**, sérénade dramatique, avec ouverture en deux parties et un acte, (K.126), 1772, Salzbourg. Oeuvre de circonstance, sur un livret de Métastase.

• **Lucio Silla**, opéra-seria en trois actes (K.135), 1772, Milan. Livret de Gamerra. Comme cela se faisait souvent en cette région, il composa un ballet "Les Jalousies du Sérail" (K.135A) pour être interprété pendant l'entracte. Malgré sa composition sans grand enthousiasme, cet opéra nous montre qu'à 16 ans, Mozart a déjà atteint une maturité musicale étonnante, que l'on remarque plus particulièrement dans l'ouverture et dans les parties avec chorale. Il ne manque plus que les raffinements et cette perfection caractéristique que Mozart pourra introduire dans ses opéras dix ans plus tard.

On peut s'étonner que le rôle du sénateur Cecilio soit interprété maintenant par une soprano. Ceci s'explique du fait que lors de la création de cet opéra, Mozart avait fini par accepter la demande pressante du castrat Rauzzini, très célèbre à l'époque, d'avoir un rôle principal, et la partition du rôle du sénateur fut écrite pour lui.

• **La Finta Giardiniera**, opéra en trois actes (K.196), 1775, Munich. Livret de Petrosellini (et probablement de Calzabigi qui avait participé à quelques opéras de Gluck). Mozart, entrant dans sa maturité, romp ici avec l'opéra traditionnel de jadis, apportant des innovations, parfois immédiatement bien appréciées. Il s'agit d'un opera-buffa, une comédie de l'amour que Mozart traita naturellement avec les exagérations de ses 18 ans; et cela entraîna un grand succès malgré le fait que le compositeur Anfossi, très célèbre à l'époque, avait déjà créé, avec un très grand succès, seulement quelques mois plus tôt, un opéra du même nom, sur le même livret. On a probablement demandé à Mozart de s'en inspirer le plus possible, ce qui expliquerait les nombreuses similitudes, y compris le fait que le rôle du cavalier Ramiro soit interprété par un castrat. Présenté avec les décors et costumes du siècle de Mozart, cet opéra est une œuvre agréable, bien qu'étant encore loin des grands opéras de Mozart qui suivront quelques années plus tard. Nous savons, en effet, qu'en cette année Mozart est tout près de sa maturité comme compositeur; mais cette Finta est une preuve que nous n'y sommes pas encore tout à fait...

En 1780 Mozart en fit une version Singspiel en allemand (Die verstellte Gärtnerin).

• **Il Re pastore**, (K.208), 1775, Salzbourg. Livret de Metastase. Difficile de trouver un intérêt à ce petit opéra que le prince archevêque de Salzbourg demanda à Mozart de composer à son retour de Munich, à l'occasion de la visite de l'archiduc Maximilian, fils de Marie-Thérèse d'Autriche. Mozart eut la satisfaction d'avoir beaucoup de compliments après l'unique représentation de cette œuvre.

- **Ballet Les Petits Riens** (K.299b), 1778, Paris. Ce ballet eut un certain succès, mais le nom de Mozart était rarement mentionné. D'ailleurs Mozart lui-même disait qu'à peine la moitié de l'œuvre était de lui. Elle ne présente en effet que peu de passages dignes de Mozart.

- **Thamos (roi d'Egypte)**, (K.345). Drame de Gebler. 1774, Vienne, puis modifié considérablement en 1779. Mais cette œuvre n'a pas eu de succès; pourtant Mozart y démontre sa parfaite maîtrise du chant choral (dans un style qui nous fait penser à la Flûte Enchantée composée la dernière année de sa vie).

- **Idomeneo, Re di Creta**, opéra-seria en trois actes (K.366), 1781, Munich. Livret de Varesco. Une tragédie de la Grèce antique, donc sujet austère et difficile pour un jeune compositeur de 25 ans, mais que Mozart réussit ici à traiter d'une façon magnifique. On lui avait accorder le temps nécessaire ainsi que les meilleurs musiciens et chanteurs. Et ce sera le premier d'une série de grands ou magnifiques opéras qui vont suivre pendant les dix dernières années de sa vie.

- **L'Enlèvement au Sérail**, opéra en trois actes (K.384), 1782, Vienne. Titre initial : "Belmonte und Konstanze, oder die Entführung aus dem Serail". Livret de Gottlieb Stephanie (dit Stephanie le jeune), avec participation active de Mozart, reprenant l'idée et aussi des extraits de son opéra inachevé (en fait un singspiel) ***"Zaïde"*** de 1780 (K.344), sur le même sujet. Malgré le célèbre jugement "trop de notes", dit un peu hâtivement par l'empereur, cet opéra fut très vite reconnu comme un grand chef-d'œuvre (comme le seront les quatre ou cinq grands opéras de Mozart qui vont suivre). Voici le début de l'ouverture de l'Enlèvement au Sérail :

- **L'Oca del Cairo** (K.422) et Lo sposo deluso (K.430); 2 projets d'opéras commencés en 1783 et 1784 et abandonnés car il semblerait que les livrets ne plaisaient pas à Mozart, contrairement à ce qu'en pensait son père Léopold.

- **Der Schauspieldirektor (le Directeur de Spectacles)**, singspiel ou comédie avec musique, en un acte (K.486), 1786, Vienne. Livret de Gottlieb Stephanie, sur un sujet choisi par l'empereur (Joseph II).

- **Les Noces de Figaro**, opéra en quatre actes (K.492), 1786, Vienne. Livret en italien, de Da Ponte, d'après la comédie alors récente, mais déjà célèbre de Beaumarchais. L'ouverture commence ainsi :

• **Don Giovanni**, opéra en deux actes (K.527), 1787, Prague. Livret en italien, de Da Ponte, inspiré du Dom Juan de Molière (œuvre datant donc d'un siècle plus tôt, écrite d'après une pièce de l'Espagnol Tirso de Molina - environ 1625 - mais le sujet, celui d'un grand séducteur, restait toujours d'actualité, bien connu par Da Ponte, lui-même disciple du grand séducteur Casanova!!). A 31 ans, Mozart était au sommet de son art et le sujet lui parut parfait pour une grande œuvre lyrique. La perfection atteinte dans cette œuvre complexe est telle que Don Giovanni est souvent considéré comme le plus grand des chefs-d'œuvre de Mozart, voire même le chef-d'œuvre des chefs-d'œuvre de tous les temps.

L'ouverture de Don Giovanni annonce déjà un drame intense. Après quelques mesures d'introduction vient ce passage d'angoisse que nous fait vivre Mozart :

puis le thème principal de l'ouverture :

Cette œuvre passionnante mériterait d'y consacrer des pages, voire tout un chapitre, mais cela nous écarterait d'une relative concision cherchée dans le présent ouvrage afin d'en faciliter la consultation.

• **Cosi fan tutte**, opéra en deux actes (K.588), 1790, Vienne. Livret en italien de Da Ponte. Inspiré d'une histoire récente mettant en doute la fidélité des femmes et comportant des déguisements et méprises à vrai dire peu vraisemblables, mais très à la mode à l'époque, ce sujet fut pratiquement imposé à Mozart par l'Empereur lui-même. Le nombre restreint des personnages donna à Mozart l'opportunité de rechercher les meilleurs effets par la plus grande simplicité. C'est un opéra qui plaît facilement, avec des airs d'une grande perfection.

• **La clémence de Titus (La Clemenza di Tito)**, opéra en deux actes (K.621), 1791, Prague. Opera-seria, en italien, commandé en urgence à Mozart pour une cérémonie officielle, le couronnement en Bohème de Leopold II. Le sujet, concernant un empereur romain et qui avait déjà fait l'objet de plusieurs opéras, dont une version de Gluck (1752), fut choisi et imposé à Mozart par la Cour et le directeur de l'opéra de Prague. On lui imposait même la présence d'un castrat. Le sujet manifestement ne réjouissait pas Mozart qui, de plus, ne pouvait plus compter sur

la collaboration de Da Ponte, celui-ci ayant été obligé de quitter le pays. Le livret fut écrit par Caterino Mazzola. Mozart s'épuisa à travailler nuit et jour pour achever cet opéra en temps voulu. Mais cette œuvre, d'un sujet peu attrayant, n'enthousiasma pas le public, ni lors de sa création à Prague, ni ailleurs. Il faut préciser, toutefois, qu'à la fin de la série des représentations à Prague durant ce mois de septembre 1791, le public était finalement devenu enthousiaste, car cet opéra comporte aussi quelques passages merveilleux. Par la suite, il a fallu presqu'un siècle avant que les salles d'opéra s'intéressent à nouveau à *La Clémence de Titus.*
Dommage que Sextus (à l'origine interprété donc par un castrat), et son ami Annius soient maintenant interprétés par des femmes. Cela ne paraît pas bien naturel... D'autre part le premier acte n'est pas intéressant. On peut se demander si Mozart, faute de temps, n'avait pas confié la composition du prmier acte à Süssmayer... Car les deux actes ne sont manifestement pas de même qualité. Le deuxième acte comporte des passages merveilleux.

- **La Flûte Enchantée (Die Zauberflöte)**, opéra en deux actes (K.620), 1791, Vienne. Le livret de Schikaneder, avec, sans doute, une étroite collaboration de Mozart, s'inspire d'un conte de fées, plutôt destiné aux adultes car mélangé, surtout au début du deuxième acte, d'une partie sérieuse et cérémoniale d'inspiration Franc-Maçonne. Première représentation le 30 septembre 1791. A trois mois de sa mort, Mozart est au sommet de son art et réussit à faire de ce conte de fées, assez particulier, une merveille incomparable.

Ce n'est pas un grand opéra; c'est une œuvre géniale.

L'originalité de cette œuvre se sent dès l'ouverture, commençant par :

■ Musique de chambre

On ne pourrait terminer ce chapitre sur les œuvres essentielles de Mozart sans avoir mentionné sa musique de chambre, notamment de la dernière partie de sa vie, à savoir, quelques remarquables quintettes et bien évidemment les merveilleux quatuors à cordes issus d'une compétition amicale avec Joseph Haydn.

- Quintette pour cor et cordes K.407, 1782, Vienne
- Quintette pour piano, hautbois, clarinette, cor et basson K.452, 1784, Vienne. Voici le thème du 3e et dernier mouvement (allegretto)

- Quintette à cordes en do majeur, K.515, 1787, Vienne

- Quintette à cordes en sol mineur, K.516, 1787, Vienne. En écoutant cette œuvre remarquable, il est intéressant de savoir que Mozart venait d'apprendre la mort de son père. Quatre mouvements (dont voici 2 thèmes) :

K.516, 1er mouvement (allegro)

K.516, 4e mouvement. Début adagio, suivi d'un allegro avec le thème :

- Quintette pour clarinette et cordes K.581, 1789, Vienne. Quatre mouvements.

K.581, 1er mouvement (allegro)

K.581, 4e mouvement (allegretto con variazioni)

- Quintette à cordes K.593, 1790, Vienne

- Quintette à cordes K.614, 1791, Vienne

- Quintette pour harmonica, flûte, hautbois, alto, violoncelle K.617, 1791, Vienne

- Quatuor à cordes K.80, 1770, Italie

- Quatuors à cordes K.155, 156, 157, 158, 159, 160 soit 6 quatuors dits "Milanais", 1772-1773

- Quatuors à cordes K.168, 169, 170, 171, 172, 173 soit 6 quatuors dits "Viennois", 1773. Quatuors composés rapidement par Mozart lors d'un séjour à Vienne, et qui donnent l'impression d'essais inspirés par la découverte de récents quatuors de Haydn dans lesquels il remarqua une évolution intéressante dans le style.

- Quatuors pour flûte, violon alto, violoncelle K.285, 285a, 285b, 1777-1778, Mannheim

- Quatuor pour flûte, violon alto, violoncelle, en la majeur, K.298, (probablement 1787), Vienne. Petite oeuvre amusante, numérotée 298 par erreur.

- Quatuors pour hautbois, violon alto, violoncelle K.370, 1781, Munich

- Quatuor à cordes K.387, 421, 428, 458, 464, 465 soit 6 quatuors dédiés à Joseph Haydn, 1782-1785

- Quatuor pour piano, violon alto, violoncelle, en sol mineur, K.478, 1785 Vienne

- Quatuor pour piano, violon alto, violoncelle, en mi bémol majeur, K.493, 1786, Vienne

- Quatuor à cordes en ré majeur, K.499, dit "Hoffmeister", 1786, Vienne

- *Prélude et Fugue*, K.546, quatuor à ordes, 1788, Vienne, dans un style inspiré de Bach. La Fugue est une adaptation par Mozart de sa fugue écrite pour deux pianos en 1783.

- Quatuors à cordes K.575, 589, 590 soit 3 quatuors dits "Prussiens", 1789-1790, Vienne. Sur les six quatuors commandés par le roi de Prusse, Mozart ne put en terminer que trois et ils ne furent publiés qu'après sa mort.

Mozart composa également un grand nombre de sonates, de duos et trios. Leur énumération ici dépasserait malheureusement le cadre du présent ouvrage.

Compositeur : **Johann Gottfried MÜTHEL**

Date et lieu de naissance / mort :

17 janvier 1729, Mölln (Allemagne) / 14 juillet 1788, Biendorf (près de Riga).

Vie et œuvres :

Fils de Christian Caspar Müthel, organiste à Mölln, qui lui donna l'essentiel de son instruction musicale.

En 1747, il entra à la cour de Meckenlenburg - Schwerin, enseignant la musique au prince et à la princesse. Il rencontra J.-S. Bach, Telemann, Hasse, C.P.E. Bach.

En 1755, il fut désigné organiste principal à Riga. Il resta célibataire.

Ses œuvres comprennent des concertos pour clavecin, plusieurs sonates et variations pour clavecin (œuvres qui mériteraient d'être mieux connues).

Compositeur : **Josef MYSLIVECEK**

Date et lieu de naissance / mort :

9 mars 1737 (Sarka, près de Prague) / 4 février 1781 (Rome)

Vie et œuvres :

Son éducation musicale, il l'a eue durant son enfance dans le cadre d'une bonne éducation générale, puis il entra dans l'entreprise de son père, tout en s'intéressant, par ailleurs, à la musique et à la composition. Mais quelques années plus tard, après le décès de son père, il laissa l'entreprise à son frère et se conacra dès lors entièrement à la musique. Il jouait le violon et l'orgue.

Puis il se rendit en Italie pour se perfectionner en musique et s'initier à l'écriture d'opéras. Il y séjournera plusieurs années, composant des opéra, d'abord *Médée*, suivi de *Bellerfonte* (1767) qui eut un très grand succès. Dès lors, il continuera dans cette voie, écrivant au total 25 opéras, tous produits en Italie et dont les trois derniers seront : *Armida* (1779), *Medonte* (1780) et *Antigono* (1780).

Myslivecek composa aussi plusieurs oratorios, quelques symphonies et concertos, ainsi que de la musique de chambre.

Mozart avait beaucoup d'estime pour ce compositeur dont il avait fait la connaissance en Italie en 1770. Il eut l'occasion de le revoir à Munich en 1777.

Compositeur : **Pietro NARDINI**

Date et lieu de naissance / mort : 12 avril 1722 (Fibiana, près de Livourne, Italie) / 7 mai 1793 (Florence, Italie)

Education, vie et œuvres :

Elève de Tartini, il fit une première carrière à Stuttgart, en Allemagne, comme violoniste et chef d'orchestre. A partir de 1770, il retourne en Italie et assure la fonction de maître de chapelle à la cour de Florence.

Lors de la première tournée de Mozart (père et fils) en Italie, Nardini fit un bon accueil à son ami Leopold Mozart qu'il avait connu en Allemagne.

Nardini composa quelques concertos et sonates pour violon, ainsi que de la musique de chambre, dont des sonates pour flûtes. On en trouve quelques enregistrements.

Compositeur : **Christian Gottlob NEEFE**

Date et lieu de naissance / mort : 5 fév. 1748 (Chemnitz, Allemagne) / 26 janvier 1798 (Dessau, Allemagne)

Education, vie et œuvres :

Après des études de droit, il se consacra à la carrière musicale. En 1781, il devint organiste et directeur musical à la cour de Bonn. Il composa aussi quelques concertos et de la musique d'église.

On le connaît plus particulièrement du fait d'avoir été un des principaux professeurs de musique, à Bonn, de Beethoven, enfant.

Compositeur : **Johann (Jan) Baptist NERUDA**

Date et lieu de naissance / mort : 1708 / 1780 (Dresde)

Education, vie et œuvres :

On a peu de détails sur ce violoniste et compositeur tchèque qui fut musicien à Prague, puis s'installa en 1750 à Dresde où il vécut jusqu'à la fin de sa vie.

Il composa de nombreuses symphonies, de la musique de chambre et plusieurs concertos dont un intéressant concerto pour trompette.

Compositeur : **George ONSLOW**

Date et lieu de naissance / mort :

27 juillet 1784 (Clermont-Ferrand) / 3 octobre 1853 (Clermont-Ferrand)

Education, vie et œuvres :

Son père, Edward Onslow (1758-1829), faisait partie d'une famille britannique bien connue, dont il dut s'éloigner en 1781 après avoir été impliqué dans un scandale de moeurs. Il se rendit à Clermont-Ferrand car, semble-t-il, ses parents connaissaient bien la France et avaient fait plusieurs séjours en Auvergne.

A Clermont-Ferrand, Edward Onslow se lia très rapidement avec Marie-Rosalie de Bourdeilles et l'épousa en 1783. L'année suivante est né George. Et ils auront ensuite trois autres fils.

Ainsi est née la branche auvergnate de la famille Onslow dont seront issus le fils compositeur, George, et dont l'un des neveux deviendra le peintre auvergnat bien connu, Edouard Onslow (1830-1904).

Après la Révolution, la famille fut contrainte de passer quelques années en Allemagne et en Autriche, jusqu'en 1806, et c'est probablement durant cette période que le jeune George Onslow compléta son éducation musicale comme pianiste, avec des maîtres comme Cramer, Dussek.

A son retour, Onslow fut impressionné par un opéra de Méhul et il se rendit à Londres prendre des leçons de composition avec Anton Reicha. En 1808, il revint vivre en Auvergne et épousa une demoiselle de Fontanges.

Ses trios, quatuors et quintettes furent publiés à Paris et rencontrèrent un succès immédiat. En effet, ce sont des œuvres agréables, dont le style rappelle beaucoup Beethoven. Et il continua à en composer jusqu'à la fin de sa vie.

Parmi ses compositions on trouve également, entre autres, des sonates pour piano, des sonates pour violon et piano, 4 symphonies (1830, 1831, 1833 et 1846), et 4 opéras.

Onslow était un compositeur très apprécié en France, en Angleterre, en Allemagne et en Autriche. Il est donc très étonnant de voir ses œuvres disparaître des répertoires après sa mort!

Compositeur : **Ferdinando PAER**

Date et lieu de naissance / mort :

Juin 1771 (Parme) / 3 mai 1839 (Paris)

Education, vie et œuvres :

Après une éducation musicale à Parme, il s'orienta très tôt vers la composition d'opéras et sa première œuvre, *Orphée et Euridice* fut composée à 20 ans.

L'année suivante, il présenta, à Venise, son deuxième opéra *Circé*, qui eut un grand succès et lui valut d'être nommé maître de chapelle à Parme.

En 1797, il fut nommé directeur d'un théâtre à Vienne où il fit aussi la connaissance de Beethoven. Ce dernier montra beaucoup d'intérêt à la musique de Paer. C'est d'ailleurs en cette période que furent créés les œuvres les plus appréciées de Paer, comme par exemple *Camilia, ossia Il soterraneo* (1799) et *Achille* (1801). *Achille* plût également à Napoléon, qui demanda alors à Paer de composer une marche nuptiale pour son mariage avec Marie-Louise d'Autriche.

De 1802 à 1806, il occupa une fonction de direction musicale à Dresde et produisit en 1804 son opéra *Léonore* (soit un an avant la première version du Léonore de Beethoven).

En 1807, Napoléon proposa à Paer une fonction intéressante à la direction de l'opéra comique à Paris, lui laissant aussi la possibilité d'enseigner le chant et la composition. Paer s'installa donc à Paris et y restera jusqu'à sa mort en 1839.

A part sa cinquantaine d'opéras, Paer composa des messes et oratorios, quelques symphonies et concertos, ainsi que de la musique de chambre.

Il est étonnant que Paer, ce compositeur de talent et dont beaucoup d'œuvres ont un style qui rappelle Mozart, soit presque complètement oublié alors qu'il était tant apprécié de son vivant.

Compositeur : **Ercole PAGANINI**

Date et lieu de naissance / mort :

1770 (Ferare, Italie) / Juin 1825 (Novara, près de Milan)

Education, vie et œuvres :

Après avoir fait des études musicales à Naples, il s'installa à Venise où il produisit à partir de 1800 une dizaine d'opéras. C'était aussi un virtuose du violon. Mais il eut également beaucoup de succès avec sa musique sacrée, notamment des cantates.

Compositeur : **Nicolo PAGANINI**

Date et lieu de naissance / mort :

27 octobre 1782 (Gênes, Italie) / 27 mai 1840 (Nice)

Education, vie et œuvres :

Né dans une famille pauvre et de cinq enfants, Nicolo apprit à jouer la mandoline à l'âge de cinq ans. Découvrant son talent exceptionnel, son père lui demanda d'apprendre le violon à partir de l'âge de sept ans et exigea pour cela qu'il joue impérativement du matin au soir afin de maîtriser l'instrument le plus vite possible. A douze ans il commença à se produire en concert, sous l'admiration du public. Ses maîtres lui trouvèrent également des talents de compositeur.

En 1795 on l'envoya à Parme afin de se perfectionner en composition avec Paer. Pour ce qui concerne le violon, on jugea que ce garçon de 13 ans n'avait plus rien à apprendre, car il jouait déjà parfaitement.

A 18 ans, il se rendit à Lucca, avec son frère aîné Carlo, également violoniste, pour un concert, puis s'installa dans cette ville. Quelques années plus tard, lorsque Napoléon installa sa soeur comme gouverneur de cette ville, celle-ci remarqua le talent de Nicolo Paganini et l'engagea comme violoniste virtuose de sa cour jusqu'en 1818. Puis Paganini préféra mener une carrière plus libre voyageant à travers l'Italie.

Malgré ses talents, il restait modeste et ce n'est qu'en 1828 qu'il se sentit enfin apte à se présenter hors d'Italie. Son séjour à Vienne fut un triomphe. Puis il se rendit à Prague où il tomba malade, eut des problèmes à la bouche et on lui arracha toutes ses dents.

En 1829, à Berlin, il retrouva toutes ses forces et renoua avec le succès. Succès et admiration continuèrent pour Paganini durant les deux années de concerts dans toute l'Allemagne.

En 1831, c'est Paris qui le portait en triomphe, mais peu de temps après une controverse surgit à son sujet lorsqu'une presse mesquine fit croire que le grand violoniste avait refusé de participer à un concert de bienfaisance. Agacé, Paganini quitta Paris pour Londres où le succès fut énorme, ainsi qu'en Irlande et en Ecosse. De plus, ces concerts lui procurèrent des revenus substantiels.

Durant les six ans qu'il passa en Angleterre, avec, toutefois, de fréquents voyages à Paris (où il fit la connaissance de Berlioz et lui apporta tout son soutien), ses concerts étaient tellement nombreux qu'il fit fortune, mais cela finit par ruiner sa santé et épuiser aussi l'intérêt du public.

En septembre 1834 il décida de rentrer en Italie et s'installa à Parme où il reprit ses concerts, ainsi qu'à Gènes, puis Nice et Marseille où il fut encore acclamé comme le plus grand violoniste de l'époque, bien que d'autres virtuoses tentaient d'imiter son style. Son influence fut sensible, d'une manière plus générale, sur beaucoup de jeunes musiciens, comme Liszt au piano, tentés eux-aussi de se surpasser, repoussant les limites de la virtuosité.

En novembre 1839, alors que Paganini séjournait à Nice, son état de santé s'aggravât. Alors qu'il avait déjà perdu l'usage de la parole, voila qu'il ne pouvait plus écrire, car sa main tremblait, et il souffrait de problèmes pulmonaires. Il en mourra six mois plus tard.

En 1845, son cercueil fut transféré à Parme.

Parmi ses œuvres on trouve évidemment des pièces pour violon seul, mais aussi des sonates et des variations. Cependant, les œuvres les plus connues des amateurs de musique classique aujourd'hui sont ses cinq concertos pour violon et orchestre (le premier, de 1817; les deuxième et troisièmes, de 1826; les quatrième et cinquième, de 1830).

Compositeur : **Giovanni PAISIELLO**

Date et lieu de naissance / mort :

Mai 1740 (Taranto, Italie) / 5 juin 1816 (Naples)

Education, vie et œuvres :

Après ses études primaires à Taranto, il entra, à 14 ans, au conservatoire de musique de Naples.

Puis, à partir de 1764, il commença à composer des opéras et devint très rapidement l'un des compositeurs d'opéras les plus sollicités de cette période.

La Cour de Russie l'engagea en 1776 par un contrat de trois ans, qui fut prolongé, jusqu'en 1784 lorsqu'il fut engagé par la Cour de Naples dans d'excellentes conditions.

En 1802, Napoléon invita Paisiello à Paris où il séjourna deux ans avant de retourner à Naples où il continua à être considéré comme un très grand musicien, considération qui grandit encore lorsque Napoléon et sa famille dominèrent sur Naples de 1806 à 1815.

Le départ des Français permit alors à la famille royale de revenir à Naples et de reprendre le pouvoir. Dès lors, Paisiello perdit sa fonction à la Cour. La fin du règne de Napoléon entraîna aussi la suppression de la rente à vie qu'il recevait de France.

Il mourra l'année suivante.

Paisiello fut un grand compositeur d'opéras, plus de 80, produits entre 1764 et 1808.

A Vienne, en 1784, lors de la création de l'opéra de Paisiello *Il re Teodoro in Venezia*, Mozart se montra très enthousiasmé par cette œuvre, et il est probable que cela eut quelque influence sur la création des Noces de Figaro.

A part les opéras, Paisiello composa beaucoup de musique sacrée ou de circonstance, notamment durant la période où il était au service de Napoléon.

Au sacre de Napoléon, en 1804, fut interprété, en l'absence de Paisiello, le Te Deum qu'il avait composé pour cette occasion juste avant de quitter Paris pour rentrer à Naples.

La plupart des œuvres de ce compositeur sont peu connues de nos jours, d'autres n'ont d'ailleurs probablement pas été conservées.

Des enregistrements récents nous ont permis de connaître ses huit concertos pour Piano, du moins, selon des manuscrits retrouvés qui, peut-être, sont incomplets.

Le premier et le quatrième de ces concertos sont plus particulièrement intéressants.

Compositeur : **Pietro Domenico PARADIES (PARADISI)**

Date et lieu de naissance / mort :

1707 (Naples) / 25 août 1791 (Venise)

Education, vie et œuvres :

On ignore tout sur l'enfance et les débuts de ce compositeur italien jusqu'à ses premiers opéras composés à partir de l'âge de 30 ans, mais ses œuvres n'eurent pas de succès.

En 1746 il s'installa à Londres, mais ne connut la réussite qu'à partir de 1753 et comme professeur de chant et de clavecin. Ses 12 sonates pour clavecin, publiées en 1754 furent enfin très appréciées. On sait qu'elles furent appréciées aussi de Mozart. Parmi d'autres rares œuvres publiées de ce compositeur il y a un concerto pour orgue datant de 1768.

Compositeur : **Stefano PAVESI**

Date et lieu de naissance / mort :

22 janvier 1779 (Casaletto Vaprio, Italie) / 28 juillet 1850 (Crema, Italie)

Education, vie et œuvres :

Etudia la musique, notamment avec le compositeur d'opéras Piccini. Lors de sa jeunesse, il fut envoyé en France où il s'engagea comme musicien dans un groupe italien de l'armée de Napoléon.

Puis il rentra en Italie, à Venise, où il composa un premier opéra en 1803 et connut très vite le succès. Dès lors, il en composera une soixantaine durant les 30 années suivantes.

Notons également qu'après la mort de Salieri, on l'appela à Vienne pour prendre la direction de l'Opéra Italien, de 1820 à 1826.

Compositeur : **François-André DANICAN PHILIDOR**

Date et lieu de naissance / mort :

7 septembre 1726 (Dreux) / 31 août 1795 (Londres)

Education, vie et œuvres :

François-André Philidor est le compositeur le plus connu de cette illustre famille de musiciens et compositeurs attachés à la cour des rois de France depuis Louis XIII, époque à laquelle le nom Philidor avait été ajouté au nom Danican.

Le jeune François-André Philidor reçut son éducation à la chapelle royale de Versailles, notamment avec André Campra.

A 12 ans, il composait déjà des motets remarquables et était devenu également un très grand joueur d'échecs! La passion pour ce jeu le décida à s'installer à Paris dès l'âge de 15 ans afin de participer aux tournois. A 20 ans il était devenu un joueur d'échecs célèbre dans plusieurs pays d'Europe et il noua ainsi de bonnes relations à Londres où il fit plusieurs longs séjours. Son ouvrage, "l'analyse du jeu des échecs" écrit en 1748 fut traduit et édité en plusieurs langues.

En 1756, il revint à la cour de Versailles, souhaitant reprendre son activité musicale mais son intérêt s'orienta plus vers l'opéra comique. De 1759 à 1788, il en composera une trentaine! Il enseignait aussi la musique, notamment le chant. Mais il continuait à se passionner pour les échecs.

Lors d'une visite à Londres en 1795, alors qu'il avait 68 ans, il disparut ! Par conséquent, les circonstances de sa mort sont restées mystérieuses. On ignore si sa disparition avait un rapport avec cette époque un peu trouble entre la France et l'Angleterre.

Compositeur : **Niccolo PICCINNI**

Date et lieu de naissance / mort :

16 janvier 1728 (Bari, Italie) / 7 mai 1800 (Passy, Paris)

Education, vie et œuvres :

Issu d'une famille de musiciens, son éducation religieuse s'orienta progressivement vers la musique, pour laquelle il avait des dispositions précoces. Il commença à composer, d'abord de la musique sacrée, y compris un oratorio en 1754, puis s'orienta vers l'opéra et en fit sa grande spécialité jusqu'à la fin de sa vie, composant plus de 110 opéras.

Son quatrième (et premier grand opéra) fut *Zenobia* (1756), sur un livret de Metastase, qui lui valut beaucoup de succès et une réputation qui dépassa l'Italie. En cette même année, il épousa une de ses très jeunes élèves; le couple aura sept enfants.

Avec *La Cecchina, ossia La buona figliuola* (Rome, 1760), sur un livret de Goldoni, les italiens le proclamèrent le plus grand compositeur d'opéras de l'époque. Cet opéra fut représenté à Paris, quelques années plus tard, sous le nom francisé *La bonne fille*.

Puis, après dix ans de gloire, le public italien devint plus réticent. En 1776, il accepta de s'installer à Paris sur incitation de la Cour de France. Il ne connaissait pas le français et ignorait tout sur l'agitation qu'il y avait alors dans le milieu musical parisien, ceux qui étaient admiratifs de Gluck et ceux qui étaient contre sous prétexte qu'un bon opéra ne pouvait être écrit que par un Italien! Ces derniers lui ont donc fait un très grand accueil, persuadés que cet Italien ferait beaucoup mieux que Gluck. Piccinni, qui était d'un caractère doux, plein de gentillesse, fut donc très déçu par cette atmosphère à laquelle il fut involontairement mélé et qui devint très vite une grande bataille verbale insensée entre "glucistes" et "piccinnistes". Cependant, le succès de ses cours de chant, de ses concerts avec des musiciens italiens et l'obtention d'une pension en 1778 le décidèrent de rester à Paris.

Ces opéras plaisaient au public, et les connaisseurs appréciaient l'évolution constante de la qualité de ses œuvres.

Pendant la période trouble de 1791, il quitta Paris pour Naples où il connut le succès durant trois ans avant que les troubles politiques n'arrivent aussi dans cette ville.

Il retourna alors en France. Mais les événements de Naples l'avaient marqué et sa santé se détériora rapidement, l'empêchant pratiquement de participer de nouveau à une activité musicale à Paris.

Son fils, **Luigi Piccinni** (1764-1827), était également musicien, enseignant la musique et composant aussi quelques sonates et opéras, compositions qui n'eurent pas de succès.

Compositeur : **Vaclav PICHL**

Date et lieu de naissance / mort :

Sept. 1741 (Bechynë, région de Prague) / 23 janvier 1805 (Vienne, Autriche)

Education, vie et œuvres :

Au collège des Jésuites il apprit la musique et le violon, puis il fit des études de droit. Mais à 21 ans il commença une carrière de violoniste, tout en apprenant la composition, puis fut engagé comme directeur musical à Prague, avant d'être engagé par le gouverneur autrichien à Milan, où il passera une vingtaine d'années jusqu'à l'arrivée des troupes françaises en 1796. Dès lors, il restera au service de la cour à Vienne.

Pichl a entretenu d'excellentes relations avec Haydn et autres compositeurs contemporains.

Il composa aussi beaucoup d'œuvres, de nombreuses pièces pour violon seul, de la musique de chambre, des concertos, notamment pour violon, une vingtaine de symphonies ou symphonies concertantes.

Compositeur : **Johann PIXIS**

Date et lieu de naissance / mort :

Février 1788 (Mannhaim, Allemagne) / 22 décembre 1874 (Baden-Baden)

Education, vie et œuvres :

Ce pianiste et compositeur commença sa carrière en 1806, à Vienne, où il connut Beethoven et Schubert. Puis il fut très apprécié à Paris où il vécut de 1823 à 1845, avant de terminer sa vie à Baden-Baden comme professeur de piano.

Il composa de nombreuses oeuvres pour le piano, dont un concerto, mais aussi beaucoup de musique de chambre, une "sinfonie à grand orchestre", et deux opéras.

Son frère, **Friedrich Pixis** (1785-1842), violoniste et également compositeur, fut plus particulièrement connu à Prague

Compositeur : **Ignaz-Joseph PLEYEL**

Date et lieu de naissance / mort :

1er juin 1757 (Rupperstahl - Autriche) / 14 novembre 1831 (Paris)

Education, vie et œuvres :

Né dans une petite localité près de Vienne, Pleyel était le vingt-quatrième enfant d'un maître d'école Autrichien. Dès qu'on remarqua son talent exceptionnel pour la musique, on l'envoya auprès de Haydn qui le garda comme élève de 1772 à 1777. Puis il fit un séjour de quatre ans en Italie avant de prendre une fonction de musicien à la cathédrale de Strasbourg.

En 1791 et 1792, lorsque Haydn était à Londres, Pleyel alla le rejoindre et ils donnèrent ensemble plusieurs concerts.

Puis en 1795, il s'installa définitivement à Paris, adoptant la nationalité française. Il fonda d'abord une maison d'édition musicale, puis se lança en 1807 dans la fabrication de pianos portant son nom et qui connut une grande célébrité. Pleyel, et son concurrent français Erard, ont contribué à l'amélioration mécanique et sonore du piano, instrument qui, jusque là, avait des défauts et se limitait à 5 octaves.

Ses compositions eurent aussi beaucoup de succès, notamment ses nombreuses symphonies, dont certaines rappelaient beaucoup le style de Haydn.

Il composa évidemment plusieurs sonates pour piano, ainsi que de la musique de chambre, et publia une méthode très appréciée pour le piano.

Son fils, Camille, continua la fabrication des pianos et fut à l'origine de la salle Pleyel, à Paris.

Compositeur : **Nicola PORPORA**

Date et lieu de naissance / mort :

17 août 1686 (Naples) / 3 mars 1768 (Naples)

Education, vie et œuvres :

Nicola (ou Niccolo) Antonio Porpora fit ses études musicales au conservatoire de Naples, et s'intéressa particulièrement à la composition d'opéras.

Après 1725, il fit des séjours à Venise, puis Londres, puis Dresde, et enfin Vienne, à partir de 1752, où il exerça avec grand succès ses talents pour enseigner la musique, notamment le chant. Le jeune Joseph Haydn fut son élève et collaborateur.

Mais à partir de 1759, il connut le déclin, retourna à Naples où il mourut dans la misère.

Les oeuvres de Porpora incluent plus de 40 opéras, des oratorios, des cantates et vêpres, et un messe.

Compositeur : **Gaetano PUGNANI**

Date et lieu de naissance / mort :

27 nov. 1731 (Turin) / 15 juillet 1798 (Turin)

Education, vie et œuvres :

Ses talents de violoniste précoce lui permirent de perfectionner ses études musicales à Rome en 1749. Au cours d'un voyage à Paris en 1754, il remporta un grand succès lors d'un concert où il interpréta aussi un concerto de sa composition. Dès lors, sa réputation fut faite et se propagea dans toute l'Europe. En 1769, il présenta à Londres son premier opéra *Nanetta y Lubino*. L'année suivante, il accepta un poste important d'administrateur musical à Turin où il put continuer aussi son activité de compositeur.

A part les opéras, ses œuvres comprennent de la musique de chambre, des sonates pour violon seul, un concerto pour violon et sept symphonies.

A partir de 1796, l'activité musicale à Turin s'interrompit par les affrontements avec l'armée française. Lui même mourra deux années plus tard.

Compositeur : **Johann QUANTZ**

Date et lieu de naissance / mort :

30 janvier 1697 (Oberscheden, Allemagne) / 12 juillet 1773 (Potsdam)

Éducation, vie et œuvres :

Son père était forgeron. Le jeune Johann Quantz devint orphelin alors qu'il avait à peine 11 ans. Il fut alors pris en charge par son oncle, qui était musicien. Et dès son jeune âge, il se passionna pour la musique et s'initia rapidement aux instruments à cordes, mais aussi au hautbois, à la trompette, et plus tard à l'orgue, puis à la flûte.

Il commença sa carrière de musicien comme hauboïste à l'orchestre de Dresde, tout en s'intéressant à la composition. Et là, il fit la connaissance du musicien français Pierre-Gabriel Buffardin, grand flûtiste, qui l'aida à se perfectionner à la flûte. Et il devint bientôt lui-même un virtuose de cet instrument.

Vers l'âge de 30 ans il fit un grand tour de l'Europe, notamment Naples, Paris et Londres, faisant la connaissances des célébrés compositeurs de l'époque.

Puis il fut engagé par la cour de Dresde, où il mena une activité musicale très importante et composa en 1734 une série de 6 sonates pour flûte traversière et clavier. Il épousa cette même année la veuve d'un musicien.

En 1739, se plaignant de la mauvaise qualité des flûtes, il se lança lui-même dans la fabrication des flûtes. L'année suivante, il acceptait un poste important à Berlin, proposé par le roi de Prusse. C'est là qu'il passa le restant de sa carrière, composant de nombreux concertos et autres œuvres notamment pour la flûte. En 1752, il écrivit également un traité sur la flûte traversière.

Son autobiographie, écrite vers 1754, nous fournit des renseignements intéressants sur sa vie et sur la vie musicale en cette période.

Compositeur : **Jean Philippe RAMEAU**

Date et lieu de naissance / mort :

1683 (Dijon) / 12 septembre 1764 (Paris).

Enfance et éducation :

Fils d'un organiste à la cathédrale de Dijon dont il reçut son enseignement musical. Il acquit très tôt une maîtrise de l'orgue et du violon.

Vie adulte:

Jusqu'à l'âge de 50 ans, il fut surtout connu comme organiste. D'autre part, en 1722, il publia un important ouvrage sur la musique, intitulé «Traité d'harmonie réduite à ses principes naturels», et s'installa dès lors définitivement à Paris. Cet ouvrage fut suivi de plusieurs autres traités sur la musique, notamment : «Génération harmonique ou Traité de musique théorique et pratique» (1737) et «Démonstration du principe de l'harmonie» (1750), ouvrages qui eurent certainement une influence sur la composition musicale européenne de l'époque. Il continua tout au long de sa vie à écrire et publier des articles sur la musique.

En 1726, donc à 40 ans, il épousa Marie-Louise Mangot, une jeune cantatrice de 19 ans, d'une famille lyonnaise, musicienne. Après avoir écrit quelques pièces musicales pour le théâtre il trouva enfin, en 1733, un livret intéressant pour son premier opéra *Hippolyte et Aricie*. A la représentation de cette première œuvre importante, beaucoup jugèrent sa musique trop complexe. La musique de Lulli dominait encore à Paris. Il y eut durant quelque temps de sérieuses divergences entre ceux qu'on appelait les «lullistes» et les «ramistes». Mais, Rameau continua la création d'opéras, avec plusieurs œuvres, notamment *les Indes galantes* en 1737.

A partir de 1745, Rameau, à plus de 60 ans, devint compositeur de la Chambre du Roi. Il connut la gloire, bien méritée pour avoir porté la musique française probablement à un sommet.

Cependant, la personnalité de Rameau, sèche, solitaire et quelque peu avare, finirent par attirer le mépris et la critique sévère de plusieurs personnalités du moment, telles que Rousseau et Diderot.

Dès lors, la représentation à Paris, en 1752 de *la Serva padrona* de Pergolèse (1710-1736), musique plus facile à apprécier par la majorité du public, lança la mode italienne de l'opéra-bouffe et mit fin à la grande période de gloire de Rameau, ce qui entraîna aussi l'arrêt de l'épanouissement de la musique française pour de nombreuses années, exception faite de quelques œuvres que Rameau continua de produire durant les dix dernières années de sa vie. La dernière, *les Boréades* fut composée l'année de sa mort, mais cette œuvre remarquable ne sera exécutée que deux siècles plus tard.

Rameau resta proche de la cour jusqu'à sa mort et Louis XV lui accorda des lettres de noblesse en 1764. Il mourut la même année, et fut enterré à l'église Saint Eustache, à Paris.

Grâce à une longévité de vie exceptionnelle pour l'époque, Rameau a pu nous laisser des œuvres musicales incomparables. La longue vie lui a permis également d'écouter jouer Mozart, enfant, de passage à la cour de Versailles. Ceci explique pourquoi Rameau figure dans cet ouvrage consacré à Mozart, Beethoven et leur époque.

Oeuvres de Rameau :

■ Pièces pour clavecin :

- Premier livre (1706)
- Pièces de clavecin avec méthode pour la mécanique des doigts, rév. en 1731, avec une «table pour les agréments». La célèbre pièce «Tambourin» se trouve dans cette série.
- Nouvelles suites de pièces pour clavecin (1728); 17 pièces dont deux très célèbres : La poule ; Les sauvages
- Pièces pour clavecin, extraites des Pièces de clavecin en concerts (1741)
- La Dauphine (1747)

■ **Clavecin en concert :** Pièces de clavecin en concerts (1741), 5 concerts

■ Oeuvres lyrique et ballets :

- Samson (1733), d'après Voltaire; cette œuvre, censurée à l'époque par le Parlement (se méfiant probablement d'une œuvre biblique signée Voltaire), ensuite l'œuvre fut égarée.

- Hippolyte et Aricie (1733), d'après S-J. Pellegrin
- Les Indes galantes (1735), d'après L. Fuzelier, opéra-ballet. Rameau y a intégré une danse, *les Sauvages,* qu'il avait composée dix ans plus tôt à l'occasion d'une exposition sur la Louisiane.
- Castor et Pollux (1737), d'après P-J. Bernard
- Les fêtes d'Hébé (1739), d'après A. de Montdorge, opéra-ballet
- Dardanus (1739), puis largement modifié en 1744 avec texte nouveau, le premier ayant été jugé totalement inintéressant. Texte de la Bruyère/ Pellegrin
- La princesse de Navarre (1745), d'après Voltaire, comédie-ballet
- Platée, Junon jalouse (1745)
- Les fêtes de Polymnie (1745), d'après L. de Cahusac, opéra-ballet
- Le temple de la gloire (1745), d'après Voltaire, opéra-ballet
- Les fêtes de l'Hymen et de l'Amour ou Les Dieux d'Egypte (1747), d'après L. de Cahusac, ballet-héroïque
- Zaïs (1748), d'après L. de Cahusac, ballet-héroïque
- Pygmalion (1748), ballet en un acte
- Les surprises de l'Amour (1748), d'après P.-J. Bernard
- Naïs (1749), d'après L. de Cahusac
- Zoroastre (1749), d'après L. de Cahusac
- La guirlande / Les fleurs enchantées (1751), d'après J.-F. Marmontel, ballet en un acte
- Acante et Céphise / La sympathie (1751), d'après J.-F. Marmontel
- Daphnis et Eglé (1753)
- Les Sybarites (1753), d'après J.-F. Marmontel, ballet en un acte
- La naissance d'Osiris / La fête Pamilie (1754), d'après L. de Cahusac, ballet en un acte
- Anacréon (1754), d'après L. de Cahusac, ballet en un acte
- Les surprises de l'Amour; deuxième version (1757), d'après P.-J. Bernard, ballet en 4 actes, très différent de la version de 1748.
- Les Paladins (1760), d'après D. de Monticourt, comédie-ballet
- Les Boréades (1764)

Compositeur : **François REBEL**

Date et lieu de naissance / mort :
19 juin 1701 (Paris) / 7 nov. 1775 (Paris)

Education, vie et œuvres :

Fils du musicien et compositeur Jean-Féry Rebel, il maîtrisa très jeune le violon et prit goût aux voyages, notamment avec François Francœuer, également violoniste et compositeur, de même âge que lui. En 1726, les deux amis composèrent ensemble leur premier opéra *Pirame et Thisbé*. Cette collaboration sera de longue durée puisqu'ils composeront ensuite 17 autres opéras, jusqu'en 1770.

François Rebel ne composait pratiquement jamais seul, mais il occupa une place très importante à l'Académie Royale de Musique, soutenant activement Rameau et la musique française.

Compositeur : **Antoine REICHA**

Date et lieu de naissance / mort :
26 février 1770 (Prague) / 28 mai 1836 (Paris)

Education, vie et œuvres :

Antoine (ou Anton) Reicha, compositeur parfaitement contemporain de Beethoven, perdit son père quelques mois après sa naissance. A dix ans il trouva refuge auprès de son grand-père puis auprès d'un oncle, Joseph Reicha, excellent musicien qui l'adopta et lui apprit le piano, le violon, ainsi que la flûte. En 1785, ils s'installèrent à Bonn où Antoine Reicha fut engagé à l'orchestre, jouant le violon et la flûte. Il s'intéressa à la composition et reçut quelques conseils ou leçons de Neffe et peut-être de Beethoven (qui avait le même âge et était aussi élève de Neffe). Il eut également le grand plaisir de faire la connaissance de Haydn, de passage à Bonn. En 1787 il écrivit sa première symphonie, que l'orchestre de Bonn interpréta sous sa direction.

Lors de l'invasion de Bonn par l'Armée française en 1794, il passera quelques années à Hambourg, composant et enseignant la musique. Après la présentation de son premier opéra *Godfried von Montfort (Godefroid de Monfort)* il se lia d'amitié avec des compositeurs français, notamment Rode, Gossec; il fut tenté d'aller à Paris qui offrait alors de grandes possibilités de succès aux auteurs d'opéras. Mais un premier séjour à Paris, en 1801, fut décevant. Il se rendit alors à Vienne où il trouva un soutien auprès de ses anciennes connaissances de Bonn, dont Haydn et aussi Beethoven.

Suite à des leçons et conseils d'Albrechtsberger et de Salieri, ses œuvrent commencèrent à avoir du succès.

En cette période de sa vie à Vienne, il écrivait essentiellement de la musique de chambre ainsi que des articles sur la musique.

En 1808 il se rendit de nouveau à Paris et, cette fois, il s'y installa car il fut très bien accueilli par de nombreux musiciens qui le connaissaient déjà. En 1818 il fut nommé professeur au Conservatoire et il se maria (donc à 48 ans) avec Virginie Enaust qui lui donnera, par la suite, deux filles.

Malgré une certaine controverse et des discussions acharnées soulevées par les théories de Reicha sur la musique, Berlioz et Liszt suivirent des leçons de ce maître en 1826. Plus tard, Liszt reconnaissait lui devoir un certain style. Ses écrits sur la musique, comme *Traité de mélodie, Cours de composition musicale, Traité de haute composition musicale*, furent publiés à Paris et utilisés dans plusieurs pays d'Europe.

Antoine Reicha obtint la nationalité française en 1829.

Comme compositeur, Reicha essaya pratiquement tous les domaines, de l'opéra à la musique symphonique, aux sonates, à la musique de chambre. Mais rares sont les occasions d'entendre aujourd'hui une œuvre de ce compositeur.

Compositeur : **Karl Gottlieb REISSIGER**

Date et lieu de naissance / mort :

31 janvier 1798 (Belzig, Allemagne) / 7 novembre 1859 (Dresde, Dresden)

Education, vie et œuvres :

Après avoir appris le piano et la composition à Leipzig, cet élève doué pour la musique obtint une bourse, en 1821, pour aller à Vienne se perfectionner auprès de Salieri.

En 1824, à Dresde, il composa son premier opéra *Didone Abbandonata*. Deux ans après, il prenait déjà la succession de Weber à la direction de l'opéra de Dresde.

Son engagement à Dresde dura jusqu'à la fin de sa vie et fut très utile pour la vie musicale de cette ville.

Les compositions de Reissiger sont très variées :

- 8 opéras, dont *Die Felsenmühle* (1831), qui obtint beaucoup de succès;
- une symphonie, des ouvertures, un concerto pour flûte et un concertino pour clarinette;
- de la musique de chambre : ses sonates, trios, quatuors, quintettes, souvent avec piano, étaient très appréciés de son temps.

Son jeune frère, **Friedrich August Reissiger**, fut également musicien et compositeur. Il vécut en Norvège.

Compositeur : **Johann Georg REUTTER**

Date et lieu de naissance / mort :

6 avril 1708 (Vienne, Autriche) / 11 mars 1772 (Vienne, Autriche)

Education, vie et œuvres :

Fils d'un organiste et compositeur, il maîtrisa rapidement l'orgue et montra des talents de compositeur, acheva un oratorio en 1726, puis l'année suivante, un premier opéra *Archidamia.*

Après un séjour en Italie, il revint à Vienne et fut engagé comme musicien à la cour. A la mort de son père, il prit la succession comme Kapellmeister. Dès lors, les œuvres qu'il composait étaient essentiellement des messes et autres compositions pour l'église.

Il s'occupait également des musiciens et chanteurs, adultes et enfants, au service de la cathédrale. Parmi ces enfants de la chorale il y avait Joseph et Michael Haydn.

Compositeur : **Franz Xaver RICHTER**

Date et lieu de naissance / mort :

Déc. 1709 / sept. 1789 (Strasbourg)

Education, vie et œuvres :

On ne connaît presque rien sur l'origine de ce compositeur, probablement né en Bohème, d'une famille d'origine allemande ou autrichienne. On ne trouve trace de son histoire que lorsqu'il était âgé de plus de 30 ans. En effet, un éditeur parisien publia en 1744 six "grandes simphonies" de ce compositeur.

On sait également qu'il fut chanteur d'opéra à Mannheim, où il enseignait aussi la composition, et il écrivit alors un traité important sur cet art.

A partir de 1769, il fut engagé comme chef d'orchestre et compositeur de la cathédrale de Strasbourg. Il conserva ce poste jusqu'à la fin de sa longue vie (pour l'époque), et à partir de 1783, on engagea Ignaz Pleyel pour l'aider dans cette tache.

Richter composa plus de 70 symphonies (appelées d'abord sinfonies), et de nombreux concertos pour divers instruments, notamment flûte, hautbois, trompette.

Il composa aussi de nombreuses sonates pour clavecin, ainsi que de la musique de chambre.

Mais en écoutant des œuvres de Richter lors de ses séjours à Mannheim, Mozart trouva plus particulièrement remarquable sa musique sacrée, notamment les messes; Richter en a composé 39.

Compositeur : **Ferdinand RIES**

Date et lieu de naissance / mort :

nov. 1784 (Bonn) / 13 janvier 1838 (Francfort-sur-le-Main)

Education, vie et œuvres :

Fils aîné d'un grand violoniste, Franz Ries, qui a été un des professeurs de musique du jeune Beethoven à Bonn, Ferdinand Ries apprit le violon et le piano et maîtrisa plusieurs instruments dès son jeune âge, malgré une maladie qui lui coûta la perte d'un oeil.

En 1801 il se rendit à Vienne rencontrer Beethoven, avec une lettre de recommandation de son père. Beethoven lui fit un bon accueil et lui donna des leçons pendant trois ans tout en l'utilisant comme secrétaire, notamment pour mettre de l'ordre dans ses papiers et partitions.

Ries devint rapidement un excellent interprète des œuvres pour piano de Beethoven. Ses concerts furent très appréciés et cela l'incita à commencer une carrière de concertiste à travers l'Europe.

A partir de 1813, il s'installa à Londres et y fit une grande carrière comme pianiste et comme compositeur pendant 11 ans.

Cette carrière réussie lui permit donc, en 1824, de rentrer en Allemagne et vivre plus calmement, dans une semi-retraite jusqu'à sa mort en 1838, après avoir transmis à Wegeler ses souvenirs des années de collaboration avec Beethoven, ce qui permit à Wegeler de publier, en 1838, une intéressante biographie sur la vie de Beethoven.

Les œuvres de Ries sont nombreuses : des sonates, rondos, fantaisies, marches, valses et variations pour piano, de la musique de chambre, 8 symphonies, un concerto pour violon, 8 concertos pour piano, 5 opéras, un requiem, des chants, etc..

Des enregistrements de certaines de ses œuvres sont facilement disponibles maintenant, fort heureusement.

Compositeur : **Pierre RODE**

Date et lieu de naissance / mort :

16 février 1774 (Bordeaux) / 25 nov. 1830 (Damazan, près d'Agen)

Education, vie et œuvres :

Ce compositeur français commença a apprendre le violon à six ans. A 13 ans, son maître, Fauvel, l'amena à Paris confier son élève à Viotti qui continua, avec bonheur, l'enseignement musical de ce jeune violoniste très doué.

Lors de la fondation du Conservatoire, en 1795, il fut nommé professeur de violon. Parallèlement à cela, il composait, notamment des concertos pour violon et donnait des concerts à travers l'Europe, jouant principalement ses œuvres et celles de Viotti. En Russie, son succès fut immense et il le décida d'y rester de 1803 à 1808.

En 1812, à Vienne, Beethoven voulut que Rode interprète sa dernière sonate pour violon, mais il fut déçu par la performance de Rode dont les capacités étaient manifestement déjà en déclin, malgré son âge relativement jeune. Puis Rode se rendit à Berlin où il se maria et resta dans cette ville jusqu'en 1819 avant de revenir s'installer à nouveau dans sa région natale.

En 1828 il fit une dernière tentative de jouer en concert, à Paris, défiant sans doute son mal si redoutable pour un musicien. Le concert fut désastreux, il rentra désespéré, sa paralysie s'accentua et il mourut peu de temps après.

Les œuvres de ce grand musicien français comprennent 13 concertos pour violon, de la musique de chambre, des airs variés, des pièces pour deux violons, ainsi qu'un traité pour le violon écrit avec Kreutzer et Baillot.

Compositeur : **Andreas Jakob ROMBERG**

Date et lieu de naissance / mort :

27 avril 1767 (Vechta, près de Münster) / 10 novembre 1821 (Gotha, près d'Erfurt)

Education, vie et œuvres :

Son père, Gerhard Heinrich Romberg (1745-1819), grand violoniste et clarinettiste Allemand, lui enseigna le violon. Andreas Jakob maîtrisa cet instrument dès l'âge de sept ans.

Son cousin, Bernhard, pratiquement du même âge, jouait le violoncelle. En 1790, ils décidèrent de rejoindre l'orchestre de Bonn qui était alors très réputé et dont Beethoven faisait également partie. Après l'occupation française de Bonn en 1793 ils allèrent à Hambourg où ils continuèrent leur carrière comme musiciens et compositeurs très appréciés. Ils firent aussi un long séjour en Italie avant de passer quelques années à Vienne où ils avaient de bons amis comme Haydn et Beethoven.

Après 1801, Andreas Romberg préféra renoncer aux voyages et s'installa à Hambourg, se consacrant davantage à la composition. Durant les périodes d'invasion de l'armée française la vie de musicien devint difficile à Hambourg et il finit par trouver un poste à Gotha vers 1810 alors que des problèmes de santé réduisaient ses capacités de violoniste.

Mais ses œuvres avaient du succès, notamment des chants. Il écrivit 8 opéras, 10 symphonies, une vingtaine de concertos, beaucoup de musique de chambre, mais toutes n'ont pas été exécutées et peu de ses œuvres furent publiées.

Ses deux fils étaient également musiciens, faisant leur carrière principalement en Russie.

Compositeur : **Bernhard Heinrich ROMBERG**

Date et lieu de naissance / mort :

11 nov. 1767 / 13 août 1841 (Hambourg)

Education, vie et œuvres :

Berhard Heinrich était le cousin d'Andreas Jakob Romberg et fils du musicien Bernhard Anton Romberg (1742-1814) qui jouait le basson et le violoncelle à l'orchestre du prince-évêque de Münster. Le jeune Bernhard apprit donc le violoncelle par son père et il fit la première partie de sa carrière musicale se produisant toujours avec son cousin Andreas, jusqu'à ce que les deux musiciens adoptent des voies différentes à partir de 1801.

Dès lors, Bernhard Romberg séjournera en Espagne, puis à Paris, puis Berlin, avant de s'installer à Hambourg à partir de 1820.

Ses concerts à travers l'Europe eurent généralement beaucoup de succès, lui assurant une vie aisée jusqu'à la fin de ses jours.

Ses œuvres aussi trouvèrent un certain succès mais furent rapidement oubliés.

Il composa 4 opéras (entre 1792 et 1824), ainsi qu'un ballet (1818), 5 symphonies, 10 concertos pour violoncelle, et aussi de la musique de chambre.

Sa fille Bernhardine et son fils Karl firent également leurs carrières dans la musique.

Compositeur : **Antonio ROSETTI**

Date et lieu de naissance / mort :

1750 ? (Bohème) / 30 juin 1792 (Ludwigslust, Allemagne)

Education, vie et œuvres :

Son vrai nom était probablement Franz Antonin Rössler. Il fit ses études à Prague et se destinait à une carrière ecclésiastique, mais qu'il abandonna en 1773 pour être engagé dans un orchestre, à la contre-basse, orchestre d'excellent niveau, dirigé par Reicha, au service du comte de Wallerstein. Puis il prit le poste de Reicha au départ de celui-ci en 1785.

Durant cette période, Rosetti composait également, et ses œuvres furent publiées à Paris. Aussi, lorsqu'il visita Paris en 1781, il était déjà connu et fut très bien accueilli.

En 1791, on demanda à Rosetti de composer et diriger un grand Requiem qui fut interprété à Prague à la mort de Mozart. Malheureusement la partition de ce requiem fut égarée par la suite.

Parmi les autres œuvres de Rosetti, il y a notamment 2 oratorios, de nombreuses symphonies, de nombreux concertos et de la musique de chambre.

Le nom Antonio Rosetti qu'avait adopté ce compositeur était, en fait, très fréquent, surtout en Italie, et cela donna lieu à quelques confusions avec d'autres musiciens de l'époque portant ce même nom.

Compositeur : **Gioacchino ROSSINI**

Date et lieu de naissance / mort :

29 février 1792 (Pesaro, Italie) / 13 novembre 1868 (Paris).

Vie et œuvres :

Son père, Guiseppe, était inspecteur des boucheries à Pesaro, non loin de Venise, mais il jouait aussi de la trompette. C'était un homme aux idées modernes, enthousiasmé par la révolution française et ayant même été mis en prison pour cela. Durant cette période de quelques mois, son épouse, Anna, décida de gagner sa vie en chantant dans un théâtre de Bologne. Guiseppe la rejoint dès qu'il fut libéré et y trouva un emploi de musicien. Gioacchino avait alors sept ans. Il n'était pas doué pour les études, mais on lui découvrit une jolie voix.

Par contre les talents de sa mère s'interrompirent peu de temps après, car sa voix s'est éteinte, probablement pour l'avoir forcée sans avoir suivi les méthodes et techniques d'apprentissage appropriées.

Dès lors, grâce à sa voix et ses aptitudes musicales, Gioacchino devenait, à dix ans, la principale source de revenus de sa famille.

A quatorze ans, on remarque qu'il possède aussi des talents de compositeur. Mais sa première œuvre, *Demetrio e Polibio* composée alors, ne sera exécutée que six ans plus tard. De cette œuvre lyrique, il ne reste aujourd'hui qu'un court extrait.

A cet âge, il s'avéra qu'il savait également diriger un orchestre, découverte qui arriva à un moment opportun puisque la mue ne lui permettait plus de gagner sa vie en chantant.

Il apprit aussi, sans difficulté, à jouer de plusieurs instruments!

Gioacchino Rossini n'a jamais eu l'occasion, ni la patience, de suivre des cours sur la musique. Sa formation à l'écriture musicale a été beaucoup influencée par la lecture de partitions de Haydn et de Mozart.

A 15 ans, il n'avait pas les moyens d'acheter les partitions. Il les empruntait donc et en faisait aussitôt des copies évidemment manuscrites. Il prenait un grand plaisir à découvrir ainsi tous les détails de ces œuvres, et plus particulièrement des opéras de Mozart. La grande influence de Mozart restera d'ailleurs évidente dans toutes les œuvres de Rossini.

A cette époque, en Italie, il y avait une forte demande d'opéras, mais d'un style léger et facile. Cela convenait bien au jeune Rossini qui, à 18 ans, acheva son premier véritable opéra, *La Cambiale di Matrimonio*, aussitôt représenté, avec succès, à Venise. L'année suivante on représenta à Bologne son deuxième opéra, *l'Equivoco stravagante*.

Une année plus tard, en 1812, fut représenté à Venise, son troisième opéra, *Inganno felice*, dont le grand succès se propagea même en dehors de l'Italie.

Dès lors, Rossini se permit d'aborder la composition d'opéras plus importants, plus élaborés. Il composa un premier opéra pour La Scala de Milan, *La Pietra del Paragone*, dont le succès fut tel que les autorités décidèrent qu'il était préférable de conserver ce compositeur de talent et le dispensèrent donc de l'appel au service militaire en cette période de guerres européennes.

Ecriture facile, succès faciles, firent de Rossini un compositeur d'un très grand nombre d'opéras, dont seulement quelques-uns sont encore aujourd'hui au répertoire des opéras, notamment, son *Barbier de Séville*, composé et créé à Rome, en treize jours, en 1816, suivi la même année par *la Cenerentola* et, surtout, son dernier opéra, *Guillaume Tell*, composé en 1829, à Paris.

Les ouvertures de certaines de ses opéras sont des classiques des répertoires de pratiquement tous les orchestres symphoniques.

Dès que Rossini terminait un opéra, on le pressait déjà d'en composer un autre! Et ces opéras étaient aussitôt repris dans d'autres villes et capitales européennes. Facilité et succès qui ne manquèrent pas d'agacer Beethoven, lui qui avait tant peiné avec son unique opéra, Fidelio! Il constatait, une fois de plus, que la vie est pleine d'injustices!

Cependant, Rossini était un admirateur de Beethoven et ne manqua pas de rendre visite au grand maître lors de son séjour à Vienne en 1822. On ignore ce qu'ils se sont dits lors de leur unique rencontre, mais on sait que Rossini était très satisfait d'avoir rencontré le grand homme, bien qu'il fut très attristé de constater son état de fatigue et de surdité sévère.

A Vienne, Rossini était accompagné de la cantatrice Isabelle Colbrand qu'il venait d'épouser, en décembre 1821, à Bologne.

Des invitations arrivaient de toutes les capitales européennes. Rossini accepta de se rendre à Paris et à Londres en 1823 et les deux capitales lui réservèrent un accueil dépassant l'imagination. Paris qui avait montré une telle indifférence à Mozart, quarante-cinq ans plus tôt, acclamait maintenant Rossini et lui proposait d'y rester et de diriger l'opéra italien, avec une rémunération particulièrement intéressante. Ainsi, Rossini habitera Paris et y composera, en 1829, son chef-d'œuvre et dernier opéra, *Guillaume Tell*, qui eut également un très grand succès.

Mais à Paris, la mode et les habitudes changent. De nouveaux compositeurs d'opéra arrivèrent et Rossini dut lutter pour maintenir le versement des rémunérations régulières qu'on lui avait promises. Il se confina alors dans une vie plus calme jusqu'à ce qu'il quitte définitivement Paris en 1836 pour rentrer dans sa ville de Bologne où il continuera sa longue vie de retraité, suite à sa décision volontaire et mystérieuse de ne plus composer, à l'exception de quelques œuvres sacrées.

En 1845, Rossini perdait son épouse. Il restera veuf pendant deux ans avant d'épouser une française, Olympe Pélissier. Mais Rossini ne retrouvera plus jamais sa gaîté et joie de vivre qu'on lui connaissait du temps où il composait des opéras. Ce changement profond chez Rossini restera inexpliqué.

Il continuera sa vie entre Paris et Bologne jusqu'à son décès dans sa maison à Paris à l'âge de 76 ans. Ses funérailles eurent lieu à l'Eglise de la Trinité, en présence de nombreux musiciens, puis au cimetière de Passy. L'année suivante, son cercueil fut transféré à Florence, en Italie.

Principales oeuvres de Rossini :

■ Opéras : (à part son œuvre de jeunesse Demetio e Polibio, aujourd'hui disparue),

- La Cambiale di Matrimonio (1810)
- l'Equivoco stravagante (1811)
- l'Inganno Felice (1812)
- Il cambio de la Valigia (1812)
- Ciro in Babilonia (1812)
- la Scala di Seta (1812)
- La Pietra del Paragone (1812)
- l'Occazione fa il ladro (1812)
- Il due Bruschini (1813)
- Tancredi (1813)
- L'italiana in Algeri (1813)
- Aurelino in Palmira (1814)
- Il Turco in Italia (1814)
- Sigismondo (1815)
- Elisabetta Regina d'Inghilterra (1815)
- Torwaldo e Dorliska (1815)
- Le Barbier de Séville (1816)
- La Gazetta (1816)
- Otello (1816)
- La Cerentola - ou en français Cendrillon - (1817)
- La Gazza ladra - en français La Pie voleuse - (1817)
- Armida (1817)
- Adelaida di Borgogna (1818)
- Mosé in Egitto (1818)
- Adina o il Califo di Bagdad (1818)
- Ricciardo y Zoraïde (1818)
- Ermione (1819)
- Eduardo e Crisitina (1819)
- La Donna del Lago (1819)
- Bianca e Faliero (1819)

- Maometto secondo (1820)
- Mathilda di Shabran (1821)
- Zelmira (1822)
- Semiramide (1823)
- Il viaggio a Reims (1825)
- Le Siège de Corinthe (1826)
- Moïse (1827)
- Le Comte Ory (1828)
- Guillaume Tell (1829)

■ Oeuvres sacrées de Rossini :

- Messe (1809)
- Stabat Mater (1841)
- Trois chœurs (1844)
- Petite Messe solennelle (1864)

■ Compositions diverses : une vingtaine, dont :

- Cantates : environ 14, composées entre 1818 et 1867.
- Sinfonias : composées entre 1806 et 1810.
- Soirées musicales : 12 pièces pour piano et une ou deux voix (1834)
- Péchés de vieillesse : Durant les dernières années de sa vie, Rossini continuait à composer des petites œuvres, souvent très agréables, mais qu'il ne voulait pas publier. Elle constituent, cependant, 13 albums, dont 7 consacrés à des pièces pour piano seul. Ces œuvres furent publiés après son décès.

Bien des années plus tard, en 1919, **Ottorino Respighi** (1879-1936) s'inspira des quelques-unes de ces pièces pour piano pour composer le ballet "La Boutique Fantasque".

Compositeur : **Jan Jakub RYBA**

Date et lieu de naissance / mort :

26 octobre 1765 (Prestice, près de Prague) / 8 avril 1815 (Rozmital)

Education, vie et œuvres :

Avec son père musicien, il s'initia à la musique et à la maitrise de plusieurs instruments. Il poursuivit ses études à Prague, puis revint assister son père en mauvaise santé et commença à enseigner la musique, carrière à laquelle il attachera une grande importance jusqu'à la fin de sa courte vie (se terminant par un suicide).

A part les compositions didactiques, Ryba écrivit un très grand nombre de messes, de requiem, de chants et œuvres diverses. Son style fut certainement influencé par Haydn, puis Mozart.

Compositeur : **Antonio SACCHINI**

Date et lieu de naissance / mort :

14 juin 1730 (Florence) / 6 octobre 1786 (Paris)

Education, vie et œuvres :

Lorsqu'il avait 4 ans, sa famille s'installa à Naples. On remarqua ses talents pour la musique, et ayant complété ses études au conservatoire de cette ville, il commença une carrière de claveciniste et organiste avant de se lancer dans la composition, notamment d'opéras.

Après avoir vécu à Padoue, Venise, Rome, Munich, il passa près de dix années à Londres où il eut un grand succès jusqu'à ce qu'il soit contraint de partir suite à un problème ou différend dont on ignore les détails.

Il arriva donc à Paris en 1781 où il fut accueilli avec enthousiasme par les partisans de Piccinni qui cherchaient justement à accroître l'influence de l'opéra italien (par rapport aux partisans de Gluck).

Finalement ses œuvres, notamment ses opéras *Renaud, Chimène ou le Cid, Dardanus, Oedipe* eurent un tel succès, y compris à Versailles, que cela créa même une rivalité avec Piccinni.

Après *Oedipe*, considéré comme son chef-d'œuvre, il commença la même année, en 1786, donc l'année de sa mort, une dernière œuvre, *Arvire et Evelina*, mais ne put l'achever lui-même.

Sacchini aura composé 45 opéras, 2 symphonies, 6 quatuors à cordes et autres musiques de chambre, 8 oratorios, ainsi que des messes et chants sacrés.

Compositeur : **Joseph Chevalier de SAINT-GEORGES**

Date et lieu de naissance / mort :

1739 (Guadeloupe) / juin 1799 (Paris)

Education, vie et œuvres :

Fils d'un homme politique originaire de Metz et d'une guadeloupéenne, la famille s'établit à Paris alors que le jeune métisse, Joseph, avait dix ans. On remarqua ses dons exceptionnels pour le sport et en particulier l'escrime.

Par contre, on ignore à quel âge il a pu apprendre le violon et se passionner pour la musique. On suppose qu'il avait eu des leçons de violon dans le cadre de son éducation générale.

Il avait déjà 30 ans lorsqu'apparaît son nom comme violoniste au Concerts des Amateurs dirigés par Gossec. Dès lors il composa de la musique de chambre, puis des concertos pour violon, plutôt difficiles, qu'il interprétait lui-même. Puis on apprécia également ses talents pour la direction d'orchestre. Il composa aussi quelques opéras à partir de 1777.

Parallèlement à cela, il semble avoir continué les séances d'escrime, art qu'il maîtrisait aussi parfaitement.

Durant les année de la Révolution, il fit des séjours à Londres, à Lille et en Guadeloupe, un périple de huit ans, avant de rentrer à Paris en 1797.

Compositeur : **Antonio SALIERI**

Date et lieu de naissance / mort :

18 août 1750 (Legnago, près de Padoue, en Italie) / 7 mai 1825 (Vienne).

Education, vie et œuvres :

Cinquième fils d'un commerçant, il avait un grand frère bon musicien (qui avait été élève de Tartini) et qui l'aida donc à apprendre le violon et le clavecin. A la mort de son père lorsqu'il n'avait que 15 ans, un de ses oncles l'amena à Venise où il put poursuivre sa formation musicale.

L'année suivante, en 1766, il fut invité à Vienne où il fit la rencontre du poète italien Metastase et se lia d'amitié avec plusieurs musiciens vivant alors à Vienne et notamment Gluck. Là il continua sa formation musicale et révéla d'excellents dons de compositeur.

A la suite du succès de son premier opéra représenté à Vienne en 1770, *La donne letterate*, il se lança dans cette voie, produisant deux ou trois opéras chaque année. Avec *Armida*, en 1771, il gagna une renommée considérable et commença à être connu en Europe.

A 24 ans, Salieri fut nommé directeur musical à la cour de Vienne.

L'année suivante, il épousa une jeune Autrichienne, Theresia, qui lui donna par la suite huit enfants.

Sa grande période de composition se situe entre 1770 et 1780, avec 17 opéras (notamment l'opéra buffa), des oratorios, des concertos (notamment deux concertos pour piano de 1773 qui eurent un grand succès).

Sa renommée, ainsi que le soutien de Gluck, permettaient à Antonio Salieri de s'absenter longuement de la cour de Vienne pour créer des opéras en Italie, puis à Paris où il rencontra un très grand succès en 1784, avec *Les Danaïdes*, puis en 1787, avec *Tarare*.

En 1787, il fut profondément marqué par la mort de Gluck qui avait été pour lui un précieux guide et soutien durant 20 ans. Puis avec la mort de l'empereur Joseph II en 1790, il se sentait moins lié à la cour. Il restait, cependant, très actif dans la vie musicale viennoise, composant surtout des opéras, des chants et de la musique sacrée et devenant également célèbre pour ses leçons de musique. Parmi ses élèves figuraient la plupart des jeunes musiciens talentueux de cette période à Vienne, y compris Beethoven et Schubert.

Contrairement à une réputation déplorable faite au XXè siècle à l'encontre de Salieri, c'était, en fait, un homme plutôt généreux et sa jalousie envers Mozart a été sans doute démesurément amplifiée. Sa place auprès de la Cour de Vienne était solide et son influence musicale y était considérable. Ses idées étaient celles d'un musicien italien conservateur et il avait émis de sérieuses réserves en entendant les nouveautés introduites par Mozart.

Son opposition et sa grande influence locale ne firent qu'augmenter les difficultés rencontrées par Mozart durant ses premières années à Vienne.

Mais il finit par reconnaître le génie de Mozart, hélas un peu tardivement, et on sait, par Mozart lui-même, que Salieri fut très enthousiasmé par la Flûte Enchantée lors de sa création en 1791.

De plus, à la mort de Mozart durant la même année, Salieri fut l'une des rares personnes à avoir assisté aux funérailles.

Lorsque lui-même mourut, en 1825, de nombreux musiciens assistèrent à ses funérailles, y compris tous les membres de l'orchestre de la Cour.

Comme compositeur, Salieri était connu essentiellement pour ses opéras; entre 1768 et 1804, il en composa plus de quarante. Ils étaient dans un style qui plaisaient à l'époque, mais que l'on oublia par la suite, et certaines de ses œuvres se sont égarées. Il composa aussi des Oratorios, des Messes, des chants et quelques œuvres de musique instrumentale.

Compositeur : **Johann Peter SALOMON**

Date et lieu de naissance / mort :

Février 1745 (Bonn) / 28 novembre 1815 (Londres)

Education, vie et œuvres :

Fils d'un musicien à la Cour de Bonn, Johann Salomon fut un musicien précoce, obtenant dès l'âge de 13 ans un poste de violoniste à la Cour. A 19 ans, il quitta Bonn et rencontra à Berlin C.P.E. Bach, qui l'initia aux œuvres de son père Jean-Sébastien Bach, œuvres qu'il adopta aussitôt et en devint un interprète remarquable.

En 1780, il se rendit à Paris, puis à Londres où il s'installa définitivement et devint une personnalité importante dans le monde musical en Angleterre, organisant de nombreux concerts qu'il dirigeait lui-même. Il contribua largement à la réussite des deux visites de Haydn à Londres en 1790/1791, puis en 1794.

Beethoven aussi avait de l'estime pour Salomon et entretenait avec lui une correspondance régulière. Il fut très attristé d'apprendre la disparition de Salomon en 1815 suite à une chute de cheval.

Cet excellent musicien fut égalemnt compositeur, notamment d'œuvres pour violon, ainsi que de chants.

Compositeur : **Giovanni Battista SAMMARTINI**

Date et lieu de naissance / mort :

né probablement en 1700 (Milan?) / 15 janvier 1775 (Milan).

Vie et œuvres :

Son père, Alexis de Saint-Martin, musicien français installé à Milan et ayant épousé une Italienne, était excellent oboiste et semble avoir transmis ses dons musicaux à ses enfants.

Le jeune Giovanni Battista fut remarqué pour ses dons d'organiste et de compositeur.

Dès 1726, après la composition de son deuxième *oratorio,* il occupera un rôle important dans la vie musicale de Milan.

En 1732, on apprécia son premier opéra, *Lodi*, puis son deuxième opéra, *L'ambizione superata dalla vertù*, en 1734, et sa notoriété s'étendit dans toute l'Europe.

Son enseignement musical était aussi très apprécié. Gluck, qui fut son élève le plus prestigieux, vers 1737, sera fortement marqué par ce maître.

A partir de 1750, on apprécia ses compositions de musique instrumentale, de nombreuses symphonies, des concertos, des sonates et de la musique de chambre, œuvres publiées souvent à Londres et à Paris.

En 1770, il reconnut les talents exceptionnels de composition du jeune Mozart qui, à 14 ans, venait de présenter son premier opéra, *Mitridate*, durant le long séjour qu'il fit en Italie avec son père.

Sammartini, qui vécut 74 ans, contribua, un peu comme Haydn, à toute l'évolution que connut la musique durant le dix-huitième siècle, préparant sans doute l'arrivée de Mozart et de Beethoven.

En 1976, Jenkins et Churgin publièrent une classification importante des œuvres de Sammartini (classification JC).

Compositeur : **Giuseppe SARTI**

Date et lieu de naissance / mort : 1729 (Faenza, Italie) / 28 juillet 1802 (Berlin)

Education, vie et œuvres :

Né dans une famille nombreuse, d'un père orfèvre et violoniste, il apprit la musique très tôt et on l'envoya à 10 ans se perfectionner avec Padre Martini, à Bologne.

A 19 ans, il devint titulaire de l'orgue de la cathédrale de Faenza, puis il dirigea le théâtre de cette ville.

En 1752, il y représenta son premier opéra, *Pompeo in Armenia*.

L'année suivante, il présenta à Venise son deuxième opéra, *Il re pastore*, sur un livret de Metastase (avec lequel il établira des relations durables pour de nombreux opéras composés par la suite).

Il commença à voyager fréquemment car de divers pays d'Europe on lui demandait d'écrire de nouveaux opéras. Ainsi, entre 1752 et 1800, il aura composé quelque 70 opéras, traitant à peu près tous les sujets d'opéras de l'époque.

A partir de 1785, on l'appréciait aussi comme compositeur de musique sacrée, notamment après avoir composé un oratorio en Russie, puis des messes, des requiems et cantates.

C'était un compositeur plutôt conservateur, ayant un style qui plaisait au public. Il fit la connaissance de Mozart à Vienne, en 1784, mais semble avoir été insensible à la perfection mozartienne, trouvant son style de musique un peu exagéré...

En 1787, Mozart utilisa un air de Sarti dans le deuxième des trois airs populaires que joue l'orchestre durant la scène finale du dîner de *Don Giovanni*.

Compositeur : **Johann Baptist SCHENK**

Date et lieu de naissance / mort :

30 novembre 1753 (Wiener Neustadt) / 29 décembre 1836 (Vienne)

Education, vie et œuvres :

Fils d'un militaire autrichien, il montra dès son jeune âge des talents de compositeur et jouait de plusieurs instruments. A 20 ans il se rendit à Vienne pour se perfectionner en composition. Sa première messe, qu'il dirigea lui-même en 1778, fut très appréciée, ainsi que son Stabat mater l'année suivante. Puis il s'orienta vers la musique de scène, jusqu'à son chef-d'œuvre, l'opéra *Der Dorfbarbier* (1796), dont l'immense succès durera au moins jusqu'à la fin de sa longue vie. Ce grand succès fit oublier qu'il composa aussi des symphonies et des concertos.

Schenk s'était lié d'amitié avec Mozart dont il appréciait les œuvres. Il était aussi un professeur de musique réputé, et on sait qu'il donna quelques cours à Beethoven en 1793.

Compositeur : **Joseph SCHMITT**

Date et lieu de naissance / mort :

Mars 1734 (Gernsheim am Rhein) / 28 mai 1791 (Amsterdam)

Education, vie et œuvres :

Schmitt fut un élève de Carl Abel pour ce qui concerne son éducation musicale.

Durant sa jeunesse, il choisit de se consacrer à la religion et exerça ses talents de musicien et compositeur au sein d'un monastère.

En 1783, il quitta le monastère en allemagne et s'installa à Amterdam où il publiait ses œuvres. Là, il se consacra à la composition et à l'enseignement de la musique.

En dehors de sa musique sacrée, avec 4 messes, un requiem, un Te Deum, il a composé notamment environ 19 symphonies, 3 concertos pour plusieurs intruments, et beaucoup de musique de chambre.

Certaines de ses œuvres ont été, à un moment, attribuées par erreur à son contemporain Joseph Haydn.

Compositeur : **Johann (Jean) SCHOBERT**

Date et lieu de naissance / mort :

1735 (Silésie ou Strasbourg?) / Août 1767 (Paris)

Education, vie et œuvres :

On n'a presque pas de renseignement sur les origines, l'enfance et l'éducation de ce brillant claveciniste qui arriva à Paris vers 1760.

Ces compositions de sonates et de concertos eurent beaucoup de succès et influencèrent le jeune Mozart, alors enfant de 7 ans, qui le rencontra lors de son premier séjour à Paris.

Les œuvres de Schobert apportaient quelques éléments nouveaux intéresants, mais il mourut très jeune, empoisonné après avoir mangé des champignons.

Compositeur : **Franz SCHUBERT**

Date et lieu de naissance / mort :

31 janvier 1797 (Lichtental, en périphérie de Vienne) / 19 novembre 1828 (Vienne).

Enfance et éducation :

Son père, prénommé également Franz, était directeur d'une petite école de cette paroisse. Sa mère, Elisabeth Vietz eut quatorze enfants, dont vécurent seulement quatre garçons et une fille. C'était une famille très pauvre, du moins en cette période. Le plus jeune des garçons, Franz Peter eut une enfance apparemment sans problème et grandit dans un milieu musical car son père pratiquait le violon et lui donna ses premières leçons, alors que son frère Ignace, son aîné d'une douzaine d'années, l'initia au piano. Le jeu de ces deux instruments, ainsi que les bases musicales furent assimilés très rapidement par le jeune Franz, avec très peu de leçons!

Entre ses 12 ans et 17 ans, son éducation musicale et générale fut complétée dans une section de musique de l'université financée par la Cour. Il devint très rapidement un bon violoniste et eut également plusieurs occasions de diriger lui-même l'orchestre à la place du professeur.

Son goût pour la composition musicale, ou plutôt le temps qu'il consacrait à cela, ne plaisait pas à son père, d'autant plus que ses notes dans les autres matières enseignées paraissaient à son père très insuffisantes et inquiétantes. Mais le jeune Schubert n'avait d'intérêt que pour la musique et pour la nature. Pour avoir du papier à musique, qu'il ne pouvait demander à son père, ce sont ses camarades, compréhensifs et plus fortunés que lui, qui lui en fournissaient.

A 15 ans, Franz Schubert prouva son talent de compositeur par ses premières œuvres importantes dont sa première symphonie, après avoir déjà composé plusieurs quatuors à cordes et quelques mélodies sur des poèmes qu'il appréciait.

Le père finit par reconnaître les talents de compositeur du jeune Franz et demanda à Salieri de continuer l'éducation musicale de son fils après sa scolarité. Salieri reconnut le grand talent de Schubert, bien qu'il constata avec beaucoup d'amertume que son élève préférait les œuvres de Mozart et de Beethoven aux siennes!

Vie adulte :

A 17 ans, en 1814, il fut charmé par Thérèse Grob, une fille de 16 ans, presque voisine et ayant une belle voix de soprano. Il composa alors une messe qui fut très appréciée dès sa première exécution, dirigée par lui-même, avec Thérèse Grob chantant la partie soprano. Cette rencontre incita Schubert à exploiter pleinement ses prédispositions pour la composition de mélodies chantées et donnèrent certainement le point de départ pour la composition de célèbres lieder qui le rendront rapidement un maître incontesté dans ce domaine.

Schubert espérait épouser Thérèse, et elle semblait consentante, mais cela ne s'est pas fait. Etait-ce une passion ou une idée passagère? Pourtant leur amitié durera plusieurs années. A-t-il eu des doutes sur lui-même, sur ses capacités de pouvoir fonder un foyer? Il y a aussi le fait que le père de Thérèse, s'opposa totalement à ce mariage, ne consentant pas à ce que sa fille épouse un pauvre musicien. Cela aurait-il fini par persuader sa fille que Franz Schubert ferait un mauvais mari? Car finalement, en 1820, bien que son père soit décédé l'année précédente, Thérèse épousera, apparemment sans grande conviction ni passion, un riche commerçant du quartier.

Schubert était alors encore un jeune homme, enthousiaste, de caractère gai et agréable, entouré d'un grand nombre d'amis viennois de sa génération, fréquentant les bars et cabarets. C'était une vie d'insouciance et de plaisirs faciles en ces lieux jusqu'à ce qu'il ne contracte la syphilis en 1823, maladie incurable à l'époque, ce dont il était conscient.

Mais, revenons à l'année 1814, Schubert n'avait que 17 ans et son père, estimant que la composition à elle seule ne permet généralement pas à une personne de gagner sa vie, l'engagea alors comme aide-instituteur dans l'école qu'il dirigeait, après lui avoir fait suivre un stage approprié.

Schubert accomplissait très mal cette fonction qui, d'ailleurs, était top peu rémunérée. Il passait beaucoup plus de temps à composer qu'à s'occuper des enfants. L'année suivante (1815) fut riche en compositions déjà très importantes, notamment : les deuxième et troisième symphonies, deuxième et troisième messes, neuvième quatuor à cordes.

Schubert avait une capacité naturelle de se perfectionner très rapidement dans l'art de la composition.

Début du succès :

En 1816, à 19 ans, le talent du compositeur commença à être apprécié à sa juste valeur. Il recevait désormais des commandes, et il fit également la connaissance de Vogl, chanteur célèbre à l'époque, qui l'incita fortement à composer des lieder, trouvant que Schubert avait une manière incomparable d'associer avec génie la musique et la parole.

Schubert admirait les poèmes de Goethe et, tout jeune homme, il avait déjà mis en musique plusieurs de ces poèmes. Il continuera ainsi à créer d'admirables lieder inspirés de Goethe qui, curieusement, ne saura apprécier cette musique qu'après la mort du compositeur. En effet, les goûts musicaux de Goethe étaient restés fidèles aux sonorités des œuvres de Mozart, compositeur de génie, plus proche de sa génération, et il n'admettait pas que l'on puisse apprécier les musiques plus récentes de Beethoven et Schubert!

La mère de Schubert décéda jeune. Son père se remaria avec une jeune femme qui lui donna de nouveaux enfants. Schubert quitta la maison paternelle à 18 ans, et quitta également son emploi, vivant de ses compositions et de quelques leçons. L'année suivante, il fut invité à passer quelques mois en Hongrie pour donner des leçons de musique aux deux filles, Marie et Caroline d'un comte nommé Esterhazy.

De retour à Vienne, il retrouva ses amis: il logea chez l'un, puis chez l'autre, et il était bien reçu partout où l'on faisait de la musique. Et là, Schubert dominait lorsqu'il s'installait au piano. A part ses improvisations, il composa aussi, pour ces occasions, de la musique populaire comme des danses, des divertissements, et des chants.

Cette musique plaisait également aux éditeurs car elle se vendait bien, ce qui permit à Schubert désormais de gagner sa vie par ses compositions. Dès lors, par contre, les éditeurs négligèrent la publication des œuvres plus sérieuses du compositeur. Ainsi donc, un grand nombre des grandes œuvres de Schubert ne seront publiées que bien après sa mort.

L'œuvre la plus célèbre de Schubert est certainement le *quintette de la truite*. Composée en 1819, par un jeune homme de 22 ans, heureux, comme cela s'entend dans ce quintette d'une sonorité originale, il reprend pour le quatrième mouvement le thème du lied "la truite" qu'il avait composé deux années plus tôt.

Une autre œuvre très connue est sa symphonie inachevée. Elle est de 1822. Probablement Schubert l'a mise de coté car il était alors trop occupé avec ses tentatives d'écrire des opéras qui soient enfin appréciés. En effet, depuis 1815, il en avait écrit une dizaine déjà, sans aucun succès. Ainsi en 1823, dans un ultime effort, il proposa trois nouveaux opéras, plus un quatrième, *Rosamonde*, qui n'est pas exactement un opéra, mais une musique de scène avec ballets et chœurs. De toutes ses tentatives, c'est cette dernière œuvre qui sera la seule musique de scène de Schubert à avoir eu du succès.

Revenons un instant sur la huitième symphonie, dite l'inachevée. C'est en remerciement d'un prix qu'on lui avait accordé que Schubert envoya un manuscrit de cette symphonie qui n'avait que deux mouvements, composés l'année précédente. On ignore si Schubert avait l'intention d'y ajouter ou non un ou deux autres mouvements pour donner à cette œuvre la forme classique d'une symphonie. Mais l'œuvre ne fut pas interprétée et on l'oublia. Elle ne fut retrouvée qu'en 1865, donc bien après sa mort, et fut très appréciée dès sa première audition. On la nomma, peut être à tort, la symphonie inachevée.

Début de maladie et fin de vie :

A la fin de l'année 1823 arriva donc cette terrible maladie; un long séjour à l'hôpital et le désespoir de ne jamais guérir complètement. Mais les mois passèrent et la vie continua. Il finit par accepter la situation et parvint à se concentrer et à composer de nouveau. Il fit même quelques séjours auprès de la famille Esterhazy en Hongrie où il se lia d'une très grande amitié avec la fille, Caroline, notamment lors de son séjour de 1824. Ces sentiments lui redonnèrent goût à la vie et plusieurs de ses œuvres composées durant les années suivantes furent dédiées à Caroline.

Mais la maladie l'avait rendu désormais grave et ses compositions devenaient de plus en plus sérieuses. Ses quatre dernières années de vie nous laisseront de grands chefs-d'œuvre, comme le quatuor *"La jeune fille et la mort"* (de 1826), les *"impromptus"* (de 1827), la *neuvième symphonie "la grande"* (de 1828).

Schubert vénérait Beethoven, son aîné de 27 ans, mais il n'avait jamais osé l'approcher. Aussi, la mort de Beethoven en 1827 le bouleversa profondément. Selon certains, il aurait rendu visite à Beethoven sur son lit de mort et aurait même pu échanger quelques mots. Mais ce qui est certain c'est sa participation active à la grande cérémonie des funérailles de Beethoven.

Et l'année suivante, affaibli déjà par sa longue maladie, Schubert ne résistera pas à une épidémie de typhoïde et en mourra le 19 novembre 1828, à 31 ans.

Ainsi disparaissait, après Mozart, Haydn, puis Beethoven, le quatrième des grands compositeurs qui ont tant marqué la musique classique de cette époque et jusqu'à nos jours.

Le 21 novembre on enterra Franz Schubert au cimetière de Währing, car sa dernière volonté était d'être enterré près de Beethoven. Soixante ans plus tard, la ville de Vienne décida d'ériger un Panthéon des Musiciens. C'est là que furent alors transportés les cercueils de ces deux célèbres compositeurs.

Oeuvres de Franz Schubert :

Malgré sa courte vie (31 ans), les œuvres de Schubert furent très nombreuses en tenant compte des quelque 600 mélodies composées. Au début, les éditeurs essayèrent de donner une numérotation en opus, mais cela ne fut pas satisfaisant. Elles sont maintenant classées de manière satisfaisante grâce au travail accompli pendant des années par le Viennois, Otto Erich Deutsch (1883-1967), qui édita son classement des œuvres de Schubert en 1951; et dont il y a eu une nouvelle édition parue en 1978.
La numérotation Deutsch va de D 1 à D 998.

Souvent les œuvres de Schubert ne portaient aucune indication de date. Otto Deutsch a essayé de faire une numérotation chronologique de D 1 à D 965, puis a numéroté de D 966 à D 998 les œuvres qu'il n'a pas pu classer chronologiquement.

Bien que très proche de Beethoven et de Haydn, la musique de Schubert se distingue facilement par ses caractéristiques propres, très particulières à Schubert. Cependant, certaines parties des symphonies du début peuvent rappeler les symphonies de Joseph Haydn.

Schubert était surtout connu pour ses mélodies ou chants (lieder, en allemand), dont il est devenu un maître inégalé. Les plus célèbres sont sans doute :

- *die Forelle* (en français : *la truite*) D 550 (1817)
- *die Schöne Müllerin* (*la Belle Meunière*), D 795, suite de 20 lieder (1823).
- *Ave Maria*, D 839 (1824)
- *die Winterreise (le Voyage d'hiver),* D 911, suite de 24 lieder (1827)
- *Schwanengesang (Chant du cygne),* D 957, suite de 14 lieder (1828)
- *der Hirt auf dem Felsen (le Pâtre sur le Rocher)*, D 965 (1828)

Schubert a composé aussi pour chœurs d'homme, pour chœurs de femmes, ainsi que de la musique sacrée, dont un oratorio et 6 messes.

Pour ce qui est de l'opéra et de la musique de scène en général, Schubert a essayé d'en composer tout au long de sa vie et en a achevé six sur une quinzaine commencés, mais il n'y a pratiquement qu'une seule de ces œuvres a avoir eu du succès, c'est la musique de scène avec ballets *Rosamunde* D 797 (1823). Son ouverture de *La Harpe Enchantée* D 644 (1820) est également très connue.

En plus de la musique vocale, Schubert apporta également un enrichissement considérable au répertoire des pianistes, ainsi que de la musique instrumentale, avec notamment :

■ Symphonies :

- Symphonie n°1 en ré majeur, D 82 (1813). Cette symphonie nous indique qu'à 16 ans, Schubert maitrisait déjà parfaitement la composition instrumentale. En voici quelques thèmes caractéristiques :

  - Symph. n°1, premier mouvement ; Après une introduction adagio, arrive un allegro vivace menant au thème principal :

- Symph. n°1, deuxième mouvement (Andante) :

- Symph. n°1, quatrième mouvement (Allegro vivace) :

- Symphonie n°2 en si bémol, D 125 (1815). Cette symphonie est dans un style très proche de Joseph Haydn, et plus particulièrement le mouvement lent avec le thème que voici.

  - Symph. n°2, deuxième mouvement (Andante) :

- Symphonie n°3 en ré majeur D 200 (1815)

- Symphonie n°4 en ut mineur, "tragique" D 417 (1816)

- Symphonie n°5 en si bémol, D 485 (1816). Avec cette symphonie, Schubert atteint déjà une maturité et une spécificité entière.

  - Symph. n°5, premier mouvement (Allegro) :

  - Symph. n°5, deuxième mouvement (Andante con moto) :

  - Symph. n°5, quatrième mouvement (Allegro vivace) :

- Symphonie n°6 en do majeur, D 589 (1818)

- Symphonie n°7 en mi majeur, D 729 (1821). Contrairement à d'autres symphonies commencées puis abandonnées par Schubert, les quatre mouvements de celle-ci ont été entièrement conçus puisqu'on a retrouvé les manuscrits de tous les thèmes. Mais pour ce qui est de l'orchestration, Schubert l'avait à peine commencée. Il est fort probable qu'il ait été absorbé par d'autres urgences, oubliant d'y revenir ensuite! Les thèmes étant intéressants, l'ébauche fut reprise en 1883 par le musicien Barnett qui compléta l'orchestration. Il en existe, depuis, au moins deux autres versions différentes.

- Symphonie n°8 en si mineur, dite l'*Inachevée*, D 759 (1822). On ignore si Schubert avait eu l'intention de compléter les deux mouvements par deux autres pour en faire une symphonie complète.
- Symphonie n°9 en ut majeur, D944, dite la grande (1825-1828)

Schubert avait l'intention de composer une dixième symphonie dont on trouva seulement des ébauches pour piano.

■ Musique de chambre :

Comme les célèbres chants (lieder), la musique de chambre de Schubert atteint aussi un niveau de perfection absolue, notamment avec :

- le quintette "de la truite", avec piano, violon, alto, violoncelle et contrebasse, D667 (1819), dont le quatrième mouvement (sur 5) reprend le thème du lied du même nom.
- le quatuor n°12, œuvre inachevée, appelé Quartettsatz, D703 (1820). C'est un quatuor magnifique dont on connaît bien le premier mouvement, le seul achevé.
- le quatuor n°13 "Rosamunde", D804 (1824). Le 2ème des 4 mouvements de ce quatuor reprend le thème utilisé par Schubert dans sa musique de scène "Rosamunde" composée l'année précedente. Ce même thème sera réutilisé de nouveau par Schubert dans le 3ème impromptu de l'opus 142. Et c'est le seul quatuor de Schubert édité de son vivant!
- le quatuor n°14 "la jeune fille et la mort", D810 (1824)
- la sonate "arpeggione", D821 (1824); à l'origine pour piano et arpeggione (remplacé aujourd'hui par un alto ou violoncelle)
- le trio avec piano n°1, D898 (1827)
- le trio avec piano n°2, D929 (1827), aussi numéroté opus 100, est une œuvre très connue, d'autant plus que le thème du deuxième mouvement (Allegro con moto) a été plusieurs fois utilisé dans des films, notamment Barry Lyndon.
- le quintette à cordes (alto, 2 violons, 2 violoncelles), D956 (1828). Composé peu de temps avant sa mort, ce quintette fait partie des chefs-d'œuvre de Schubert. Rappelons les thèmes du début des 3ème et 4ème mouvements:

  - 3ème mouvement de ce quintette de Schubert (Scherzo, presto) :

- 4ème mouvement (Allegretto) :

Pour le piano :

- des danses, des variations, pour piano à deux ou à quatre mains
- *Wanderer Fantasy* D 760
- 21 sonates (dont les trois dernières n°19 - D 958, n°20 - D 959 et n°21 - D 960, sont de 1828)
- 6 moments musicaux D 780 (Op.94), (1825-1827)
- 4 impromptus D 899 (connus sous la réf. Op.90), (1827)
- 4 impromptus D 935 (connus sous la réf. Op.142), (1827)
- 3 impromptus (klavierstûcke) D 946, (1828)

Voici un aperçu des thèmes des 4 impromptus de l'opus 90, puis des 4 impromptus de l'opus 142 (page reproduite avec l'aimable autorisation des éditions musicales Bärenreiter).

- D 899, Op.90 :

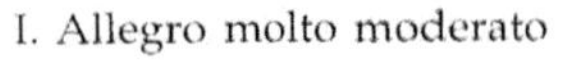

II. Allegro

III. Andante

IV. Allegretto

- D 935, Op.142 :

I. Allegro moderato

II. Allegretto .

III. Thema .

IV. Allegretto scherzando

Compositeur : **Johann Friedrich SCHUBERT**

Date et lieu de naissance / mort :

Décembre 1770 (Rudolstadt, en Allemagne, au sud de Weimar) / octobre 1811 (Mülheim)

Education, vie et œuvres :

Dès son enfance, il se montra très doué pour le violon et le basson. Il entra dans un orchestre à Berlin, puis en Pologne où il présenta en 1798 sa première composition importante, un opéra qui fut très apprécié.

En 1804 il s'installa à Mülheim où il composa entre autres un concerto pour violon et un concerto pour clarinette et basson.

Compositeur : **Joseph SCHUBERT**

Date et lieu de naissance / mort :

1757 (Warnsdorf, en Bohème) / 1837 (Dresde)

Education, vie et œuvres :

On connaît trop peu sur la vie de ce violoniste, altiste et compositeur tout à fait contemporain de Mozart et Beethoven. Pourtant il a composé 4 opéras et de nombreuses œuvres instrumentales, dont un concerto en ut pour alto que l'on entend parfois encore de nos jours.

Compositeur : **Ignaz SCHUSTER**

Date et lieu de naissance / mort :

20 juillet 1779 (Vienne) / 6 novembre 1835 (Vienne)

Education, vie et œuvres :

Essentiellement un acteur et chanteur, il composa aussi quelques chants à partir de 1804. On le connaît surtout du fait de sa participation active à la cérémonie des funérailles de Beethoven dont il était un fervent admirateur.

Compositeur : **Joseph SCHUSTER**

Date et lieu de naissance / mort :

11 août 1748 (Dresde) / 24 juillet 1812 (Dresde)

Education, vie et œuvres :

Il eut ses premières leçons de musique de son père, musicien. Puis il obtint une bourse pour poursuivre ses études musicales en Italie avant de revenir à Dresde pour y faire une carrière musicale.

En 1774 Joseph Schuster retourna en Italie, étudia la composition avec le Padre Martini, à Bologne. Ses premiers opéras rencontrèrent du succès à Naples et à Venise.

A partir de 1787, il accepta un poste de Kapellmeister à Dresde et participa activement à l'organisation de la vie musicale dans cette ville, introduisant les œuvres de Haydn et de Mozart, compositeurs l'ayant également beaucoup inspiré pour ses propres œuvres.

Il a composé une vingtaine d'opéras, des messes, des oratorios, 9 symphonies, des concertos et de la musique de chambre.

Compositeur : **Fernando SOR**

Date et lieu de naissance / mort :

février 1778 (Barcelone) / 10 juillet 1839 (Paris)

Education, vie et œuvres :

Son nom complet était Joseph Fernando Macari Sor. Dès son enfance, il se passionna pour la musique et la guitare classique. Mais ses parents souhaitant qu'il fasse carrière dans l'armée, il s'y engagea et se retrouva en poste à Madrid. Là, il eut l'opportunité de se rapprocher du cercle musical de la ville, et il finit par quitter l'armée pour faire carrière dans la musique.

Fernando Sor avait aussi le don pour la composition. Ses premières compositions furent évidemment pour la guitare, mais aussi un opéra, en 1797.

Il s'était montré très favorable à Napoléon. Par conséquent, lors de la défaite de l'armée française en Espagne, il quitta le pays pour s'établir définitivement à Paris, où il fut très bien accueilli en tant que bon guitariste et compositeur.

Parmi ses œuvres figurent également plusieurs ballets, de la musique de chambre, dont 3 trios à cordes avec guitare, un concerto pour violon et une symphonie.

Compositeur : **Johannes SPERGER**

Date et lieu de naissance / mort :

23 mars 1750 (Felsberg) / 13 mai 1812 (Ludwigslust)

Education, vie et œuvres :

Felsberg, qui était alors une ville allemande, est devenue ensuite une ville tchéque "Valtice".

Après avoir appris la musique dans sa ville natale, Johannes Sperger alla se perfectionner auprès du célèbre professeur de musique, Albrechtsberger à Vienne où il commença à composer ses premiers concertos et symphonies. Il était un contrebassiste remarquable, avec des engagements dans divers orchestres européens pour lesquels il composait des œuvres appréciées à l'époque, dont 45 symphonies, 18 concertos pour contrebasse et de nombreuses œuvres diverses, ainsi que de la musique de chambre.

Compositeur : **Louis (Ludwig) SPOHR**

Date et lieu de naissance / mort :

5 avril 1784 (Brunschweig, anciennement Brunswick, Alemagne) / 22 octobre 1859 (Kassel, anciennement Cassel, Allemagne)

Education, vie et œuvres :

Fils d'un médecin, il reçut des leçons de musique dès son jeune âge, d'autant plus que ses parents aimaient et pratiquaient la musique. A six ans il apprit le violon très rapidement et montra aussi des dons pour la composition.

A 15 ans il fut engagé comme violoniste à la cour de Brunswick (ville de la région allemande qui était alors le duché de Braunschweig, non loin de Hanovre). Il s'intéressa beaucoup à l'opéra comique à la française, puis aux opéras de Mozart. Il fut aussi très impressionné et influencé par le violoniste et compositeur Pierre Rode.

De 1805 à 1812, il occupa un poste de directeur musical à Gotha, période où il composa de nombreuses symphonies et des concertos, ainsi que ses premiers opéras. Sa direction d'orchestre, avec une baguette, pratique rare encore à l'époque, était également très appréciée.

Son mariage avec une harpiste, en 1806, lui donna l'occasion d'écrire aussi deux concertos pour harpe. Le couple voyageait souvent ensemble, donnant des concerts à travers l'Europe.

De 1813 à 1815, Spohr dirigea un théâtre à Vienne. Il y rencontra Beethoven dont il devint un grand admirateur. A partir de 1822, il eut un engagement à vie pour diriger le théâtre de Kassel. Dès lors, il contribua au développement de la vie musicale de cette ville, tout en continuant à composer et à enseigner le violon à un très haut niveau.

A la mort de son épouse, en 1834, il connut quelques années difficiles avant de retrouver son succès et l'accueil chaleureux du public à partir de 1840, en Allemagne et ailleurs en Europe, particulièrement à Londres.

En 1857, se sentant vieux et n'ayant plus d'inspiration pour la composition, Spohr prit sa retraite, comme cela était prévu dans son contrat avec la ville de Kassel, ville qui lui rendra un grand hommage à sa mort deux années plus tard.

Parmi les œuvres de Spohr, notons 10 symphonies, 15 concertos pour violon, 10 concertos pour autres instruments dont 4 pour clarinette, une dizaine d'opéras, notamment *Faust* (1813), *Zemire und Azore* (1819), *Jessonda* (1823), qui eurent beaucoup de succès. Il composa aussi des oratorios et beaucoup de musique de chambre. Plusieurs de ses œuvres sont encore au répertoire des orchestres d'aujourd'hui, notamment ses concertos pour clarinette. On pourrait encore écouter avec grand plaisir ses concertos pour violon et quelques-unes de ses symphonies.

Compositeur : **Gaspare SPONTINI**

Date et lieu de naissance / mort :

14 novembre 1774 (Maiolati) / 24 janvier 1851 (Maiolati)

Education, vie et œuvres :

Né dans une famille nombreuse et pauvre dans ce village du centre de l'Italie, Gaspare Spontini était pris en charge par les religieux pour qu'il devienne prêtre. En raison de ses dons pour la musique il entra à 19 ans dans un conservatoire à Naples où il se passionna pour la composition d'opéras. Son premier opéra, *Li punigli delle donne* fut produit à Rome en 1796. Ce fut sans doute un grand succès puisqu'on lui commanda, dès lors, des opéras dans plusieurs villes de l'Italie. A Naples, Cimarosa apprécia son talent, l'encouragea et lui donna de précieux conseils durant les cinq années que le jeune Spontini passa dans cette ville. Puis il séjourna à Palerme où il fit la connaissance de la famille des Bourbons qui avait fui Naples (ville qui s'était révoltée contre l'occupation française).

En 1803, Spontini s'installa à Paris! Il s'adapta au style d'opéras apprécié à Paris et gagna l'estime de l'impératrice Joséphine, nouant avec elle une grande amitié réciproque qui durera même après la séparation en 1809 des époux Napoléon suite à laquelle elle perdit son titre d'impératrice.

En 1810, Spontini épousa Céleste Erard et fut nommé cette même année directeur du théâtre des Italiens. Il y mena une activité musicale très intense durant deux ans avant de démissionner suite à des mésententes et calomnies, d'autant plus qu'il n'avait plus le soutien de l'Empereur.

A la Restauration, Spontini renoua contact avec la Cour, qui le soutint et lui accorda même la nationalité française en 1817. Mais il sentait que le temps de ses succès à Paris touchait à sa fin. Par contre, il eut le sentiment de pouvoir trouver le succès à Berlin où il savait que le roi Friedrich Wilhelm III appréciait ses œuvres.

En 1820 il quitta donc Paris et s'installa à Berlin. Mais il se rendit compte très vite que la situation à Berlin n'était pas plus paisible qu'à Paris. Il fut confronté à une forte opposition en faveur de compositeurs d'opéras plus récents. Enfin, en 1840, avec le décès du Roi qui l'avait soutenu et accordé un salaire régulier, sa situation devint difficile. Il décida donc, en 1842, de revenir vivre à Paris. Il eut quelques succès, mais à partir de 1847 il commença à avoir des problèmes de santé et de surdité.

En 1850, il décida de rentrer dans sa ville natale où il fut reçu avec beaucoup d'honneurs. Il y mourra l'année suivante.

Compositeur : **Anton STADLER**

Date et lieu de naissance / mort :

Juin 1753 (Bruck an der Leitha, près de Vienne) / Juin 1812 (Vienne)

Education, vie et œuvres :

Grand clarinettiste pour lequel Mozart composa le quintette K.452 et le concerto K.622. Anton Stadler fut aussi compositeur, notamment de musique de chambre.

Compositeur : **Abbé Maximilian STADLER**

Date et lieu de naissance / mort :

4 août 1748 (Melk, Autriche, entre Vienne et Linz) / 8 nov. 1833 (Vienne)

Education, vie et œuvres :

Dès 10 ans, il fut enfant de chœur et apprit rapidement à jouer de plusieurs instruments. Il eut l'occasion de prendre des leçons du grand maître Albrechtsberger, à Vienne. Puis il étudia la théologie et devint prêtre à 24 ans. Il eut des responsabilités ecclésiastiques dans plusieurs villes d'Autriche où il encourageait aussi le développement musical, puis il s'établit à Vienne en 1786 où il collabora étroitement avec Constanze Mozart et avec Nissen qui tachait d'établir le premier catalogue des œuvres de Mozart.

L'Abbé Stadler était lui-même un musicien et compositeur respecté et entretenant de bonnes relations avec Haydn, Beethoven, Schubert et autres compositeurs vivant à Vienne à cette époque. Une grande partie de ses œuvres sont liturgiques.

Compositeur : **Anton STAMITZ**

Date et lieu de naissance / mort :

27 novembre 1750 (Bohème) / 1789 (région parisienne)

Education, vie et œuvres :

Anton, jeune frère de Carl Stamitz, est né lors d'un voyage de la famille en Bohème. Comme Carl, il se révéla également très doué pour le violon. En 1770, il accompagna son frère lors du voyage à Paris et s'installa dans cette ville où il se maria et y fit une grande carrière de violoniste et de compositeur.

Dans une lettre à son père, Mozart, en visite à Paris en 1778, se montre particulièrement critique à l'égard de Stamitz. Il semblerait que ses critiques très sévères étaient surtout à propos du genre de vie que menait Stamitz (abus de jeux et de débauche, etc..).

Cependant, Anton Stamitz était alors professeur de musique réputé. Et parmi ses élèves, il y avait un enfant surdoué, nommé Kreutzer. De plus, il était apprécié à la Cour de Versailles et il semblerait qu'il y ait séjourné, au moins partiellement, de 1782 à 1789. Puis survint la révolution française et en même temps la disparition d'Anton Stamitz, mort probablement au début de ces événements.

Parmi ses œuvres figurent principalement des concertos pour violon et aussi quelques symphonies et de la musique de chambre.

Compositeur : **Carl STAMITZ**

Date et lieu de naissance / mort :

1745 (Mannheim) / 9 novembre 1801 (Iéna)

Education, vie et œuvres :

Fils du compositeur Allemand Johann Stamitz, mort alors que Carl n'avait que 11 ans, il apprit le violon et devint membre de l'orchestre de Mannheim à partir de 1762. En 1770, il fit un voyage à Paris où il fut engagé par le Duc de Noailles, ce qui lui donna la possibilité de composer, y compris pour la Cour de Versailles, mais aussi de voyager dans d'autres grandes villes européennes, donnant des concerts et publiant de nouvelles compositions.

En 1789, il épousa une allemande, Maria-Josepha Pilz, presque vingt ans plus jeune que lui (mais qui mourra jeune, quelques mois avant lui). Ils s'installèrent à Greiz, près de Leipzig; ils eurent un fils, puis une fille, mais la santé de son épouse et de ses enfants devenant fragile, Stamitz renonça souvent aux opportunités d'engagements de concerts dans les grandes villes d'Allemagne et ailleurs.

En 1795, la famille Stamitz s'installa à Iéna (Jena), ville un peu plus importante dans la même région, et dont l'université l'engageait comme professeur de musique. Cela lui donnait les moyens de vivre, sans pour autant couvrir les dettes importantes déjà contractées. Quelques années plus tard, il mourut ainsi dans la misère.

Pourtant, sa musique instrumentale est impressionnante par le nombre et souvent par la qualité : plus de 50 symphonies, 38 symphonies concertantes, 15 concertos pour violon, 10 concertos pour clarinette, nombreux autres concertos et musique de chambre.

Un certain nombre de ses œuvres se sont égarées, mais d'autres sont encore aujourd'hui au répertoire des orchestres et des musiciens solistes.

Compositeur : **Jan STEFANI**

Date et lieu de naissance / mort :

1746 (Prague) / 24 février 1829 (Varsovie)

Education, vie et œuvres :

Après ses premières études à Prague, il alla se perfectionner en musique en Italie. Puis on l'engagea comme violoniste à Vienne. En 1779, il s'établit en Pologne où la Cour de Varsovie l'engagea comme violoniste et chef d'orchestre. Dès lors il composa de nombreuses "polonaises" pour orchestre et de la musique sacrée. Mais il est surtout connu comme un grand créateur d'opéras polonais.

Son fils, **Jozef Stefani** (1800 - 1876), fut également violoniste, chef d'orchestre et compositeur d'opéras comiques, de ballets, ainsi que de messes.

Compositeur : **Daniel STEIBELT**

Date et lieu de naissance / mort :

22 octobre 1765 (Berlin) / 20 sept. 1823 (St-Petersbourg)

Education, vie et œuvres :

Fils d'un fabricant de clavecins et de pianos, le jeune Daniel Steibelt maîtrisa très vite le piano et montra des dons pour la composition. A 18 ans, après un court passage dans l'armée, Steibelt fuit la Prusse, séjourna à Vienne, puis à Munich où il publia ses premières sonates en 1788.

Deux ans plus tard, il s'installa à Paris où il fut bien accueilli. Puis un différend avec son éditeur parisien le décida d'aller à Londres en 1796. Il y trouva beaucoup de succès comme pianiste et comme compositeur.

Son deuxième opéra *Albert and Adelaide* fut créé au Covent Garden à Londres en 1798. Son troisième concerto pour piano (1799) remporta un très grand succès.

La même année, Steibelt épousa une jeune pianiste anglaise.

Puis sa vie musicale fut partagée entre Londres et Paris, jusqu'à son engagement à la Cour de St Petersbourg en 1810 où il vécut jusqu'à la fin de sa vie. Là il dirigea et composa pour l'Opéra français.

Steibelt écrivit aussi un grand nombre de sonates pour piano, ainsi que des valses, des divertissements, des pots-pourris, etc... Il interpréta en 1820 son huitième et dernier concerto pour piano, concerto qui se termine par une chorale.

A sa mort en 1823, St Petersbourg lui rendit un grand hommage et accorda une aide à sa famille, et cela malgré un jugement controversé concernant sa vie, le caractère et l'honnêteté du personnage et des interrogations sur ses œuvres de valeur très inégale, mais dont certaines sont d'excellente qualité.

Compositeur : **Josef STEPAN (STEFFAN)**

Date et lieu de naissance / mort :

Mars 1726 (Bohème) / 12 avril 1797 (Vienne)

Education, vie et œuvres :

Fils d'un musicien, il fuit la Bohème lors d'une invasion de l'armée de Prusse lorsqu'il avait 15 ans. Dès lors il s'installa définitivement à Vienne où il put développer ses talents de musicien, jouant du violon et le clavecin.

Il enseigna la musique et composa d'abord des œuvres didactiques, puis des sonates et autres œuvres pour clavier, y compris des concertos, œuvres dans le style de l'époque qui font penser à Haydn et Mozart.

Il fut probablement un précurseur dans un autre style viennois : le lied.

Compositeur : **Johann STRAUSS**

Date et lieu de naissance / mort :

1804 (Vienne, Autriche) / 1849 (Vienne)

Education, vie et œuvres :

La nom de Johann Strauss (père) est étroitement lié aux valses de Vienne, qu'il composa et interpréta en association avec son ami et rival Joseph Lanner à partir des années 1820. Il composa également des marches, quadrilles, polkas, galops...

Il s'opposait fermement à ce que son fils (Johann Strauss fils) fasse le même métier que lui, et l'obligea à devenir employé de banque. Mais Johann Strass fils était trop attiré par la musique. Mais la passion de la musique était trop forte. Il continua donc le domaine où excellait son père, et écrivit aussi plusieurs opérettes qui eurent beaucoup de succès.

Compositeur : **Franz Xaver SÜSSMAYR**

Date et lieu de naissance / mort :

1766 (Schwanenstadt, Autriche) / 17 septembre 1803 (Vienne, Autriche)

Education, vie et œuvres :

Fils d'un instituteur et maître d'une chorale, il eut sa première formation musicale par son père. A l'âge de 13 ans, il poursuivit sa formation au monastère de Kremsmunster, où l'éducation était d'un excellent niveau. Il apprit à jouer le violon, l'orgue et la maîtrise du chant. Cette école avait même une section étudiant l'opéra et autres musiques pour la scène. C'est là que Süssmayr se découvrit également des talents de compositeur, avec des compositions religieuses, mais aussi quelques opéras, et plus particulièrement le dernier de cette époque, un opéra incluant un ballet : *Nicht mehr als sechs schusseln* (1788).

Puis il s'installa à Vienne, travaillant comme musicien, et décida (vraisemblablement en 1790) de prendre des leçons auprès de Mozart afin de se perfectionner en composition.

Et lorsque les commandes à Mozart affluèrent, enfin, dès le début de 1791, celui-ci trouva très utile la présence à ses cotés d'un élève aussi expérimenté que Süssmayr pour l'aider à faire certaines orchestrations et copies pour terminer à temps *La Clémence de Titus*, puis *La Flûte Enchantée*, et même d'accompagner sa femme Contanze à Baden en cette même année. Car Mozart était lui-même épuisé, travaillant presque nuit et jour.

Et il y avait cette fameuse commande pour le Requiem qui tourmentait Mozart, ayant alors un pressentiment de sa propre mort. Mozart en avait écrit une partie, entièrement, mais sur son lit de mort, il dut se contenter de communiquer à Süssmayr sa conception exacte de presque toutes les parties qui restaient à terminer.

Immédiatement après la mort de Mozart, sa veuve demanda à Süssmayr de terminer l'oeuvre et la livrer, comme l'avait exigé Mozart. Süssmayr en avait fait des copies et a eu alors quelques prétentions de droits d'auteur auprès des éditeurs, ce qui entraîna la colère de Constanze Mozart. Süssmayer n'abandonna sa réclamation qu'en 1800. Il commençait à abuser de l'alcool et souffrait de la tuberculose dont il mourra trois ans plus tard.

Après la mort de Mozart, donc à partir de 1792, Süssmayr occupa des fonctions musicales importantes à Vienne et eut du succès avec ses compositions, notamment avec des opéras et musiques de scène s'inspirant de la Flûte Enchantée de Mozart.

Cependant, les deux dernières années de sa courte vie furent difficiles. Il était malade et ses œuvres n'intéressaient plus.

Compositeur : **Giuseppe TARTINI**

Date et lieu de naissance / mort :

8 avril 1692 (Pirano, Italie) / 26 février 1770 (Padoue)

Enfance et éducation :

Fils de Giovanni Antonio Tartini, de Florence, il n'est pas issu d'une famille de musiciens. Ses parents le destinaient plutôt à une carrière ecclésiastique. On connaît très peu sur son enfance et ne savons pas comment débuta son intérêt pour la musique et sa passion pour le violon.

Vie adulte :

Tout en faisant des études de droit, il s'intéressa très tôt à l'apprentissage de sa passion : le violon. Sa deuxième passion paraît être l'escrime ! En 1710, rompant avec la carrière ecclésiastique, il épousa Elisabetta Premazore. A partir de 1714 il s'engagea dans des orchestres d'opéra, notamment celui d'Ancona. Quelques années plus tard, il se sépara de son épouse sous prétexte qu'il devait se consacrer entièrement à l'amélioration de sa technique de virtuose.

L'école de violon qu'il créa à Padoue en 1727 connut rapidement un grand succès et les élèves y venaient de plusieurs pays d'Europe.

Oeuvres :

Il n'existe pas un classement général et complet des œuvres de Guiseppe Tartini. On y trouve :

- de nombreux concertos, notamment pour violon
- de nombreuses sonates pour un, deux ou trois violons
- de nombreuses variations, dont la célèbre «Trille du diable»
- des œuvres vocales : quelques œuvres de musique sacrée, notamment un Stabat Mater composée à la fin de sa vie.

Compositeur : **Georg Philipp TELEMANN**

Date et lieu de naissance / mort :

14 mars 1681 (Magdeburg) / 25 juin 1767 (Hambourg)

Enfance et éducation et vie :

Une longévité de vie très exceptionnelle pour l'époque a fait de ce compositeur un contemporain de Jean-Sébastien Bach, mais aussi de Haydn et même du très jeune Mozart. Ses autobiographies permettent de connaître le parcours de ce compositeur.

Il est rare qu'un grand musicien soit issu d'une famille où il n'y avait pas de musiciens. Le père, Heinrich Telemann, était directeur d'école avant de devenir prêtre protestant puis d'épouser la fille d'un autre prêtre protestant en 1669. Il mourut en 1685 et sa femme dût élever et éduquer seule le petit Georg et son frère aîné.

A l'école, on lui donna aussi une éducation musicale, apparemment sous l'initiative de sa mère et il apprit très vite à jouer des instruments comme le violon, la flûte et le clavecin. A 12 ans, on trouva qu'il s'intéressait trop à la musique et voulait écrire un opéra. Un changement d'école ne l'empêcha pas de s'intéresser à la musique, tout en poursuivant des études classiques.

A 20 ans, il entra à l'université de Leipzig afin d'étudier le droit, comme le souhaitait sa mère. Mais ses compositions musicales furent découvertes et le Maire de Leipzig lui commanda d'écrire régulièrement des œuvres de circonstance.

Deux ans plus tard on lui proposa de devenir le directeur musical de l'opéra de la ville. Telemann en profita pour écrire et présenter ses propres opéras. Il en composera une vingtaine entre 1708, d'abord à Leipzig, puis à Hambourg, jusqu'en 1761.

Il vécut quelques années en Pologne, puis dans différentes villes allemandes avant de s'établir à Hambourg en 1721 où sa fonction l'obligeait à écrire deux cantates par semaine en plus des messes et oratorios.

Telemann a bien connu la famille Bach, ainsi que Haendel avec lequel il entretenait des relations amicales durables.

En 1737, Telemann fit un long séjour à Paris. Comme Haendel, Telemann était à l'époque considéré à travers l'Europe comme l'un des plus grands compositeurs.

Il contribua aussi à faire connaître en Allemagne le style musical français de cette période.

A part les opéras et les cantates, les œuvres de Telemann comprennes de nombreux concertos, des sonates et de la musique de chambre.
Il écrivit également trois autobiographies, dont le dernier, très intéressant, date de 1739, donc bien avant la fin de sa vie.

Compositeur : **Vaclav Jan TOMASEK**

Date et lieu de naissance / mort :

17 avril 1774 (Scutec, Bohème) / 3 avril 1850 (Prague)

Education, vie et œuvres :

Vaclav Tomasek, connu en Allemagne sous le nom de Wenzel Tomaschek, était le treizième enfant d'un tisserand, habitant Scutsch, aujourd'hui Skutec, en république tchèque.

Ses dons pour la musique furent remarqués dès l'âge de 4 ans. Il apprend le violon, puis le piano. A partir de 16 ans, il poursuit ces études à Prague. A l'université, il suit des cours de droit et de musique, et s'intéresse à la composition.

Vers 30 ans, il abandonne la carrière juridique car il obtient un engagement intéressant pour enseigner la musique.

Son enseignement et ses compositions eurent beaucoup de succès. Il était aussi un pianiste très apprécié.

Parlant très bien l'allemand, il mit en musique des poèmes de Goethe et de Schiller et noua d'excellentes relations avec les compositeurs allemands et autrichiens.

Il avait une admiration pour Bach, Haydn et Mozart, qui ont sans doute influencé son style de composition. Puis il s'intéressa beaucoup à la musique de Beethoven.

Parmi ses compositions, on notera plus particulièrement :

- un Requiem (1820)
- trois symphonies (1801, 1805, 1807)
- deux concertos pour piano (1803, 1805)

et, bien sûr, des chants, des sonates et de la musique de chambre.

Compositeur : **Francesco UTTINI**

Date et lieu de naissance / mort :

1723 (Bologne, Italie) / octobre 1795 (Stockholm, Suède)

Education, vie et œuvres :

Francesco Antonio Uttini apprit la musique à Bologne, profitant de l'enseignement du Padre Martini. A 20 ans il composa son premier opéra *Alessandro nelle Indie*, sur un livret de Pietro Metastasio (dit Métastase en France), opéra qui fut représenté à Gènes. Et le succès lui permit de continuer l'écriture d'une vingtaine d'opéras durant les 30 années suivantes, souvent sur des livrets de Métastase.

Uttini composa également 6 oratorios, une messe, un Te Deum, 5 symphonies, un concerto pour flûte, des sonates et de la musique de chambre. Ce sont souvent des œuvres très agréables, mais dont les enregistrements sont malheureusement encore très rares.

Compositeur : **Johann VANHAL**

Date et lieu de naissance / mort :

1739 (Bohème, près de Prague) / 20 août 1813 (Vienne)

Education, vie et œuvres :

Jan Kotitel Vanhal est né dans une famille de paysans. On ignore les détails de sa jeunesse et comment on découvrit ses talents exceptionnels pour la musique. A l'école il apprit très vite à jouer bien le violon et à bien parler l'allemand (sa langue d'origine était le tchèque).

Il révéla aussi d'excellents dons de compositeur et on l'encouragea, en 1761, à aller se perfectionner à Vienne, notamment avec Dittersdorf.

A Vienne, il trouva aussi un poste de violoniste, et commença également à être connu comme compositeur. En allemand, son nom devint Johann Baptist Vanhal.

Vanhal vivait libre de son travail en tant que musicien et professeur de musique, d'ailleurs très apprécié. Ainsi, ce fut un des rares musiciens libres de cette époque, comme le sera Mozart un peu plus tard, durant la dernière partie de sa vie.

Pour s'initier aussi à l'opéra, Vanhal fit un long séjour en Italie, puis pris quelques leçons de Gluck.

A partir de 1770, Vanhal commença à avoir occasionnellement des troubles de santé, craignant un désordre mental, ce qui le décida de s'absenter de Vienne durant 10 ans.

Vanhal fut un compositeur très considéré à l'époque. C'était un contemporain de Joseph Haydn et son style rappelait souvent le style de Haydn. Haydn et Mozart l'ont bien connu à Vienne.

Comme Haydn, Vanhal a écrit un grand nombre de symphonies (80, plus probablement quelque symphonies égarées ou d'identification incertaine).

Il écrivit aussi quelques concertos dont un pour violon, que Mozart interpréta durant un de ses voyages.

Ses compositions après 1780 se sont plus orientées vers la musique religieuses.

Compositeur : **Francesco VERACINI**

Date et lieu de naissance / mort :

Février 1690 (près de Florence) / octobre 1768 (Florence)

Education, vie et œuvres :

Il apprit le violon avec son oncle Antonio qui était violoniste et compositeur. La famille Veracini comptait aussi d'autres musiciens et également des artistes peintres de grande qualité.

A 21 ans on le connaissait déjà comme excellent violoniste, et compositeur d'un concerto pour violon très apprécié.

Il composa ensuite de nombreuses oeuvres pour violon, mais aussi un oratorio et quelques ouvertures.

Veracini fit de longs séjours à Londres et à Dresde, interprétant ses oeuvres, y compris les opéras *Adriano in Siria* (1735), *la Clemenza di Tito* (1737), *Partenio* (1738), *Roselinda* (1744)...

Compositeur : **Giovanni Battista VIOTTI**

Date et lieu de naissance / mort :

12 mai 1755 (Fontanetto Po, Italie) / 3 mars 1824 (Londres)

Education, vie et œuvres :

Le père était probablement forgeron à Fontanetto Po, petite ville entre Turin et Milan. On ignore comment, à partir de là, le petit Giovanni, à 11 ans, fut déjà remarqué pour son talent de violoniste par la cour de Turin où on lui offrit des leçons, durant quelques années, y compris de grands maîtres comme Pugnani.

A partir de 1775 il fit partie de l'orchestre de la Chapelle Royale de Turin. Puis il participa à une grande tournée européenne avec Pugnani, qui se terminait par Paris, en 1782. Et là, Viotti obtint un tel succès qu'il décida d'y rester.

Il fut très apprécié par la Cour et notamment par la reine Marie-Antoinette; ce qui lui entraînera de grandes difficultés à la Révolution.

Il se réfugia donc à Londres en 1792, où il occupa immédiatement une position importante dans la vie musicale de cette ville.

Puis en 1798 il fut accusé d'espionnage et dut passer trois ans en Allemagne en attendant que l'affaire soit éclaircie et qu'il soit lui-même disculpé.

Mais son retour à Londres en 1801 ne fut pas heureux car il prit une participation dans une affaire de négoce de vins, ce qui le conduisit à la ruine!

En 1818, avec l'arrivée du roi Louis XVIII, Viotti revint à Paris. De 1819 à 1822 il dirigea l'opéra de Paris puis le Théâtre Italien, jusqu'à ce que des intrigues contre lui l'amènent à démissionner.

Epuisé et ruiné, il revint à Londres en 1823, et mourra peu de temps après, dans une grande indifférence.

Viotti a été un des plus grands violonistes de cette époque. Il eut une grande influence sur l'interprétation et la composition pour violon; influence dont profiteront les grands compositeurs, comme Beethoven pour son concerto pour violon et orchestre.

Plusieurs de ses 29 concertos pour violon sont remarquables.

Il composa également de la musique de chambre, des sonates pour violon, quelques sonates pour piano, et deux symphonies concertantes.

Compositeur : **Georg Joseph (Abbé) VOGLER**

Date et lieu de naissance / mort :

15 juin 1749 (près de Würzburg, Allemagne) / 6 mai 1814 (Darmstadt)

Education, vie et œuvres :

Fils d'un violoniste et facteur d'instruments de musique, il fit des études de théologie et fut engagé pour diriger les affaires sociales à la cour de Mannheim, où il contribua aussi au développement de la vie musicale, car il était excellent musicien, compositeur et virtuose du clavier. Cela incita le prince électeur de Mannheim à envoyer Vogler en Italie, en 1773, afin de perfectionner ses connaissances musicales. A Bologne, il assista à quelques leçons du Padre Martini, mais Vogler avait déjà des idées plus avancées sur la musique.

A son retour à Mannheim, en 1775, il se remit au service du prince électeur qui l'aida alors à fonder une école de musique. Il écrivit des traités sur l'enseignement de la musique. En 1783, il présenta ses méthodes à Paris et à Londres.

En 1786, Vogler quitta ses fonctions pour se mettre au service du Roi de Suède qui lui offrait un contrat intéressant et lui permettant la possibilité de s'absenter pour donner des concerts ailleurs. A la fin du contrat de 10 ans, Vogler voyagea beaucoup, donnant des concerts et aussi des conférences sur la musique, avant de terminer sa vie au service du duc de Darmstadt comme musicien et conseiller ecclésiastique.

A part ses écrits théoriques sur la musique, Vogler composa des opéras, des messes et autres œuvres sacrées, des concertos (piano, violon-violoncelle, trompette), une symphonie, de la musique de chambre et autres.

Compositeur : **Jan Vaklav VORISEK (WORISCHEK)**

Date et lieu de naissance / mort :

11 mai 1791 (Bohème) / 19 novembre 1825 (Vienne)

Education, vie et œuvres :

Son père dirigeait l'école et la chorale du village nommé Vamberk où est né Jan Vorisek. L'enfant apprit très vite à jouer du violon, du piano et de l'orgue. On apprécia dès son jeune âge son interprétation des œuvres de Mozart, ainsi que des morceaux de sa propre composition. Ses études furent complétées à l'université de Prague où, parallèlement à la musique, il étudia le droit. Son admiration pour Beethoven l'attira ensuite à Vienne.

En 1818 on lui confia la direction d'un orchestre important à Vienne, ce qui lui donna l'occasion de connaître les grands musiciens et compositeurs, y compris Beethoven et Schubert.

Vorisek enseignait aussi la musique et son enseignement était généralement apprécié.

En 1822, il obtint un poste de musicien à la cour, mais il dût y renoncer à peine deux années plus tard suite à l'aggravation d'un mal dont il souffrait depuis quelques années. Beethoven s'en inquiéta profondément et lui envoya son propre médecin, mais on ne trouva pas de remède à son mal qui conduisit à la mort de ce jeune compositeur à l'âge de 34 ans.

Parmi ses œuvres figurent une intéressante symphonie, une messe, des chants sacrés, une sonate pour violon, de nombreuses œuvres diverses pour piano.

Compositeur : **Georg Christoph WAGENSEIL**

Date et lieu de naissance / mort :

29 janvier 1715 (Vienne, Autriche) / 1 mars 1777 (Vienne)

Education, vie et œuvres :

Le père était au service de la Cour Impériale. Georg Wagenseil sut rapidement maîtriser le clavier et montrer des talents de compositeur. Il obtint ainsi une bourse d'études musicales.

A l'âge adulte, il fut engagé comme musicien et compositeur à la Cour de Vienne, et il occupa ce poste jusqu'à la fin de sa vie.

Ses premières œuvres importantes furent des messes, à partir de 1736, puis ce fut un opéra, *Ariodante*, créé à Venise en 1745.

A partir de 1756, un éditeur parisien publia ses premières symphonies, puis des concertos, notamment pour clavecin ou orgue. Mozart enfant a joué des œuvres de Wagenseil, notamment un concerto lors de ses concerts.

A partir de 1765, il commença à perdre sa grande maîtrise du clavier à la suite de crises de goutte affectant ses mains.

Parmi ses œuvres, il y a les messes, 3 oratorios, un très grand nombre de symphonies, des concertos (souvent pour clavecin et une petite formation), des sonates pour clavier, de la musique de chambre, et 15 opéras, dont *Ariodante* (1745), *La clemenza di Tito* (1746), *Demetrio* (1746), *Andromeda* (1750), *Euridice* (1750), *Prometeo assoluto* (1762), *Merope* (1766).

Compositeur : **Carl Maria von WEBER**

Date et lieu de naissance / mort :

Novembre 1786 (Eutin) / 5 juin 1826 (Londres)

Education, vie et œuvres :

Son père, Franz Anton Weber (1734-1812), était lui même musicien et compositeur. Carl Maria est né d'un second mariage lorsqu'il était maître de chapelle à Eutin, près de Lübeck, dans le nord de l'Allemagne. Franz Anton était le jeune frère de Fridolin Weber dont la fille, Constanze, épousa Mozart.

Carl Maria, enfant chétif, se montra très doué pour la musique et il n'avait pas encore 12 ans lorsqu'il fut envoyé à Salzbourg pour une formation musicale auprès de Michael Haydn. Là, il composa déjà des pièces pour piano. Puis il poursuivit l'étude de la musique à Munich. Son premier opéra, composé en 1798, fut égaré. Son deuxième opéra fut représenté à Freiberg alors qu'il avait juste 14 ans.

En 1803, il fit un long séjour à Vienne où il suivit l'enseignement de l'Abbé Vogler.

Vers ses 18 ans, Weber composait beaucoup et son talent était reconnu, mais en même temps, son caractère controversé ou difficile l'amenait à changer souvent de lieu ou de fonction. Enfin il put s'établir à Stuttgart où il avait trouvé une place agréable de musicien à la cour, jusqu'à ce qu'en 1810, son père, âgé de 75 ans, vint le rejoindre mais qui, à peine arrivé, commit une indélicatesse (ou une fraude) vis à vis de la cour; et père et fils furent aussitôt chassés de Stuttgart!

On le trouve ensuite à Mannheim, puis Heidelberg et enfin à Darmstadt, où il fit la connaissance d'un clarinettiste, instrument qui marquera désormais de nombreuses œuvres de Weber.

Après des concerts donnés dans plusieurs villes, Weber mit fin à sa vie itinérante en acceptant un poste à Prague en 1813. Malgré des problèmes de santé, il travailla activement à réorganiser le fonctionnement de l'opéra. Après un travail acharné et malgré quelques oppositions farouches, il réussit à imposer ses réformes.

Mais l'instabilité de Weber était toujours présente. En 1816, il démissionnait de Prague pour s'établir à Berlin, accompagné de sa future femme Caroline, cantatrice (qui amenait aussi avec elle, sa mère).

L'année suivante, il s'établit à Dresde où il occupa une fonction à la direction de l'opéra. Ses efforts en faveur de l'opéra allemand réussirent, et cela, malgré l'opposition acharnée des inconditionnels de l'opéra obligatoirement italien. Son opéra "der Freischütz" fut un grand succès lors de sa création à Berlin, puis à Dresde.

Dès la fin de 1823, la tuberculose dont il se savait atteint, commençait à l'affaiblir sérieusement et l'obligeait à réduire ses activités.

En 1824, il reçut une commande d'Angleterre pour un opéra "*Oberon*" (qui sera son dernier). Le librettiste était un Anglais; Weber commença alors à suivre des cours intensifs pour apprendre cette langue.

Au début de 1826, le nouvel opéra était prêt et Weber partit pour Londres malgré les supplications de sa famille de renoncer à ce voyage, vu son état de santé. Mais il répondit qu'il préférait partir et mourir éventuellement dans la gloire, pour lui et pour sa famille, plutôt que de rester et traîner misérablement, attendant sa mort.

Le trajet vers Londres l'amena à Paris où il resta quelques jours et eut l'occasion d'y rencontrer de nombreux autres compositeurs célèbres comme Auber, Cherubini, Rossini.

Dès son arrivée à Londres, où ses œuvres étaient déjà très appréciées, les répétitions de "*Oberon*" commencèrent à l'opéra de Covent Garden. Parallèlement à cela, il donnait des concerts, car la demande était forte et les recettes était bonnes, justifiant des efforts extrêmes malgré sa très grande fatigue. Enfin, le 16 avril 1826 fut donnée la première de *Oberon*, sous la direction du compositeur, et ce fut un grand succès.

Mais sa santé devenait préoccupante et malgré les sollicitations pressantes de continuer son séjour à Londres puis d'aller à Paris, il décida de rentrer précipitamment chez lui, à Dresde, fixant la date de son départ de Londres au 6 juin.

Cependant, la veille de la date fixée, donc le 5 juin 1826 au matin, on le trouva mort.

Weber fut inhumé en Angleterre, le 21 juin 1826. Puis en 1844, Richard Wagner qui succéda à Weber à Dresde fit ramener le corps afin que sa dépouille réside à Dresde.

Wagner rendait ainsi hommage à Weber qui fit beaucoup pour le développement de l'opéra allemand.

Malgré sa mort prématurée, Weber laissa un grand nombre d'œuvres importantes ; de nombreuses œuvres chorales, deux symphonies, des concertos pour piano, pour clarinette, pour basson, un quintette pour clarinette, et autres musiques de chambre, des sonates et pièces pour piano et une dizaine d'opéras dont Le *Freischütz* (1821) et *Oberon* (1826), qui font toujours partie du répertoire classique des opéras.

Compositeur : Joseph WEIGL

Date et lieu de naissance / mort :

28 mars 1766 (Eisenstadt, Autriche) / 3 février 1846 (Vienne, Autriche)

Vie et œuvres :

Fils d'un violoncelliste et filleul de Joseph Haydn, Joseph Weigl compléta ses études musicales avec Salieri, à Vienne, où il s'établit et mena une longue carrière musicale très réussie.

A 20 ans, il dirigeait avec succès les Noces de Figaro de Mozart.

Il écrivit de la musique de chambre, de la musique pour l'église, mais aussi des ballets et quelques opéras qui eurent beaucoup de succès durant plusieurs années.

Compositeur : **Charles WESLEY**

Date et lieu de naissance / mort :

11 décembre 1757 (Bristol) / 23 mai 1834 (Londres)

Education, vie et œuvres :

Né dans une famille descendant de clergés anglicans, le père s'appelait également Charles. C'était une famille où la musique avait une place importante.

Le jeune Charles montra des dons très précoces, maîtrisant rapidement le clavier.

Plus tard, il fut engagé comme organiste à la Chapelle Royale à Londres et se lança dans la composition, notamment de quatuors, de concertos pour clavier, de sonates et de chants.

Compositeur : **Samuel WESLEY**

Date et lieu de naissance / mort :

24 février 1766 (Bristol) / 11 octobre 1837 (Londres)

Education, vie et œuvres :

Frère de Charles (junior), il maîtrisa lui aussi très vite le clavier et montra des talents de compositeur dès son jeune âge. En peu de temps, il apprit aussi le violon. Ses premières sonates pour clavecin furent publiées lorsqu'il avait 12 ans.

La même année, la famille s'installa à Londres. Là, les deux frères commencèrent à donner des concerts.

Il avait 21 ans lorsqu'il eut un accident grave, tombant sur la tête dans un trou creusé pour un chantier. Dès lors, il eut fréquemment des troubles, ce qui l'empêcha d'avoir une situation stable et fut obligé de se contenter d'engagements ponctuels, bien qu'il fut toujours reconnu comme étant un des plus grands organistes anglais.

Wesley fut aussi un grand compositeur, un peu oublié après sa mort, mais dont on découvre aujourd'hui les œuvres intéressantes.

En plus des nombreuses œuvres religieuses et l'adaptation d'un certain nombre d'hymnes composés par son père, il composa quatre symphonies, des concertos pour clavecin, pour orgue, pour violon, de la musique de chambre et des sonates.

Il eut un fils, **Samuel Sebastian Wesley (1810-1876)** également très bon musicien et qui composa aussi, notamment des hymnes selon la tradition de la famille et des chants religieux qui étaient très appréciés.

Compositeur : **Chritoph Ernst WEYSE**

Date et lieu de naissance / mort :

mars 1774 (Altona) / 8 octobre 1842 (Copenhague)

Education, vie et œuvres :

La famille Weyse, d'origine allemande, était venue s'installer à Altona, à l'époque ville et région appartenant au Danemark, bien que tout près de la ville allemande de Hambourg. D'ailleurs, Altona est maintenant un quartier de Hambourg.

Cristoph Weyse, donc compositeur danois fit ses études musicales et sa carrière à Copenhague. C'était un excellent pianiste et titulaire également de l'orgue de la cathédrale de Copenhague.

Ses compositions étaient profondément influencées par les classiques, notamment C.P.E. Bach, Haydn et Mozart. Ses chants pour l'église, ses adaptations de chants populaires danois, ainsi que quelques opéras le rendirent célèbre, surtout au Danemark.

Compositeur : **Johann Wilhelm WILMS**

Date et lieu de naissance / mort :

30 mars 1772 (Allemagne, région de Solingen) / 19 juillet 1847 (Amsterdam)

Education, vie et œuvres :

Fils d'un musicien, il fut l'élève de son père, qui lui enseigna le piano, la flûte, la composition.

Puis, Johann Wilms s'installa à Amsterdam dès l'âge de 19 ans et enseigna la musique tout en exerçant le métier de musicien comme flûtiste d'orchestre et pianiste. Wilms fut très apprécié en Hollande, aussi bien comme musicien interprète que compositeur.

Compositeur : **Peter von WINTER**

Date et lieu de naissance / mort :

Août 1754 (Mannheim, Allemagne) / 17 octobre 1825 (Munich)

Education, vie et œuvres :

Enfant très doué pour le violon, Peter Winter perfectionna ensuite ses connaissances musicales auprès de Salieri, à Vienne.

En 1778, il fut nommé directeur du théâtre de la cour à Munich et commença à composer de la musique de scène, un ballet, puis des opéras. Il composera environ 35 opéras, entre 1778 et 1820.

Il composa aussi des messes, trois symphonies rappelant beaucoup l'époque de Mozart. Notons en particulier le concerto pour clarinette et orchestre composé probablement un an après celui de Mozart.

Compositeur : **Friedrich WITT**

Date et lieu de naissance / mort :

8 novembre 1770 (Niederstetten, Allemagne) / 3 janvier 1836 (Würzburg)

Education, vie et œuvres :

Il fut un violoncelliste et compositeur très apprécié à la cour de Würzburg. Il composa des oratorios, 9 symphonies, des concertos et symphonies concertantes, mais ses œuvres furent oubliées jusqu'à la publication en 1909 d'une symphonie en ut, retrouvée et attribuée par erreur à son contemporain Beethoven (croyant qu'il s'agissait d'une symphonie de première jeunesse de Beethoven). Cette symphonie a été nommée "Iena" car elle fut découverte dans cette ville

Heureusement, on trouva peu de temps après le manuscrit original de la main de Witt. D'ailleurs, le style de Witt n'est manifestement sans rapport avec celui de Beethoven. Par contre, l'influence de Joseph Haydn sur Witt est évidente.

Compositeur : **Joseph WOELFL**

Date et lieu de naissance / mort :

24 décembre 1773 (Salzbourg) / 21 mai 1812 (Londres)

Education, vie et œuvres :

Joseph Woelfl apprit le violon avec Leopold Mozart et commença à jouer en public dès l'âge de sept ans. Il eut également Michael Haydn comme professeur lorsqu'il fut admis à l'école des petits chanteurs de la Cathédrale. Le jeune élève montra aussi des dons pour la composition.

Son père l'envoya à Vienne en 1790 pour compléter sa formation musicale, notamment avec Wolfgang Mozart. Ce dernier lui recommanda d'accepter un poste de musicien compositeur auprès d'un comte demeurant principalement à Varsovie. Et ce fut un début de carrière très intéressant pour Woelfl, mais il dut rentrer à Vienne 4 ans plus tard lorsque le comte perdit sa fortune.

Woelfl composa quelques opéras qui eurent un certain succès. Mais il brillait surtout par sa manière de jouer le piano. Plusieurs séances de compétition entre lui et Beethoven furent organisées, ce qui donna beaucoup de plaisir au public viennois. Par conséquent, les deux pianistes-compositeurs se connaissaient bien et il semble qu'ils se soient estimés mutuellement.

Compositeur : **Ernst WOLF**

Date et lieu de naissance / mort :

Février 1735 (Grossenbeeren, Alemagne) / 1792 (Weimar)

Education, vie et œuvres :

Ernst Wilhelm Wolf fit des études classiques avant de s'intéresser à la musique. A partir de 1761, il fut engagé à Weimar comme directeur musical et organiste.

Beaucoup de ses oeuvres ont été perdues, mais il subsiste quelques concertos pour clavier, très intéressants, ainsi que de la musique de chambre.

Compositeur : **Anton WRANITZKY**

Date et lieu de naissance / mort :

13 juin 1761 (en Moravie) / 6 août 1820 (Vienne)

Education, vie et œuvres :

Anton Wranitzky (s'écrit parfois Wraniczky), apprit le violon tout en faisant, par ailleurs, des études complètes. A 22 ans il trouva un poste de musicien à Vienne où il eut des leçons de composition de Haydn et Mozart. Plus tard, il devint un ami de Beethoven.

C'était un violoniste et compositeur très apprécié. Il fut le fondateur de l'Ecole de violon de Vienne.

A partir de 1814 il fut aussi directeur de l'orchestre du célèbre Theater an der Wien (un nouveau théâtre inauguré en 1801).

Parmi les œuvres d'Anton Wranitzky, il y a une quinzaine de symphonies, des concertos pour violon (et aussi pour deux violons), de la musique de chambre et diverses sonates et pièces, notamment pour ou avec violon.

Compositeur : **Paul WRANITZKY**

Date et lieu de naissance / mort :

30 décembre 1756 (en Moravie) / 26 septembre 1808 (Vienne)

Education, vie et œuvres :

Paul (ou Pavel) Wranitzky, frère aîné d'Anton, apprit le violon et l'orgue et alla à Vienne à 20 ans poursuivre des études de théologie, tout en perfectionnant ses connaissances en musique. En 1785, il eut l'opportunité de se consacrer entièrement à la musique en acceptant le poste de directeur musical auprès du conte Esterhazy, avant de s'installer définitivement à Vienne où il fut considéré comme un grand chef d'orchestre très apprécié de Haydn et Beethoven.

Bien qu'il ne se mit à la composition que relativement tard, il composa 51 symphonies, des concertos, de la musique de chambre et une vingtaine d'œuvres pour la scène.

Index

Compositeur Page

A

B

C

D

E

F

Compositeurs plus anciens ou s'écartant de peu de la période retenue pour la rédaction de ce livre :

A

ALBINONI Tomaso (1671 - 1751)
ALKAN Charles-Valentin (1813 - 1888)

B

BACH Johann Ludwig (1677 - 1731)
BACH Johann Sebastian (1685 - 1750)
BIZET Georges (1838 - 1875)
BOISMORTIER Joseph Bodin de (1689 - 1755)
BORODIN Alexander (1833 - 1887)
BRAHMS Johannes (1833 - 1897)
BRIOSCHI Antonio (1725 - 1750)
BRUCKNER Josef Anton (1824 - 1896)

C

CALDARA Antonio (1671 - 1736)
CHARPENTIER Marc-Ant. (1643 - 1704)
CHOPIN Frédéric (1810 - 1849)

D

DALL'ABACO Evaristo (1675 - 1742)
DAVID Félicien (1810 - 1876)
DAVI Ferdinand (1810 - 1873)

F

FRANCK Cesar (1822 - 1890)

G

GOUNOD Charles (1818 - 1893)
GOUVY Luois Théodore (1819 - 1898)
GRAUPNER Johann Ch. (1683 - 1760)

H

HEINICHEN Johann D. (1683 - 1729)

K

KEISER Reinhard (1674 - 1739)
KROGULSKI Jozef (1815 - 1842)

L

LALO Edouard (1823 - 1892)
LEONARDA Isabella (1620 - 1704)
LISZT Franz (1811 - 1886)
LOCATELLI (1695 - 1764)
LULLY (1632 - 1687)

M

MANCINI Francesco (1672 - 1737)
MARAIS Marin (1656 - 1728)
MARCELLO Benedetto (1686 - 1739)
MONTEVERDI Caudio (1567 - 1643)
MOUSSORGSKI Modest (1839 - 1881)

N

NICOLAI Otto (1810 - 1849)

O

OFFENBACH Jacques (1819 - 1880)

P

PACHELBEL Johann (1683 - 1706)
PEPPUSCH Johann (1667 - 1752)
PERGOLESE (1710 - 1736)
PURCELL (1659 - 1695)

R

RACHMANINOV Sergueï (1873 - 1943)
RAFF Joseph J. (1822 - 1882)
RESPIGHI Ottorino (1879 - 1936)
REINECKE Carl (1824 - 1910)

S

SAINT-SAENS (1835 - 1921)
SCARLATTI Domenico (1685 - 1757)
SCHUMANN Robert (1810 - 1856)
STEFFANI Agostino (1654 - 1728)
STRAUSS Richard (1864 - 1949)

T

TCHAIKOVSKI (1840 - 1893)

V

VERACINI (1690 - 1768)
VERDI Giuseppe (1813 - 1901)
VINCI Leonardo (1690 - 1730)
VIVALDI Antonio (1678 - 1741)

W

WAGNER Richard (1688 - 1726)

Z

ZELENKA Jan Dismas (1679 - 1745)
ZIPOLI Domenico (1813 - 1883)

www.bod.fr

Édition : BoD – Books on Demand, 12/14 rond-point des Champs-Élysées,
75008 Paris
Impression : BoD - Books on Demand, Norderstedt, Allemagne
ISBN : 9782322202270
Dépôt légal : Février 2020